Tous Continents

# *Coup d'envoi*

Coup sur coup – Tome 2

www.quebecloisirs.com

UNE ÉDITION DU CLUB QUÉBEC LOISIRS ULC.
Avec l'autorisation des Éditions Québec Amérique inc.


Dépôt Légal --- Bibliothèque et Archives nationales du Québec, 2016
ISBN Q.L. 978-2-89666-414-6
Publié précédemment sous ISBN 978-2-7644-2717-0

Imprimé au Canada

Micheline Duff

# Coup d'envoi

Coup sur coup – Tome 2

Roman

# MOT DE L'AUTEURE

Comme le premier tome, *Coup d'envoi* est rempli de musique. Pour entendre les pièces évoquées dans le texte au fur et à mesure de votre lecture, vous n'avez qu'à consulter la page Internet créée par Québec Amérique.

**www.quebec-amerique.com/coupsurcoup**

9. *Comme au premier jour* d'André Gagnon (p. 66)
10. *Liebestraum* de Franz Liszt (p. 66)
11. Sonate *Pathétique, nº 8, Op. 13*, de Ludwig van Beethoven, Adagio cantabile (p. 79)
12. *Concerto nº 21* de Wolfgang Amadeus Mozart, Andante (p. 85)
13. *Nocturne, Op. 9 nº 2*, de Frédéric Chopin (p. 244)
14. *Valse de l'adieu, Op. 69 nº 1*, de Frédéric Chopin (p. 252)
15. *Impromptu, Op. 90 nº 2*, de Franz Schubert (p. 308)
16. *Prélude et fugue en do mineur, BWV 847*, de Jean-Sébastien Bach (p. 310)
17. Sonate *Au clair de lune, nº 14, Op. 27 nº 2*, de Ludwig van Beethoven, Adagio (p. 313)
18. *Ah ! vous dirai-je maman*, K. 265, de Wolfgang Amadeus Mozart (p. 315)
19. *Berceuse, Op. 49 nº 4*, de Johannes Brahms (p. 316)

Les personnages et les situations de ce roman étant purement fictifs, toute ressemblance avec des personnes ou des situations existantes ne saurait être que fortuite.

Je vous souhaite bonne lecture et bonne écoute !

*Nos vies sont ainsi faites que le regard*
*qu'on y jette les rend terribles ou merveilleuses.*

Éric-Emmanuel Schmitt,
*Concerto à la mémoire d'un ange*

*Pour tous ceux qui, séparés, divorcés, veufs ou esseulés, repartent à la recherche du bonheur : puissent-ils enfin le trouver, ardent et durable.*

# RÉSUMÉ DU TOME 1
# *COUP DE FOUDRE*

Marjolaine Danserot, romancière et mère de famille, éprouve non seulement des difficultés avec Rémi, l'un de ses deux fils, décrocheur scolaire et délinquant qui se méritera la prison, mais elle subit également un certain éloignement de la part de son mari, Alain Legendre. Invitée comme auteure à un séjour de trois semaines dans le château de Manuello, en Suisse, elle partira, non sans hésitation, après avoir envoyé une lettre d'admiration à un pianiste connu, Ivan Solveye, dont elle a lu la biographie racontant son passé ténébreux en Croatie.

À la grande surprise de l'écrivaine, l'homme se présente à la soirée de lecture publique organisée par le château. Cela constituera l'élément déclencheur d'un coup de foudre, intense mais de trop courte durée, une histoire d'amour perturbée par la distance de six mille kilomètres devant séparer les amants, quelques jours seulement après leur rencontre. De retour au bercail, tout en entretenant des liens épistolaires avec le pianiste, Marjolaine fera tout pour sauver son couple et sa vie de famille, mais sans succès. Le roman se termine avec la promesse d'Ivan de venir s'établir au Québec pour une longue période, alors même que Marjolaine découvre l'existence d'une maîtresse installée depuis belle lurette dans la vie de celui qui deviendra son ex-mari.

Une histoire d'amour, mais aussi celle d'un divorce, en même temps qu'une quête d'absolu.

# CHAPITRE 1

Le plus difficile avait été de dénicher à Montréal un appartement meublé suffisamment grand pour installer un énorme piano à queue dans une pièce « vaste, isolée et insonorisée », selon les exigences d'Ivan, tout en conservant un espace vital acceptable pour Marjolaine. Malgré ses besoins moins impérieux, elle aussi réclamait un petit coin bien à elle, « retiré et tranquille », où elle pourrait placer son ordinateur afin de poursuivre ses travaux d'écriture.

Les amoureux auraient pu habiter rue Durham, dans la résidence familiale des Legendre désertée par le mari, parti vivre avec sa maîtresse. À ce sujet, Alain s'était montré correct.

— Garde la maison, si tu veux, Marjo, elle est entièrement payée et tu en possèdes la moitié, de toute façon. Moi, je quitte les lieux et n'y reviendrai jamais puisque je vais demeurer chez Ghislaine. Toi et moi pourrons communiquer par Internet en cas de nécessité. Je continuerai de contribuer au paiement du compte de taxes et de l'entretien. Considérons cela comme un placement, d'accord ? Si jamais l'un de nous éprouve un sérieux besoin d'argent, on pourra toujours la vendre, cette propriété et se partager la somme obtenue, voilà tout.

Pour Marjolaine, cependant, il n'était pas question de se débarrasser pour le moment de son nid familial, malgré son choix de tourner la page et d'aller habiter ailleurs. En dépit de son optimisme et de la joie réelle de se mettre en ménage avec Ivan Solveye, un doute raisonnable persistait quant à l'avenir. Convaincue de ne pas connaître suffisamment le pianiste pour prendre immédiatement des décisions radicales et irrévocables, elle préférait jouer de prudence et ménager ses assises, à tout le moins pour le début de leur première année de vie commune. Mieux valait se lancer dans l'aventure dans un contexte en tous points différent de sa vie passée et créé uniquement pour elle et son amoureux : nouvelle résidence, nouveau quartier, nouvelle façon de vivre… et nouveau compagnon pour le jour et pour la nuit !

Sinon, elle aurait l'impression d'introduire, dans quelques semaines, un étranger dans un lieu où chaque meuble et chaque recoin recelaient des souvenirs familiaux. Les murs n'avaient-ils pas été témoins des hauts et des bas, des bonheurs et des malheurs de tous les siens ? Que dire des premiers pas de ses deux fils autour de la table de cuisine, le coin où elle rangeait leur boîte de jouets, le pupitre du boudoir où ils s'installaient pour exécuter leurs travaux scolaires, l'escalier qu'avait dévalé, tête première, le petit François, le fauteuil dans lequel Alain lisait son journal tous les soirs, la fenêtre du salon où tant de nuits elle avait attendu en vain le retour de Rémi, puis son propre bureau d'écrivaine aménagé au deuxième étage où, le regard perdu sur le grand érable montant la garde derrière la maison, elle avait réussi à bâtir huit romans… Quant au lit de la chambre principale, elle préférait le laisser vide pour l'instant. La simple idée qu'à son insu Alain ait pu s'y vautrer avec sa maîtresse, l'été dernier, durant son séjour en Suisse, la rendait folle. Elle-même, incapable de violer une intimité qu'elle avait toujours considérée comme sacrée, n'avait osé entraîner Ivan jusque dans le lit conjugal, lors de sa visite courte et impromptue de janvier, au moment du procès de Rémi et en l'absence d'Alain, parti en voyage d'affaires.

Non… elle préférait entreprendre cette nouvelle étape toute neuve de sa vie dans un environnement parfaitement vierge où Ivan et elle se dessineraient un avenir heureux, imprimeraient leurs propres traces au quotidien et graveraient les empreintes, bien à eux et à eux seuls, d'un amour intense et profond.

La séparation d'avec Alain ne s'était pas effectuée sans douleur quelque deux mois auparavant. Au moment même de la découverte brutale de l'existence d'une autre femme dans la vie du père de ses enfants depuis plus d'une année, Marjolaine avait déchiré la belle lettre d'adieu, à son avis trop tiède et modérée, qu'elle venait tout juste de rédiger pour Alain. Et au lieu d'accompagner Ivan en Europe pour une dizaine de jours comme prévu, elle avait décidé de demeurer au pays pour attendre de pied ferme le retour de New York du vilain tricheur.

Dès son arrivée, elle n'avait pas tardé à lui désigner la porte d'un doigt accusateur. Toutefois, l'insulte qu'elle lui avait proférée aurait pu tout aussi bien s'adresser à elle-même, car Alain ne se doutait pas le moins du monde de la relation qu'elle entretenait avec Ivan.

— Va-t'en, menteur, tricheur, traître !

— Désolé, ma chère. Je ne t'apprends rien en te disant que ça n'allait plus tellement fort entre toi et moi depuis un certain temps. Ghislaine, ma secrétaire, se trouvait là, chaque jour, avec sa gentillesse et…

— Va-t'en, je te dis ! Tes cochonneries ne m'intéressent pas. Tout ce que je veux, c'est ne plus te voir la face !

Sur le coup, elle avait choisi de jouer la malheureuse victime, scandalisée par les tromperies de son mari, d'autant plus qu'Ivan venait de repartir pour la France après sa visite d'à peine quelques jours au Québec. Départ avec, tout de même, promesse de retour en mai… Bien entendu, de savoir qu'Alain lui préférait quelqu'un d'autre humiliait et blessait Marjolaine au point de décider subitement, alors qu'il ramassait quelques vêtements, de lui rendre la pareille, à ce vilain, à ce courailleux, ce visage à deux faces. Lui aussi allait souffrir en apprenant que son épouse se sentait infiniment plus heureuse auprès d'un autre homme. Après tout, le beau merle méritait autant qu'elle de vivre cet horrible rejet !

En le toisant d'un air mauvais, elle lui avait lancé d'un ton acerbe :

— Puisque tu as choisi une autre femme, mon cher mari, je vais te faire un aveu : moi aussi, j'ai trouvé mieux, figure-toi donc ! Moi aussi, j'ai maintenant dans ma vie un être extraordinaire et plein de gentillesse. Moi aussi, j'aime quelqu'un d'autre.

Elle s'était bien gardée, il va sans dire, de lui avouer qu'une distance large comme l'Atlantique l'avait obligée à un amour platonique pendant des mois, même si, côté cœur, elle savait pertinemment mériter autant que lui le titre de tricheuse. Devant la réaction tout à fait désintéressée du tendre époux, elle avait cru bon d'insister.

— Et cet homme m'aime et me remplit de bonheur depuis l'été dernier, mon cher, si tu veux le savoir !

Mais Alain ne voulait rien savoir. Elle s'était attendue à un interrogatoire en règle, à tout le moins un tressaillement de sa part. Même pas ! Le scélérat avait pris un air détaché, et cette indifférence, plus que tout le reste, avait blessé Marjolaine au-delà du supportable. Ébranlée, elle avait fait la moue sans plus.

Dire qu'écrasée de remords, elle avait hésité pendant des mois à se laisser emporter par son attirance pour le pianiste ! Dire qu'elle s'était culpabilisée pour une seule et unique semaine d'amour et de passion, l'été dernier en Europe, et à quelques rares reprises durant le court séjour d'Ivan au Québec, au milieu de l'hiver ! Dire qu'elle avait torturé sa conscience pour de simples mais longues lettres quotidiennes envoyées outre-mer dans le but d'entretenir un amour on ne peut plus chaste ! Dire qu'elle se traitait d'hypocrite ! Dire qu'Alain s'en contrefichait !... Dire, dire...

Le mari n'avait trouvé qu'une platitude à rétorquer.

— Ah, bon ? Que veux-tu que j'y fasse ? C'est tant mieux pour toi, ma chère ! Ainsi, notre séparation se produira sans heurts et en douce, d'égal à égale, sans qu'aucun de nous deux n'ait à souffrir plus que l'autre.

— Notre séparation ? Tu te moques de moi, Alain Legendre ! Non, je vais officiellement demander le divorce en bonne et due forme, et dès maintenant. C'est terminé, nous deux, je ne reviendrai en aucun temps vivre avec toi, tu m'entends ? Jamais !

— Moi non plus !

Alain était parti définitivement le soir même, sans protester, promettant seulement de venir chercher ses affaires pendant la fin de semaine suivante.

— Je préférerais ne pas te voir ici à ce moment-là, Marjo.

— Inquiète-toi pas pour ça !

Devant la froideur et le détachement du père de ses enfants, elle avait failli lui lancer par la tête la photographie agrandie de leur couple souriant derrière leurs deux petits garçons, qui trônait depuis des années sur la bibliothèque du salon, en lui criant :

« Tiens ! Oublie jamais ça, maudit sans-cœur ! » Mais en le voyant descendre le sac contenant ses effets personnels sans souffler mot, elle l'avait salué d'un méprisant signe de la main sans rien ajouter avant d'aller se réfugier au sous-sol. Quelques minutes plus tard, elle l'entendait disparaître en claquant brutalement la porte derrière lui. À plat ventre sur le lit de Rémi, la tête enfouie dans ses oreillers, elle avait alors pleuré toutes les larmes de son corps.

Et puis non ! Ce n'était pas la fin du monde, grands dieux ! Au contraire, les portes de l'avenir venaient enfin de s'ouvrir à tous les vents. Elle s'était aussitôt ressaisie. Après tout, il s'agissait bien plus d'une libération que d'une défaite. Elle pouvait désormais contempler l'horizon clair et limpide devant elle et s'y envoler en toute liberté. Le temps était venu de se lisser les ailes et non plus de fuir la menace d'un orage.

Histoire de calmer sa révolte et de se changer les idées, elle avait alors pris l'initiative de se rendre immédiatement au centre-ville avec sa voiture, à la recherche d'un logement, mission dont l'avait chargée Ivan au moment de son départ pour l'Europe. Dans moins de deux mois, le Croate allait revenir pour de bon, avec armes et bagages, afin de remplir sa nouvelle fonction de pianiste en résidence, invité à l'École de musique Schulich de l'Université McGill, à partir du début de mai. Non seulement Marjolaine comptait les jours, mais aussi les heures. De connaître l'endroit réel où Ivan et elle goûteraient leur bonheur la consolerait sûrement des affres de l'éclatement de son couple, après vingt-trois ans de mariage.

Elle dénicha finalement un superbe appartement joliment meublé donnant directement sur le Carré Saint-Louis, avec trois chambres à coucher dont deux pourraient être converties, l'une en salle de musique et l'autre, en un confortable bureau. Ivan aurait l'opportunité de se rendre facilement à son travail à pied ou grâce à un unique autobus, et elle-même profiterait assurément de sa situation en plein centre-ville. De plus, au lieu d'utiliser sa voiture, elle pourrait parcourir, une fois par semaine, une partie du trajet en métro vers le pénitencier fédéral situé en banlieue de Montréal, les jours où elle irait visiter Rémi, son fils détenu.

Évidemment, le prix du loyer lui paraissait inabordable, mais Ivan lui avait spécifié à plusieurs reprises de ne pas en tenir compte. L'Université allait en assumer une large part, et lui-même s'occuperait de défrayer le reste sans problème. Elle signa donc le bail d'une main tremblante, bien consciente d'entamer officiellement et concrètement, par ce simple geste, le début d'une nouvelle étape de sa vie. « À la grâce de Dieu ! se dit-elle. Après tout, pourquoi pas ? Que voilà un beau coup d'envoi ! »

Rémi fut le seul à mal prendre la chose. Selon lui, il affrontait suffisamment de problèmes en ce moment sans avoir à supporter, en plus, le divorce de ses parents.

La conversation allait bon train, dans la salle des visites plutôt déserte du pénitencier fédéral, ce jour-là.

— Mais, mon grand, tout cela ne changera pas grand-chose dans ta vie, actuellement. Et après ta remise en liberté, tu visiteras ton père et ta mère séparément, voilà tout. Un jour ou l'autre, il te faudra bien devenir un adulte, tu ne penses pas ?

— Et quand j'vais sortir d'ici, où j'vais habiter, moi, hein ?

— Rémi, tu en as pour quatre ans en prison ! On avisera en temps et lieu, voyons donc !

— Et quand on va me permettre des sorties conditionnelles de deux ou trois jours, j'irai où ? Et ma libération possible après le tiers de ma peine, c'est-à-dire dans un peu plus d'un an, tu en fais quoi, maman ? Je vais dormir sur le trottoir comme un sans-abri, je suppose ? La belle affaire !

— Tu viendras chez moi ou tu iras chez ton père, aussi simple que ça !

— Mon père, mon père… J'le vois jamais, mon père ! Non, j'veux revenir chez nous, moi, sur la rue Durham. Dans notre maison et dans ma chambre au sous-sol, avec mes affaires et avec mon chien !

— Désolée, Rémi, mais une agence a posé une pancarte *À louer* devant la porte, justement hier.

— Quoi ? Ah ben, ça, ça me fait chier !

— T'en fais pas, j'ai ramassé toutes tes choses et je les ai rangées bien en sécurité dans un entrepôt pour tout le temps de ta détention. Et puis, je te promets de ne pas accepter de bail de plus d'un an avec le futur locataire. On verra ensuite ce qu'il adviendra. Rien ne sert de prendre des décisions à la légère, pour le moment.

— À la légère, à la légère… Et moi, dans tout ça ? J'suis devenu un prisonnier et rien d'autre, hein, m'man ?

Rémi baissa la tête, plus accablé par la disparition de son milieu de vie dont il se trouvait banni présentement que par la rupture de ses parents. Marjolaine n'avait pas prévu cette réaction pourtant bien légitime et elle se sentit déroutée. Elle passa affectueusement son bras autour des épaules de son malheureux fils en tentant de le rassurer.

— N'interprète pas les choses comme si la fin du monde venait de se produire, mon Rémi. Tu restes notre enfant, et ta place dans nos cœurs et dans notre réalité n'a pas cessé d'exister, voyons ! Mais pour nous tous, la vie continue, que veux-tu ? La relation entre ton père et moi dégénérait de plus en plus. Pourquoi laisser s'envenimer une situation déjà instable et défaillante ? Nous avons le droit de refaire nos vies chacun de notre côté, non ? Ça ne t'enlève ni ne t'enlèvera rien du tout, mon grand. On n'a pas arrêté de t'aimer, tu le sais bien ! Si tu avais cinq ans, il s'agirait d'une tout autre histoire. Mais à dix-huit ans…

Le garçon restait plongé dans son mutisme, découragé par la perte du seul espace lui appartenant encore en propre, en dehors des murs de la prison. Soudain, on lui retirait son lieu d'hébergement au sein de sa famille, symbole concret d'un espoir de retour dans la vraie vie, son repère fondamental et irremplaçable. Ces derniers temps, il accusait tout de même des progrès remarquables grâce à une thérapie, à la fois de groupe et individuelle, concernant non seulement sa toxicomanie mais aussi ses comportements délinquants. Il avait également repris ses études collégiales au centre de formation du pénitencier et, au grand bonheur de Marjolaine, il lui remettait enfin, de temps à autre, des résultats d'examens fort acceptables dans plusieurs matières obligatoires pour l'obtention de son diplôme.

Marjolaine ne savait comment réagir devant la détresse de son enfant. Devait-elle vraiment se sentir coupable alors que, pendant plus de vingt-trois ans, elle avait tenté de supporter les comportements égoïstes et indifférents de son mari pour l'amour de ses enfants et pour sauver sa famille ? Pour quelles raisons s'acharner à triturer un passé réellement terminé et… passé ? Ne valait-il pas mieux se tourner vers demain ?

Elle entreprit alors de lui parler d'Ivan, en le présentant comme « son futur grand ami ». Après tout, Rémi avait droit à la vérité à son sujet.

— Tu te rappelles l'été dernier, le soir de mon anniversaire, quand nous nous étions retrouvés dans un resto avec François ? Ton père et moi revenions d'un concert où le pianiste nous avait conquis. Eh bien, c'est lui, Ivan Solveye, mon nouveau conjoint ! Tu vas l'aimer, j'en suis sûre ! À la suite de ce récital, je lui ai écrit une lettre d'admiration, puis il est venu me rencontrer en Suisse, et cela a tout déclenché.

Rémi ne soupçonnait pas l'histoire d'amour vécue par sa mère depuis son séjour en Europe. Il l'écouta avec intérêt raconter sa rencontre de l'été dernier avec le Croate, au château de Manuello, leur coup de foudre et leur voyage en Suisse et à Dubrovnik, leur correspondance torride après le retour au pays de Marjolaine, la venue du pianiste au Québec, en janvier, au moment du procès de Rémi, et son départ pour la France pour une période de quelques mois seulement, ayant en poche un contrat d'un an comme artiste en résidence ici, à Montréal, à partir du début de mai.

— On dirait un vrai roman, m'man !

— Tu as raison, Rémi. Un super roman d'amour ! Il n'y a rien d'impossible, comme tu peux le constater. Attends une minute, je vais te montrer quelque chose.

Elle s'en fut demander au gardien la permission de se réapproprier son sac à main, mis obligatoirement en consignation durant les visites au parloir, afin d'en extraire une photographie. Il acquiesça et elle se dépêcha de présenter fièrement à son fils un portrait où Ivan et elle posaient avec un couple de saint-bernards, race de chiens de montagne, devant un sommet enneigé des Alpes.

— Tiens, regarde, c'est lui.

Rémi examina très peu le Croate, obnubilé par la présence des spécimens canins sur la photo. Une question surgit aussitôt dans son esprit, une question primordiale à laquelle il n'avait pas songé encore. LA question.

— Et Jack, m'man, il va vivre avec vous deux dans votre nouvelle maison?

— Euh...

Elle hésita à répondre, appréhendant le pire. Non, Jack ne vivrait pas chez elle à cause des allergies d'Ivan. Non, il n'était pas non plus admis chez Alain, dont la blonde détestait les animaux. Quant à François, l'aîné, en raison de son horaire fort compliqué et de l'étroitesse de son logement, il ne pouvait se permettre de garder un chien chez lui et sa fiancée. Personne de la famille éloignée ni parmi les amis ne voulait du labrador. Trop gros, trop ci, trop ça... Alors?

Elle sentit son fils se crisper d'angoisse.

— Ben, m'man, réponds, crisse!

— Euh... On va devoir s'en séparer, j'en ai bien peur. Soit le vendre, soit l'emmener à la SPCA[1], qui pourrait l'offrir en adoption. Après tout, Jack est doux et docile, il pourrait faire la joie d'une autre famille.

— Nonnnnnnnn! J'veux pas perdre mon Jack, j'veux pas! Vous avez pas le droit, c't'à moi, ce chien-là, vous avez pas le droit!

— Je ne peux tout de même pas le ranger à l'entrepôt!

Le garçon se leva et se mit à vociférer à tue-tête, malgré les supplications de sa mère l'incitant à se taire. Sous le regard curieux des autres visiteurs, le gardien s'approcha finalement du détenu

---

1. Société pour la prévention de la cruauté envers les animaux.

pour s'emparer de son bras et le sommer de se la fermer. Mais Rémi n'en fit rien, se secouant et hurlant de plus belle.

— OK, sors d'ici, mon gars, un autre gardien va te raccompagner à ta cellule. Je pense que tu as besoin de te calmer et de réfléchir.

Rémi cracha par terre, puis se tourna vers sa mère en lui montrant le poing.

— Tu m'as volé mon chien, pis j'te déteste. J'veux pus te parler ni te voir ! Pus jamais !

En franchissant la porte, le visage baigné de larmes, Marjolaine se demanda pourquoi Rémi lui en voulait à elle et pas à son père ni à son frère. Elle réalisa qu'il n'avait même pas réclamé des nouvelles de l'un et de l'autre. Après tout, si Alain n'allait jamais le visiter, pourquoi son fils s'informerait-il de lui ? Quant à François, pour l'instant accaparé par sa dernière session à l'École technique, il ne semblait pas vivre sur la même planète que son frère.

La semaine suivante, lors de la visite de Marjolaine à la prison, le préposé à la réception la fit patienter pendant une bonne demi-heure avant de lui annoncer que son fils refusait catégoriquement de la voir. Rémi ne l'avait pas appelée de la semaine, et elle avait mis sur le compte de la bouderie ce silence à la fois farouche et troublant. Sans doute son refus de la rencontrer, ce jour-là, témoignait-il de la même irritation. Écœurée, elle décida d'attendre son appel téléphonique avant de se présenter de nouveau au pénitencier.

Le jeune homme mit deux longues semaines avant de s'excuser froidement au téléphone. Marjolaine réalisa alors, seulement à ce moment-là, la souffrance de son garçon vivant une véritable peine d'amour. Personne n'avait eu le souci de le consoler, pas même sa mère. Elle aurait pu au moins lui envoyer un petit mot par la poste, non ?

Dévorée par la culpabilité et le cœur dans l'eau, elle alla tout de même porter Jack à la SPCA, quelques jours avant l'arrivée d'Ivan au Québec. Elle déposa un baiser sur le front de l'innocente bête en lui demandant pardon, avant qu'on ne la précipite dans une cage.

— Ne m'en veux pas, Jack, je ne peux faire autrement. Je te souhaite de trouver d'autres mains pour te caresser et te cajoler. Tu le mérites bien. Tout comme moi !

# CHAPITRE 2

En ce matin frisquet tant attendu du 5 mai, Marjolaine dégustait tranquillement une brioche accompagnée d'un café noir pour la première fois dans son nouvel appartement du Carré Saint-Louis. Vers la fin de l'après-midi, elle irait chercher son amoureux à l'aéroport Trudeau, de retour de Lima où il avait donné un dernier récital avant de venir se fixer à Montréal. Aujourd'hui marquait le début d'une merveilleuse histoire, ou plutôt la continuité d'un merveilleux roman d'amour, comme l'avait constaté Rémi l'autre jour, lors d'une visite de sa mère. Et elle en soupirait d'aise. Dans quelques heures, son cher Ivan serait auprès d'elle, et il ne repartirait plus. Pas avant un certain temps. Pas avant un an, peut-être même davantage. À tout le moins, le souhaitait-elle ardemment.

Toutefois, elle sentit son cœur défaillir, quelques minutes plus tard, en dépliant le journal sur la table, à la page de la chronique littéraire, pour apercevoir, bien en évidence, une reproduction de la jaquette du troisième tome de sa trilogie. Tiens, tiens ! On publiait une critique de son dernier roman ! Hélas, elle faillit tomber par terre en voyant la note d'évaluation attribuée. Quoi ? Deux étoiles et demie seulement ? Donc, de moyennement bon à passable. Ouf !

À travers un regard brouillé par les larmes, Marjolaine s'empressa de lire les commentaires de l'analyste littéraire et dut serrer les dents pour ne pas crier.

*Si les deux premiers tomes de la populaire série* Les Exilés *de Marjolaine Danserot avaient séduit les lecteurs, le troisième et dernier volet ne manquera pas de les décevoir avec ses personnages devenus peu crédibles et dont les aventures, à n'en pas douter, présentent peu de réalisme.*

*En effet, dans une tentative évidente de s'en tenir à un certain code moral, l'auteure s'est permis de les placer dans des situations pour le moins extravagantes, pour ne pas dire invraisemblables ou pratiquement impossibles. Ce prêtre catholique s'autorisant à bénir son propre mariage dans les fondations à peine construites d'une église… Sa femme lui annonçant sa grossesse quelques heures avant qu'il abandonne définitivement la prêtrise en laissant tomber bêtement sa soutane sur un lit… Son intégration trop facile et sans histoire dans un autre groupe religieux… Son incroyable succès à fonder, sans argent et sans aide, un refuge pour filles-mères au centre d'une grande ville, histoire de rattraper différemment son sacerdoce manqué…*

*Madame Danserot nous avait habitués à des romans historiques plus plausibles et conformes à la réalité, mieux étoffés et certainement mieux documentés. Dommage.*

Marjolaine prit son visage entre ses mains et demeura un long moment prostrée et immobile, comme si une bombe venait de lui tomber sur la tête. En démolissant subjectivement une œuvre à ce point, les critiques se rendaient-ils compte des conséquences néfastes et effroyables infligées à l'auteur ? Aux yeux de l'écrivaine, cette analyse négative représentait à coup sûr une faillite totale, l'écroulement inévitable de sa carrière d'auteure. Elle n'arrivait pas à y croire.

Évidemment, il s'avérait plus facile d'anéantir que de louanger. Si le roman lui avait déplu, le critique aurait pu se taire et ignorer l'œuvre tout simplement ou, à tout le moins, justifier les deux étoiles et demie allouées en soulignant certains points positifs, la profondeur des sentiments évoqués par exemple, ou l'originalité du style fluide qui avait fait la réputation de Marjolaine Danserot, ou encore la qualité de l'écriture elle-même et la richesse du vocabulaire. Après tout, quel humain pouvait se targuer de produire des créations invariablement de même calibre ? Même les plus grands maîtres de l'humanité n'avaient pas réussi à concevoir des œuvres de valeur parfaitement égale. Beethoven avait eu à remanier à plusieurs reprises son opéra *Fidelio*, et de nombreux chefs-d'œuvre de Mozart avaient subi l'indifférence des Viennois durant une grande partie de sa courte existence. Quant à Jean-Sébastien Bach, on avait d'abord offert le prestigieux poste de cantor[2] à deux autres musiciens avant de s'adresser à lui, dans une chapelle de Leipzig. Qui, quel artiste ou quel créateur, n'a pas, tôt ou tard, obtenu un compte rendu négatif de l'une de ses œuvres, ou simplement perdu en popularité à un moment ou à un autre de sa carrière ?

Marjolaine, ne se sentant nullement prête à affronter une telle épreuve dans le contexte actuel, se trouva au bord du découragement. Comment remonter la côte, maintenant, comment refaire surface et reconquérir son lectorat ? Comment convaincre son éditeur qu'elle pouvait encore pondre d'excellents romans et demeurer une auteure rentable ? Comment, surtout, garder la tête haute devant Ivan, lui, l'artiste adoré, adulé dans tous les pays du monde où il se produisait ?

La décision s'imposait d'elle-même : elle cesserait d'écrire à tout jamais. Deux étoiles et demie ne suffisaient pas à Marjolaine

2. Poste de directeur de la musique ou de chef de chœur.

Danserot pour continuer de s'investir dans une aventure aussi difficile que cruelle et aléatoire. L'heure du point final venait de sonner, en ce moment même. Elle allait se trouver un autre gagne-pain, cours de français, ateliers d'écriture, travail de secrétaire, où elle aurait à rédiger des rapports sans fautes de syntaxe et de ponctuation.

Mais aujourd'hui, ironie du sort, Ivan arrivait. Elle repoussa toutes ces idées noires du revers de la main. Était-ce par rage ou par bravade ? Au lieu de s'effondrer, elle décida de se ressaisir. Après tout, son bien-aimé la prendrait dans ses bras dans quelques heures à peine. Si sa carrière s'achevait, la vie ne s'arrêtait pas là, quand même ! Au contraire, quelque chose de merveilleux était sur le point de commencer.

Elle chaussa ses souliers de course, s'enveloppa d'un châle et descendit dans la rue sans trop savoir dans quelle direction s'engager. Puisqu'il lui était maintenant impossible d'écrire une seule ligne, mieux valait s'aérer l'esprit et aller arpenter les trottoirs au milieu de la foule. Pourquoi ne pas se dissoudre parmi les passants ? Cela la convaincrait peut-être d'exister encore et d'occuper toujours une place dans la race humaine. Simple quidam parmi les quidams…

Elle s'engagea dans le parc du Carré Saint-Louis, petit espace vert restreint, limité par différentes rues et entouré de demeures bourgeoises d'architecture victorienne très bien entretenues. Quelqu'un l'avait mise au courant de l'histoire du quartier qui s'enorgueillissait de sa fréquentation par de nombreux écrivains célèbres, entre autres par Émile Nelligan, l'un des grands poètes québécois, et par d'autres romanciers, poètes et chansonniers actuellement fort connus. Elle se demanda alors ce qu'elle faisait dans ce lieu, elle, Marjolaine Danserot, romancière plus ou moins populaire et, selon le journal de ce matin, de piètre talent et peu appréciée par la critique littéraire. Si elle avait possédé un meilleur sens de l'humour, elle se serait moquée d'elle-même, elle qui se croyait à l'image de Dieu quand elle écrivait. Peuh ! Quelle prétention et quel leurre, tout de même ! Elle envoya au diable les papillons blancs, son ego venait de prendre un coup dur.

Elle eut envie de s'enfuir de là à toutes jambes et de ne plus jamais revenir dans cette partie de la ville. Mais elle songea que, plus tard, l'histoire retiendrait peut-être la présence au Carré Saint-Louis, juste en face du fameux quadrilatère, du réputé pianiste croate Ivan Solveye, y ayant vécu pendant un certain temps en compagnie de sa maîtresse. Amante anonyme et sans intérêt, vague auteure de romans sans trop d'envergure…

Hum ! « Un certain temps », toute la question résidait là. Mille fois Marjolaine s'était demandé pendant combien de mois se poursuivrait leur idylle, et mille fois elle avait tenté de se convaincre qu'elle durerait toute la vie. Il fallait se montrer optimiste, que diable ! Surtout en ce grand jour de l'arrivée de l'illustre amant.

Elle releva la tête et accéléra le pas. Dans le parc flânaient de nombreux itinérants. Elle aperçut l'un d'eux, fort pouilleux, en train de dormir sur un banc pendant que d'autres fouillaient dans les poubelles à la recherche de rares croûtes à se mettre sous la dent ou de bouteilles de plastique à vendre pour quelques sous dans les machines à récupération. Plus loin, un barbu échevelé, solitaire et au regard vide, grattait une guitare et marmonnait une chanson d'une voix fausse et éteinte. La médiocrité avait aussi sa place, au Carré Saint-Louis.

Désemparée, Marjolaine s'engagea sur l'artère Saint-Denis et descendit vers la rue Sainte-Catherine, où elle chemina vers l'est. Aux abords d'un magasin, elle aperçut contre la vitrine deux garçons au seuil de la vingtaine. Le premier, complètement drogué, était couché par terre sur un tas de couvertures sales, et l'autre, tenant à peine sur ses jambes, tendait une main souillée aux passants dans le but de leur quémander de l'argent. Elle frissonna en pensant qu'il aurait pu s'agir de Rémi. Peut-être même, sans qu'elle le sache, s'était-il déjà réellement trouvé dans une situation analogue avant qu'on ne l'enferme dans un pénitencier…

Non, à bien y songer, le Créateur du monde n'avait pas réussi à la perfection son œuvre, lui non plus. Pas mieux que Marjolaine Danserot, le bon Dieu ! Pire même : certaines de ses créatures accusaient des manques flagrants de jugement ou de lucidité, d'autres de santé physique, d'autres encore ne possédaient même pas de quoi manger pour survivre. Et que penser du manque d'amour et de respect, cette nourriture essentielle pour l'esprit et le cœur ? La misère humaine tournait à plein régime un peu partout sur la belle planète, il fallait bien l'admettre. Devant ces jeunes « poqués » incapables de mener une vie normale, elle, l'auteure à deux étoiles et demie, n'en alloua qu'une seule au divin Créateur.

Elle rebroussa chemin et regagna le Carré Saint-Louis, le cœur en charpie.

Le vol en provenance du Pérou accusait déjà deux heures de retard sur Internet, avant même que Marjolaine ne parte pour l'aéroport Trudeau. L'attente se prolongea d'une heure supplémentaire, une fois sur place, et elle dut prendre son mal en patience. L'absence des deux premiers tomes de sa trilogie à la librairie de l'endroit – ils s'y trouvaient pourtant l'été précédent – ne contribua guère à la consoler de la critique du journal du matin. Mais en ce moment, son attention se dirigeait exclusivement vers les grandes portes des arrivées internationales. Dans quelques minutes, Ivan surgirait à sa vue comme un marchand de bonheur et d'apaisement.

Elle ne se trompait pas. Même si le pianiste lui parut quelque peu fatigué, son sourire radieux et son regard plein de lumière anéantirent toutes les autres préoccupations déprimantes de l'écrivaine. Elle reconnaissait son beau visage, elle entendait son accent si particulier de Croate ayant appris le français à Paris sur le tard. Elle ne pouvait pas y croire : son amour, son trésor, son correspondant depuis des mois, l'homme de ses rêves se trouvait en face d'elle, bien vivant, et il la pressait contre sa poitrine avec encore plus de ferveur qu'elle ne l'avait imaginé, là, au beau milieu de l'aéroport. Et, cette fois, il ne repartirait pas. Rien d'autre n'existait plus, le bonheur venait de rejaillir enfin.

Une heure et demie plus tard, quand elle lui fit visiter leur appartement spacieux et élégamment meublé du Carré Saint-Louis, Ivan se montra très enthousiaste.

— Magnifique ! Marjolaine, c'est simplement magnifique ! Ça dépasse même toutes mes attentes. Nous allons vivre heureux ici, mon amour, tu vas voir !

Elle retrouvait non seulement cet homme gracieux et séduisant qui lui plaisait tant, mais en même temps elle ressentait déjà sa chaleur, son authenticité, sa jovialité, son romantisme, son exubérance, sa grande capacité de s'exalter. Auprès de lui, elle ne s'ennuierait jamais, elle le savait.

— Assieds-toi, mon chéri, nous allons fêter ça ! Tu te rappelles nos retrouvailles de l'hiver dernier au Château Frontenac de Québec ? Tu nous avais préparé une bouteille de champagne. C'est à mon tour de t'offrir la pareille dans notre Château des Sons et des Mots.

— Désonzédémo ? Qu'est-ce que c'est ?

— Château des Sons et des Mots, c'est-à-dire le lieu où tu produiras des « sons » et où j'écrirai des « mots ». Ce nid d'amour et de travail supportera bien la comparaison avec tous les châteaux du monde, tu ne crois pas ?

Elle s'arrêta net. En expliquant la provenance de ce nom attribué à leur nouvel appartement, elle réalisa que son invention datait du moment où elle avait signé le bail. Compte tenu des critiques du journal et de sa décision de quitter l'écriture, prise ce matin seulement, l'appellation *des Sons et des Mots* s'avérait certainement moins appropriée. Des mots, elle ne voulait plus en écrire, dorénavant. Ivan ne lui laissa pas le temps d'apporter plus de précisions. Les explications viendraient assez vite.

— Quelle idée originale ! Ma chérie, je t'aime, je t'aime tant ! Mais avant de célébrer tout cela au champagne, j'ai d'abord autre chose à goûter, moi !

Il attira Marjolaine vers la chambre et, usant de toute la ferveur et la délicatesse du monde, il se mit à l'embrasser sur toutes les parties de son corps avec une lenteur voluptueuse, jusqu'à ce que, folle de désir, elle le supplie de venir en elle.

— Viens, Ivan, viens en moi, prends-moi et remplis-moi de toi. Éclate en moi, mon amour. Il y a si longtemps…

Une heure plus tard, ils arrosèrent ce début inoubliable dans l'effervescence des bulles du Moët et Chandon gardé au frais, suivi d'un succulent ragoût de veau, mijoté une partie de la journée sur l'initiative de la maîtresse des lieux et accompagné d'un excellent Beaujolais.

Ainsi s'amorça, pour les amoureux retrouvés, le commencement d'une vie de couple plus stable et plus normale. Finies les distances, finies les cruelles séparations, finies les visites quotidiennes au bureau de poste et les courts appels téléphoniques en catimini. Fini, tout cela, au grand soulagement de Marjolaine.

— Dis donc, ma chérie, ce nom inventé pour notre appartement me plaît beaucoup. Des Sons et des Mots… Nous n'aurons pas le choix de travailler très fort, chacun de notre côté, à ce que je vois.

Était-ce l'effet de la demi-bouteille de champagne ou celui du vin rouge corsé à souhait qui ramena soudain à l'esprit de Marjolaine les frustrations et les rancœurs de la matinée et sa décision spontanée de tout flanquer en l'air ? Elle se mit à trembler, tentant de refréner son élan de confidences. Non, non, elle n'allait pas sortir maintenant le squelette du placard. Ivan n'avait certainement pas envie d'entendre parler, ce soir, des problèmes littéraires de son amoureuse. Mais ce fut plus fort qu'elle, elle se lança.

— Tu sais, mon chéri, je ne suis plus certaine de vouloir encore écrire.

— Comment cela ? Tu manques d'idées ?

— Au contraire, là n'est pas la question. C'est que… je… il…

Ivan la regardait en plissant les yeux, de toute évidence curieux et avide de comprendre la confusion et l'embarras plutôt subits et sérieux de sa bien-aimée.

— Mon amour, que se passe-t-il donc ? Tu peux tout me dire, tu le sais bien.

— J'ai eu une très mauvaise critique de mon dernier roman, ce matin, dans le plus grand quotidien de la province, et cela m'a complètement enlevé l'envie de continuer. Si je ne vaux pas mieux, à quoi bon m'acharner ? À la suite de cet article me jetant par terre, ça ne me surprendrait pas de voir mon éditeur évincer d'avance mon prochain manuscrit. Tu vas voir, tôt ou tard, le téléphone va sonner et…

— Voyons, Marjolaine, tu exagères !

— Non, je n'ai plus envie de me battre. Je ne veux plus travailler des milliers d'heures, isolée et dans le silence, un jour à la fois, et cela, pendant des centaines de jours. J'en ai fini de me faire balayer du revers de la main par un quidam qui se permet de juger les autres du haut de sa haute tribune comme si lui seul détenait la vérité et la capacité d'évaluer, alors qu'il n'est même pas foutu de publier un livre lui-même ! Je refuse de recevoir des gifles sur le cœur en guise de salaire et d'appréciation. Mon travail vaut certainement mieux que ça, même si je n'ai nullement la prétention d'écrire des chefs-d'œuvre !

Marjolaine ravala sa salive. Elle ne s'attendait pas à une aussi sérieuse remise en question. Les cheveux faillirent lui dresser sur la tête quand Ivan poursuivit, sur un ton de confidence.

— Mais je l'ai lu, moi, ce manuscrit-là, l'été dernier en Suisse, et je l'ai adoré ! Il ne lui manquait que quelques pages pour la finale, et tu me les as envoyées par la poste. Même si le rédacteur d'une chronique littéraire l'a déprécié, cela ne garantit absolument pas que ton livre va déplaire aux lecteurs. Les critiques d'art m'apparaissent tellement subjectives et personnelles. Parfois même snobinardes. Garde ta confiance en toi, mon amour, allons donc !

— Merci de me le dire, Ivan, mais… tout cela m'a gravement blessée, je te jure. Ce soir, je ne sais vraiment plus où j'en suis.

— Bon, à mon tour de te confier un secret : le récital que je viens de donner à Lima a suscité, comme ton roman, des commentaires négatifs, et ce, dès le lendemain. Et pas seulement un. Deux ! L'un dans un grand journal, l'autre à la radio ! Le premier provient d'un musicologue on ne peut plus chiant. Le type m'a reproché mon maniérisme et ma lenteur... trop lente dans les mouvements lents! L'autre a été prononcé dans la chronique d'une éminente spécialiste, paraît-il. La dame a désapprouvé ma « sensibilité exacerbée, proche de la mièvrerie ». Tu vois un peu ? Moi aussi, j'y ai goûté dernièrement, crois-moi ! Mais je ne baisserai pas les bras pour des mauvaises critiques. Oh ! que non !

— Ah, mon Dieu, mon pauvre Ivan ! Toi qui joues si merveilleusement bien, toi, le plus grand pianiste de l'univers.

— N'exagère pas, tout de même ! Comme toi, j'ai pris cela difficilement, je te l'avoue. Et ce genre de choses s'est produit à quelques reprises au cours de ma carrière. Je me rappelle encore Liverpool où on avait littéralement massacré mon interprétation et, l'an dernier, un critique de Budapest ne m'avait pas fait de cadeau non plus. Même l'un de mes disques a été méchamment critiqué, il y a quelques années.

— J'arrive mal à y croire.

— Un jour, je me suis dit : « Zut ! Moi, c'est moi, et je ne cesserai pas de jouer comme je le sens et comme je le veux. Ceux qui n'apprécient pas mes interprétations n'ont qu'à rester chez eux et à ne pas acheter mes disques, voilà tout ! Je deviendrai peut-être pauvre, mais je vais continuer à ma manière en donnant comme toujours le meilleur de moi-même. Et je vais rester... moi ! Tant pis pour le reste ! »

— Tu as raison. Tu as tellement raison !

— Je ne peux pas vivre sans les sons, et toi, sans les mots. Je t'en supplie, ne lâche pas, Marjolaine.

Ivan se leva alors et, posant ses mains sur les épaules de Marjolaine, il se pencha pour plonger silencieusement ses yeux gris dans les siens. Elle eut envie de s'y noyer, de s'y dissoudre pour oublier le reste de l'existence. Ah, comme elle l'aimait ! Jamais personne ne l'avait aussi bien comprise.

— Merci d'être là, mon amour. Tu me rends plus forte, plus solide. Plus confiante, surtout.

— Le nom attribué à notre habitat, le Château des Sons et des Mots, me plaît beaucoup. Donne-moi la main, ma chérie. Ensemble, toi et moi, nous allons transformer ce tout petit espace qui nous est alloué sur cette planète en un lieu béni d'inspiration et d'illumination, autant en musique qu'en littérature. Un lieu de création, quoi ! Tu te rappelles l'absolu dont nous parlions, l'été dernier ? Ne le perdons pas de vue, Marjolaine.

— Ivan, je te donne cinq étoiles !

— Comment cela, cinq étoiles ?

Marjolaine répondit par un grand rire et se jeta dans ses bras.

# CHAPITRE 3

Contrairement à ses prévisions, Marjolaine éprouva quelques difficultés à s'adapter à sa vie à deux avec Ivan. À vrai dire, les problèmes ne provenaient pas du pianiste, à part un bruit de fond permanent de gammes, d'accords, d'arpèges et d'enchaînements harmoniques dont il remplissait invariablement la maison dès qu'il y mettait le pied, histoire « d'entretenir sa forme », affirmait-il. Non, le malaise découlait d'elle, uniquement d'elle. Même si elle n'avait reçu aucun commentaire de la part de son éditeur concernant la critique négative de sa dernière publication, elle arrivait mal à cibler un nouveau sujet de roman et qualifiait chacune de ses idées de médiocre. En dépit des encouragements d'Ivan, mille fois elle s'était installée devant son ordinateur, et mille fois elle l'avait refermé, confuse et en mal d'inspiration.

« Syndrome de la page blanche », avait décrété le pianiste, quelques jours après son arrivée. Dans le dictionnaire de Marjolaine, on définissait le mot « syndrome » comme l'ensemble des symptômes d'une maladie. Ainsi donc, divaguer sur une page blanche relèverait d'une maladie ? Elle se demandait s'il existait un mode de guérison et combien de temps encore persisterait cet affreux mal. Mal d'inspiration en train de dégénérer en mal de vivre, il fallait bien l'admettre. Cela allait-il durer seulement quelques jours ou bien des mois et des mois ? Et si la maladie était incurable ? Si Ivan Solveye fréquentait une romancière en phase terminale ? L'aimerait-il toujours si elle redevenait simplement une femme comme les autres, et non une créatrice ?

Elle n'allait tout de même pas errer à cœur de jour à l'affût d'une idée, hein ? Ni les livres qu'elle dévorait, ni ses souvenirs les plus mémorables aussi bien que le passé anecdotique de certaines personnes de son entourage, ni ses rêves les plus farfelus, ni les nouvelles à la télé, ni les drames signalés dans les journaux, ni ses promenades hasardeuses au centre-ville, rien, absolument rien n'arrivait à allumer la petite étincelle qui se transformerait pour elle en un soleil éblouissant d'inspiration au fil des jours, et la garderait enfin alerte et productive. Vivante, quoi ! Non... l'écrivaine avait perdu le feu sacré.

Bien conscient du malaise de sa conjointe, Ivan veillait sur elle avec sollicitude et tentait vainement de l'encourager, en dépit de ses propres difficultés à s'adapter à un milieu universitaire de haut calibre mais malheureusement anglophone. Certes, il maîtrisait la langue anglaise jusqu'à un certain point, mais combien tout se serait avéré plus facile en français !

— Tu veux trop, Marjolaine ! N'y pense plus, fais seulement confiance à la vie. Laisse-toi aller, pour une fois, et profite donc de ces vacances, même obligées ! Tu as ça dans le sang, l'écriture. L'inspiration viendra bien en son temps, au moment où tu t'y attendras le moins. Ne dit-on pas : « Chassez le naturel, il revient au galop » ? Il va revenir, ton naturel, Marjo, sinon au galop, à tout le moins d'un pas ferme et assuré, je n'en doute pas un instant. Peut-être éprouves-tu un besoin inconscient de faire temporairement le vide. Je te le répète : reste confiante.

Facile à dire pour un pianiste ! Ivan Solveye n'était pas un créateur à part entière et il ne composait pas des œuvres musicales à partir de rien, lui ! Il se contentait, selon ses états d'âme du jour, de créer des interprétations de pièces déjà écrites par quelqu'un d'autre, point à la ligne.

Parfois, Marjolaine se demandait si elle ne décevait pas son amant. Venu pour partager un amour avec la romancière sereine et joyeuse connue l'été dernier, le pauvre devait maintenant s'adapter à une femme désœuvrée, déprimée, dépassée par son problème, sans compter ses soucis causés par Rémi. Elle avait beau feindre la bonne humeur, se montrer pleine d'entrain et rire plus fort qu'il ne fallait, rien n'y faisait. Elle ressentait profondément la frustration et la rage, et Ivan, avec sa sensibilité à fleur de peau, devait sans doute le percevoir. Jusqu'où irait sa patience ?

Il ne se trompait pas, elle voulait trop. Mieux vaudrait lâcher prise et croire en sa bonne étoile. Se laisser aller tout simplement, en se disant que les orages ne duraient jamais très longtemps, même ceux de l'existence.

Quatre matins par semaine, elle regardait partir son homme pour l'université après de fougueux baisers. Comme elle l'avait prévu, il s'y rendait à pied afin de garder la forme et il ne rentrait que tard en fin d'après-midi, complètement à plat. Ces jours-là, Marjolaine tournait en rond dans la maison en jetant des regards haineux sur son ordinateur et le monceau de papiers en désordre qui encombraient son bureau.

Le soir, tout en dégustant le copieux repas bien arrosé qu'elle avait préparé, le pianiste lui racontait sa journée. Il n'avait à la bouche que les mots « œuvre à travailler », « étudiants à motiver », « concertos à interpréter », « récitals à organiser », « examens à préparer ». Tandis qu'elle… Elle, elle n'avait rien à relater, à part sa tournée vagabonde dans les épiceries du quartier et sa visite hebdomadaire à Rémi qui, même s'il avait enfin accepté de revoir sa mère, demeurait renfrogné et de mauvaise humeur.

Parfois, elle invitait son aîné, François, et sa fiancée, Caroline, à souper, et ces rencontres contribuaient à lui remonter le moral. Le jeune couple d'étudiants en informatique s'entendait très bien avec le pianiste, et cette amitié nouvelle suffisait à détendre l'atmosphère. On parlait même d'organiser une fin de semaine de camping tous les quatre pour la fin de juin, et Ivan s'en montrait fort enthousiaste.

— On pourrait monter nos tentes quelque part, sur le bord du fleuve ou sur les rives d'un lac, tiens ! Les lacs, ça ne manque pas ici !

— Bonne idée ! J'ai tout à découvrir dans ce pays, moi !

Durant les week-ends, Marjolaine s'appliquait rondement à jouer les guides touristiques. Le Croate connaissait maintenant très bien Montréal et ses environs, ainsi que la région des Basses-Laurentides.

Un jour, il avait déclenché un fou rire chez Marjolaine quand, assis sur le siège du passager de la voiture, il gardait sans cesse le nez collé contre la vitre, examinant silencieusement le paysage. Ils avaient prévu un pique-nique dans la région de Saint-Jérôme, à une cinquantaine de kilomètres de Montréal, et ils traversaient, à ce moment-là, une courte zone boisée, sur l'une des autoroutes les plus achalandées de la province. Elle ne put résister à le questionner.

— Qu'est-ce qui peut bien t'intriguer autant dans le décor, mon amour ? Je ne vois rien d'intéressant pour le moment.

— Je rêve d'apercevoir un ours.

— Un ours ! Ici, à quelques kilomètres de Montréal, le long de cette voie rapide toujours encombrée de voitures ? Tu veux rire !

— Ne dit-on pas que les forêts du Canada regorgent d'ours et d'autres animaux sauvages ? Ne traversons-nous pas une forêt, en ce moment ?

— Tu ne verras pas d'ours ici, Ivan. Et même dans les régions éloignées, peu de Québécois en ont croisé sur le bord des routes. Il faut plutôt aller au plus profond des bois, là où il n'y a pas un chat.

— Pas un chat ? Veux-tu dire que les ours ont peur des chats ?

Marjolaine éclata de rire au point où elle eut du mal à lui apporter des précisions, se contentant de lui jeter un regard amoureux.

Ivan avait rapidement fait l'acquisition d'un vélo et, ensemble, en fin de journée ou pendant les fins de semaine, ils avaient pris l'habitude de parcourir la plupart des pistes cyclables de la ville, un lunch et une caméra dans leur sac à dos. À d'autres occasions, les jours de congé du pianiste et quand le temps le permettait, ils partaient à la découverte des sentiers pédestres de la campagne avoisinante.

Ils redevenaient alors le couple d'amoureux exaltés et fascinés de l'été dernier, en Europe. Bien sûr, les Laurentides ne possédaient pas la majesté des Alpes, et un petit lac d'eau douce n'avait rien à voir avec le lac Léman ou la mer turquoise de Dubrovnik et ses jolies îles, mais l'amour était au rendez-vous autant que la capacité d'émerveillement des deux tourtereaux devant les beautés de la nature. Il suffisait d'un bosquet fleuri, d'un ruisseau serpentant à travers les bois, de grenouilles coassant la nuit au fond d'une mare ou de l'or étincelant d'un champ pour voir leurs yeux s'agrandir et leur cœur battre la chamade. Ils se serraient alors l'un contre l'autre, bien conscients de palpiter ensemble à la même intensité, celle proche de l'absolu.

Un certain lundi matin ensoleillé, après le départ d'Ivan pour son travail, Marjolaine, toujours désespérément en quête d'une idée pour une prochaine publication, décida de faire une promenade dans le quartier. Elle venait à peine de traverser allègrement une allée du Carré Saint-Louis quand elle découvrit dans un coin du parc, pas très loin de la rue Saint-Denis et juste en vue du Château des Sons et des Mots, un homme proche de la cinquantaine, installé dans un fauteuil roulant tout près d'un banc. Barbu et cheveux en bataille, mais proprement vêtu, l'homme agitait de la main une boîte de conserve. En se retournant, elle remarqua avec horreur ses deux jambes coupées à la hauteur des cuisses. Quoi ! Malgré son terrible handicap, ce pauvre type se devait de mendier afin de subvenir à ses besoins ! Quelles injustices de la vie l'avaient donc mené là ?

Elle ne put s'empêcher de s'arrêter et de jeter, en lui souriant, une pièce de deux dollars dans son contenant complètement vide.

— Merci de votre générosité, ma belle dame. Je vais prier pour vous.

— Vous allez prier pour moi ? Je veux bien, mais… vous ne me connaissez pas !

— Ça n'a pas d'importance. Le bon Dieu, lui, il vous connaît !

— C'est la première fois que je vous vois ici.

— Oui, cette année, et ce n'est pas la dernière ! Avec le retour du printemps, je prévois revenir assez souvent. Ce parc très fréquenté constitue un endroit parfait pour quêter : joli décor, grands arbres pour l'ombre et… gentilles passantes ! J'y viens d'ailleurs depuis des années. C'est mon petit coin privilégié.

— Dans ce cas, mon cher monsieur, je vous salue et vous saluerai chaque fois que je sortirai de chez moi. J'habite juste en face.

— Bonne journée, madame. Votre sourire me fait du bien. Merci beaucoup et… à la prochaine !

Marjolaine continua son chemin en se mordant les lèvres. Tant de questions lui venaient soudain à l'esprit. Que s'était-il passé dans la vie de ce quêteux qui ne s'exprimait pas comme un quêteux ? Pourquoi lui avait-on coupé les membres inférieurs ? Qui avait poussé son fauteuil roulant jusqu'à ce banc ? Quêtait-il de l'argent pour assurer sa survie ? Comment pouvait-il se débrouiller sans jambes ? Qui prenait soin de lui, le lavait, l'habillait, le nourrissait ? Pour quelle raison ne possédait-il pas de prothèses ? Elle poursuivit sa route en flânant dans les boutiques, incapable de se débarrasser de l'image obsessive de l'homme.

Le soir venu, elle raconta à Ivan tous les détails de sa rencontre avec le handicapé. Il l'écouta attentivement, mais se garda bien d'émettre un commentaire. Réfugié derrière un étrange demi-sourire, il la regarda longuement et silencieusement. Marjolaine n'en comprit pas la raison.

— Non, non, je n'ai pas toujours été sage, madame. J'ai eu vingt ans, moi aussi ! Mais ne vous inquiétez pas, ça fait des années que j'ai interrompu mes folies.

Était-ce par curiosité, ou simplement par compassion ? Marjolaine avait développé un intérêt pour l'homme aux jambes coupées qu'elle voyait mendier du haut de sa fenêtre de salon tous les quatre ou cinq jours, par beau temps. Les premières fois, elle avait hésité à descendre le retrouver. Puis, peu à peu, elle en était venue à lui apporter un muffin, ou des petits gâteaux, ou quelques morceaux de chocolat et un café, pour finalement s'asseoir sur le banc à ses côtés afin de piquer une « jasette » durant quelques minutes.

L'infirme se montrait reconnaissant et volontiers volubile. Marjolaine avait le sentiment de voir naître une belle amitié entre eux. Bien sûr, elle continuait de retenir ses questions trop précises et personnelles, et se contentait de discuter de la température, de la politique ou de l'actualité locale ou internationale avec cet homme intelligent et cultivé.

Cependant, un bon matin, surgirent d'elles-mêmes et de façon tout à fait inattendue les impressionnantes confidences du mendiant. Il parla sans s'arrêter pendant plus de deux heures, oubliant de tendre sa boîte de conserve aux passants. Marjolaine l'écouta sans l'interrompre, buvant ses paroles comme de l'eau de source. Elle eut alors peine à retenir un grand cri de joie. De toute évidence, elle venait de trouver le sujet de son prochain roman.

Ça y était, mesdames et messieurs ! L'illustre romancière Marjolaine Danserot allait écrire la vie trépidante, sous forme romancée, d'un certain individu de cinquante-deux ans dénommé Jean-Claude Normandeau. Elle s'exécuterait bien sûr avec sa permission, et elle transformerait et déguiserait tout le contexte s'il le préférait ainsi. Mais qu'importe. À coup sûr, sa prochaine œuvre serait celle-là ! Et cette fois, grâce à l'originalité du sujet, l'auteure se mériterait au moins quatre étoiles. Sinon quatre et demie !

Elle eut envie de se mettre à genoux, là, au milieu du parc, pour remercier le ciel de l'inonder aussi subitement d'une telle lumière. Elle trouva plus sage, cependant, de se jeter tout d'abord à l'eau.

— Savez-vous, monsieur Normandeau, que je suis écrivaine ?

— Ah oui ? Vous écrivez quoi ?

— Des romans. La plupart du temps, je cherche mes sujets dans la réalité. Les faits vécus m'inspirent davantage que les petites histoires cucul ou à l'eau de rose.

— Vous écrivez des romans ? Tu parles d'une coïncidence ! Je possède un diplôme en études littéraires, imaginez-vous donc ! C'est d'ailleurs le seul que j'ai pu obtenir, compte tenu de ma condition physique, et on ne gagne pas des millions avec ça, croyez-moi ! Quel est votre nom de plume ?

— Le même que le mien : Marjolaine Danserot. J'ai publié huit romans aux Éditions Bonne Fortune.

— Votre nom ne me dit rien, je ne vous ai donc jamais lue. La prochaine fois qu'on me conduira à la bibliothèque, je vais emprunter quelques-uns de vos livres, je vous en fais la promesse.

L'espace d'un moment, le spectre de la mauvaise critique effleura l'esprit de l'écrivaine. Toutefois, se rappelant les mots d'encouragement d'Ivan, elle se ressaisit aussitôt. Poussant un long soupir, elle serra les poings et se lança.

— Monsieur Normandeau… je… j'hésite à vous demander cela, mais ce que vous venez de me confier sur votre passé bien particulier m'impressionne beaucoup. Je vois là un sujet unique et extraordinaire. Que diriez-vous si… si je me servais de votre vécu pour bâtir un roman ? Il ne s'agirait ni d'une biographie ni d'un récit, mais d'une véritable histoire. Je modifierais plein de choses et y ajouterais de nouvelles situations issues de mon imagination afin de respecter votre anonymat et d'éviter qu'on ne vous reconnaisse. Néanmoins, pour le fond de l'histoire…

Elle se serait attendue à quelques réticences de la part du mendiant, à tout le moins à un certain étonnement à la suite de cette demande qu'elle jugeait audacieuse. Au contraire, l'homme manifesta aussitôt un grand enthousiasme.

— Pas d'importance ! Vous pouvez écrire tout ce que vous voulez, si ça peut servir à faire réfléchir les jeunes et à empêcher que tout ça se reproduise. Vous pouvez même utiliser mon nom, si vous le désirez, je n'y vois pas d'objection.

— Non, non, je vais assurément changer votre identité et ajouter plein d'éléments nouveaux à votre cheminement.

— Dans votre roman, vous pourrez m'appeler Théodore ou Théo, si vous le voulez, en souvenir d'un certain aumônier envers qui j'éprouve une reconnaissance infinie. Et pour les détails, ne vous gênez surtout pas pour m'interroger. Je ne mets qu'une seule condition à tout ce beau projet : je veux être invité au lancement, ha! ha!

— Oh, merci, merci, monsieur! Vous n'avez pas idée comme je suis contente. Et ne vous inquiétez pas pour le lancement, vous serez mon invité d'honneur... dans un an et demi ou deux, ou plus! Mais je dois d'abord commencer à l'écrire, ce fameux roman!

Marjolaine se leva spontanément pour déposer un baiser sur la joue de l'homme en se demandant s'il y croyait vraiment, à ce projet. De toute façon, l'affaire était conclue, elle en savait déjà suffisamment pour entreprendre l'aventure. Tant mieux si elle devait laisser place à son imagination et inventer de toutes pièces divers passages. Il s'agissait d'une œuvre de fiction, après tout!

Marjolaine Danserot venait de récupérer son rôle d'auteure. Quand elle retourna à la maison, elle avait des ailes et elle barbouilla des dizaines de notes et d'idées jetées en vrac sur de nombreuses feuilles. Finies les pages blanches! Ce soir-là, elle attendit Ivan avec plus d'impatience qu'à l'accoutumée. Il avait à peine mis le pied dans la porte que, déjà, elle lui confiait son émoi.

— Tu ne sais pas quoi, mon chéri? J'ai trouvé mon sujet de roman! Il est là, en moi, il m'habite et il va m'empêcher de dormir, je le sens. Cette fois, je vais pondre un chef-d'œuvre, aucun doute là-dessus !

— Ah ! je l'attendais d'un jour à l'autre, cette nouvelle-là ! Tu vas raconter l'histoire de ton bonhomme en fauteuil roulant, je gagerais.

— Comment le sais-tu ?

— Je l'avais deviné depuis le jour de ta première rencontre avec lui, dans le parc. Je voyais tellement tes yeux briller quand tu m'en parlais, et tu ne t'en rendais même pas compte ! Si l'histoire de ce type en vaut la peine, il s'agit d'une très bonne idée, mon amour. Il a mené une existence originale, je suppose ?

— Originale ? Écoute bien ça. La police a mis la clé dans la porte de chez lui quand il avait onze ans, à cause de la violence de son père et de sa mère. Après une jeunesse écoulée dans de nombreux centres d'accueil sans jamais avoir revu ni ses parents ni ses jeunes frères et sœurs, Jean-Claude est devenu toxicomane et membre d'un gang de rue. Comme la plupart de ses amis, il vivotait d'un vol à l'autre entre deux *trips* de drogue. À vingt-deux ans, le destin l'attendait : il a eu les deux jambes sérieusement blessées dans un grave accident. Il venait de voler une voiture et, se voyant poursuivi par une auto-patrouille, il a appuyé inconsidérément sur l'accélérateur. Quelques minutes plus tard, il a perdu le contrôle et est entré de plein fouet dans un mur.

— Oh là là ! Pas jojo, tout ça !

— Bien sûr, on l'a mis en état d'arrestation. Après plusieurs semaines d'hospitalisation sous la surveillance d'un gardien, on a dû finalement lui amputer les jambes, atteintes de gangrène. Vinrent ensuite des mois et des mois de rééducation dans une clinique spécialisée où un employé du système carcéral le conduisait deux ou trois fois par semaine. S'il avait réappris à marcher avec des prothèses tout en maintenant son équilibre à l'aide de béquilles, Jean-Claude continuait néanmoins de souffrir de solitude et d'abandon. Par pitié sans doute, le juge ordonna sa libération après un court séjour en prison. On le transféra dans un centre d'hébergement pour handicapés où il reçut l'enseignement d'une ergothérapeute et l'aide d'une psychologue afin de récupérer complètement, tant physiquement que mentalement.

— Quelle histoire !

— Mais la plus grande assistance lui est venue de Théodore, l'aumônier du pénitencier, qui ne l'a jamais lâché. Jean-Claude et lui n'ont pas mis de temps à devenir de bons amis et l'homme a continué de le fréquenter après sa remise en liberté. Pour la première fois de son existence, le garçon a accepté de donner sa confiance à quelqu'un sans réaliser qu'il venait sans doute de trouver, dans le prêtre, le père qu'il n'avait jamais eu…

— Comment cela ?

— Théodore, petit à petit, lui a appris à croire en lui-même, à développer son potentiel, à s'épanouir. À apprécier chaque moment, quoi ! Parfois, le dimanche, il l'emmenait dans sa voiture à la découverte de la nature que Jean-Claude n'avait jamais vue. Il lui offrit même l'hospitalité pour un certain temps dans son presbytère, l'infirme se trouvant incapable d'assurer sa subsistance, en raison de son handicap et de son peu d'instruction. Jamais, au grand jamais, le prêtre n'a posé un geste disgracieux ou agressif envers le garçon. Au contraire, il l'a respecté et aimé comme un père aime son fils. Jean-Claude a alors réussi à terminer son secondaire à l'école pour adultes où l'aumônier le conduisait lui-même chaque jour. Quand le jeune homme a manifesté l'envie de poursuivre des études collégiales, Théodore l'a soutenu et lui a trouvé un travail au secrétariat d'une paroisse pour lui permettre d'acquérir une certaine indépendance financière.

— Quel beau geste !

— Attends, ce n'est pas tout. Écoute bien ça. Une fois son DEC[3] obtenu, Jean-Claude ne voulut pas s'arrêter là. Il adorait la lecture, une activité que sa condition physique lui permettait de pratiquer facilement. Pourquoi ne pas étudier la littérature à l'université ? Qu'à cela ne tienne, Théodore trouva à héberger « son fils adoptif », comme il l'appelait, chez un de ses amis, à proximité de l'université. Grâce à une bourse d'études, à sa pension d'invalidité et aux quelques billets de banque que Théodore lui refilait de temps à autre en catimini, Jean-Claude finit par obtenir un baccalauréat en littérature.

— Je n'en reviens pas !

— Et je n'ai pas encore terminé, le plus surprenant reste à venir ! En raison de son terrible handicap, Jean-Claude Normandeau vit maintenant dans un centre d'hébergement près d'ici. De plus, il enseigne depuis vingt ans le français quatre jours par semaine dans un centre pour les jeunes en difficulté. Le reste du temps, crois-le ou non, ou bien il fait du bénévolat auprès des jeunes, ou bien il mendie sur différents coins de rue achalandés de Montréal et, pour ce faire, il enlève ses prothèses.

— Pour quelle raison ?

— Ça rend les gens plus généreux, paraît-il ! Et devine pourquoi il quête.

— Comment pourrais-je le savoir ?

---

3. Diplôme d'études collégiales.

— Pour remettre l'argent recueilli à l'organisme d'aide aux jeunes délinquants où il travaille dans le but de mieux les encadrer. Cet argent contribue à augmenter et à perfectionner le personnel de l'institution, à recruter des bénévoles et à améliorer le soutien aux familles d'accueil, en plus d'offrir plus de programmes intéressants et stimulants pour ces adolescents en difficulté. Jean-Claude Normandeau le fait, à sa manière, afin de poursuivre l'élan de générosité de son mentor, le fameux père Théodore.

— Qu'est-il advenu de celui-là ?

— Il est mort de sa belle mort à l'âge de soixante-seize ans, entouré de son « fils adoptif » et de quelques amis. C'est à ce moment-là que Jean-Claude lui a fait la promesse de s'occuper des jeunes à sa façon. « Ne serait-ce que pour en sauver un seul et lui éviter de vivre l'enfer que j'ai connu », m'a-t-il dit.

— Tu parles d'un geste extraordinaire !

— Quelle belle histoire à raconter, tu ne penses pas ? Malgré l'horrible drame de sa vie, malgré sa solitude et ses jambes coupées, un homme se reconstruit et veut employer le reste de ses jours à faire du bien... Ouf ! Et cette attitude de la part du prêtre qui a sauvé le garçon, comme c'est noble ! J'ai envie de développer ça dans un roman, moi, tu n'as pas idée ! Mais le plus drôle et le plus fantastique de l'histoire, tu ne le croiras pas !

— Ne me fais pas languir, pour l'amour du ciel !

— Le centre pour les jeunes en difficulté où Jean-Claude travaille et fait du bénévolat s'appelle Les Papillons de la Liberté !

Ivan, les yeux humides et muet d'émotion, se leva d'un bond.

— Ne bouge pas d'ici, Marjolaine, je m'absente pour quelques minutes seulement.

Dix minutes plus tard, elle le vit revenir avec une bouteille de champagne parfaitement frais dans les mains, un grande bouffée de gaieté éclairant son visage.

— Qu'est-ce qui t'a pris ?

— Il faut célébrer la réouverture du Château des Sons et des Mots, tu ne penses pas ?

— La réouverture ? Comment ça ? Croyais-tu que j'avais vraiment mis la clé sur la porte de l'écriture ?

Avec un large sourire, le pianiste lui fit signe que non. Puis il versa le précieux nectar dans deux flûtes et en tendit une à Marjolaine.

— Eh bien, j'ai l'impression que, dans un avenir rapproché, il y aura autant de mots écrits que de bulles dans ce verre !

# CHAPITRE 4

— Hé ! les vieux, qu'est-ce que vous faites ?

— On arrive, on arrive, énervez-vous pas !

Toutes les dix minutes, François et Caroline devaient interrompre le rythme endiablé de leurs avirons pour attendre Marjolaine et Ivan, dont le canot serpentait derrière eux avec une lenteur de tortue.

Assis à l'arrière de la fragile embarcation, Ivan ne cessait de déposer son aviron pour s'emparer de son appareil photo et photographier soit une pointe de sable s'avançant au milieu de la rivière, soit un rocher abrupt surplombant la rive escarpée, ou encore pour zoomer sur un huard plongeur ou une cane suivie de son adorable progéniture. Quand il aperçut au loin la tête d'un rat musqué fendant paisiblement les eaux, il ne tint plus en place, incapable de réprimer un cri.

— Oh, là-bas ! Regarde, regarde, mon amour, c'est extraordinaire ! Je n'avais jamais vu ça !

Marjolaine souriait, à la fois contente et fière de partager les beautés de son coin de pays avec son amant, subjuguée par les élans d'enthousiasme et de passion du Croate. Elle adorait cet homme non seulement pour son authenticité et sa capacité de ressentir des émotions, mais surtout pour sa façon de vivre chaque moment avec une profondeur frisant la démesure.

Bien sûr, il ne possédait pas un sens pratique hors du commun, ni n'avait développé d'intérêt pour les tâches domestiques, pas plus que pour le rangement et la propreté. Si elle n'avait pas passé continuellement derrière lui pour ramasser ses traîneries et tout remettre à l'ordre, le Château des Sons et des Mots se serait transformé en quelques jours en un superbe château du Bric-à-brac. Pourtant, cela importait peu à ses yeux d'ancienne épouse d'Alain Legendre, homme rangé par excellence, méticuleux et ordonné, perfectionniste exigeant s'il en est, mais dont la nature tellement froide et impénétrable l'avait amplement fait souffrir.

Au contraire, Ivan mordait dans la vie à belles dents, même si son impétuosité et sa fougue l'amenaient souvent à outrepasser les conventions et les règles, le plongeant parfois dans des situations loufoques ou embarrassantes. À vrai dire, le pianiste, « un original », selon les dires de Caroline et de François, ne s'en faisait guère avec les conséquences de ses multiples réactions impulsives.

Ainsi, en cette chaude matinée de juin, sur la rivière débouchant sur le lac Escalier au milieu du splendide parc national du Mont-Tremblant, la vue du rat musqué l'énerva à un point tel qu'il se leva brusquement dans le canot très instable afin de le prendre en photo. Ce qui devait arriver arriva : l'embarcation chavira, et Marjolaine et lui se retrouvèrent pataugeant dans l'eau glaciale. Naturellement, l'animal replongea dans les profondeurs pour contrer le danger, et on ne le revit pas. La chose en soi demeurait sans gravité, car les deux rameurs savaient parfaitement nager et portaient leur maillot de bain et un gilet de sauvetage. Cependant, non seulement le sac contenant le lunch et les vêtements coula à pic, mais également le coûteux appareil photo d'Ivan. L'homme prit le parti d'en rire.

— Ouille ! Au secours, à l'aide, les jeunes ! Le rat musqué a trouvé mon appareil au fond et il essaye de me photographier les jambes ! Et il n'arrête pas de me chatouiller les orteils pour me faire sourire !

Son fou rire devint contagieux. On finit par retrouver le sac, mais pas l'appareil photo. Les quatre randonneurs se dirigèrent ensuite vers la berge pour ramener le canot et assécher quelque peu les sinistrés. De toute évidence, tous auraient à se priver de repas, ce midi-là. Ivan lança à l'eau les aliments détrempés et immangeables en s'adressant au rat musqué.

— Bon appétit, vieux rat ! Pis t'as besoin de me remettre mon appareil la prochaine fois que je viendrai dans ta rivière, mon sacripant, sinon je ne te raterai pas. Tiens, tiens, je ne te RATerai pas et te RATtraperai, scéléRAT de vieux RAT, voleur de caméRA ! Ha ! ha ! ha !

Le geste d'Ivan, loin d'échapper à la mère canard, l'amena plutôt à s'approcher, en quête de nourriture pour ses six canetons. Émerveillé, le pianiste leur lança un à un de petits morceaux de sandwich sous le regard attentif de Marjolaine et du jeune couple. Cette fois, c'est Caroline qui immortalisa la scène avec son appareil.

— N'oublie pas de m'envoyer une copie de ces photos-là, jeune fille. Elles vont prouver à ta future belle-mère que les canards sauvages d'ici s'apprivoisent tout aussi facilement que les cygnes du lac Léman.

Ivan se retourna alors spontanément vers Marjolaine en lui souriant et il la regarda intensément, comme s'il voulait s'assurer qu'elle aussi avait conservé ce précieux souvenir de leur première baignade en Suisse. Elle décela tant de tendresse dans les yeux du pianiste qu'elle se leva pour déposer promptement un baiser sur sa joue. Plus elle découvrait cet homme, plus elle s'y attachait. Dire qu'elle avait anticipé sa venue avec une certaine inquiétude…

De camper avec les fiancés permettait à Marjolaine non seulement de leur faire apprécier le nouvel homme de sa vie, mais tout autant, pour elle-même, de mieux connaître sa future bru, qui allait convoler en justes noces avec son fils aîné dans quelques semaines. La jeune femme, fort jolie, lui parut intelligente et généreuse, très amoureuse de François, qui l'adorait.

Si l'avenir augurait bien de ce côté-là, les choses se présentaient différemment pour Rémi à qui on venait de refuser, sans raison évidente, en cette fin de juin, la permission pour une première sortie temporaire d'une journée, même accompagné d'un gardien. Du moins, c'était la version donnée par Rémi. « Ils sont complètement fous, m'man ! Une vraie bande d'écœurants ! » On avait, de surcroît, laissé entendre au garçon que sa libération conditionnelle n'aurait pas lieu une fois le tiers de sa sentence écoulé, à la fin de l'été.

Pourquoi ? Marjolaine l'ignorait. Rémi ayant maintenant atteint l'âge adulte, elle ne pouvait plus revendiquer son droit de parent pour obtenir auprès des autorités des renseignements le concernant. Ce dernier connaissait sans doute les véritables raisons de ces refus qu'elle considérait comme punitifs, mais il se gardait bien de les dévoiler. Depuis la dispute au sujet de son chien et son envoi à la SPCA, la relation n'avait cessé de s'envenimer dramatiquement entre les deux, même si le fils acceptait de nouveau de la rencontrer à la salle des visites. À vrai dire, il la recevait sèchement et, durant la semaine, il ne lui téléphonait plus et ne lui faisait plus de confidences. Marjolaine sentait avec horreur s'établir entre eux une distance froide et ombrageuse qui, à la longue, deviendrait assurément infranchissable.

Chaque jour, elle se promettait de tirer les choses au clair, mais ignorait de quelle manière. Comme, dans les prochaines semaines, Ivan prévoyait s'occuper à plein temps de la préparation d'un récital avec ses élèves, elle disposerait donc de temps libre pour aller au fond du problème. Tant pis pour son roman, elle y reviendrait plus tard. Au-delà de tout, elle désirait voir Rémi obtenir la permission de quitter le pénitencier pour au moins quelques heures, accompagné ou non d'un gardien, afin d'assister au mariage de son frère prévu pour le milieu d'août.

— Hé ! Venez voir !

La voix de François la ramena à la réalité du parc du Mont-Tremblant. Cette fois, le garçon avait déniché une énorme couleuvre se lovant tout doucement au soleil. Il réussit à l'attraper à l'aide d'un bâton et à la brandir en l'air au nez de son amoureuse. Ivan s'interposa aussitôt.

— Attention, jeune homme. Il pourrait s'agir d'un serpent venimeux !

— Non, non, t'en fais pas ! On n'a pas ces monstres-là au Québec, nous ! Nos serpents sont gentils, inoffensifs… et beaux !

Une fois de plus, le Croate réclama une photo. Morte de peur, Caroline se contenta de lui lancer l'appareil et de s'enfuir en hurlant à dix mètres de là, sous le regard complice de Marjolaine.

On décida finalement de revenir au campement, sur le bord de la plage, où l'on pourrait enfin se restaurer convenablement. Le soir venu, de douces voix s'élevèrent sous les étoiles autour du feu de camp, accompagnées par les cris du huard leur faisant écho dans la nuit, au milieu du lac. À la grande surprise de Marjolaine, François et Caroline s'unirent pour fredonner quelques belles chansons à la mode. De toute évidence, ces deux-là n'en étaient pas à leur première fois. Marjolaine se sentit émue. Elle n'en revenait pas : son fils et sa blonde avaient pris l'habitude de chanter ensemble…

Les yeux fixés sur les flammes, elle se revoyait, des années auparavant, enseignant des chansons à ses deux petits trésors assis sur ses genoux. Ainsi, son souci de leur faire don de la musique avait porté ses fruits, même si ni l'un ni l'autre n'avait apprécié ses cours de piano. Dans l'esprit de la romancière, tout comme les livres généraient la connaissance et la réflexion, la musique représentait bien davantage qu'une simple culture dans l'existence d'un être humain. Même à l'époque où on l'avait obligatoirement soumise aux contraintes ultrarationnelles des règles strictes de l'harmonie, la musique exprimait toute la gamme des émotions vécues par les hommes. Et cela constituait une force vive, une voie d'expression et d'échappement, une consolation, un outil pour affronter les aléas de la vie. Plus que tout, elle provoquait une élévation de l'âme pour rappeler que l'absolu existait bien quelque part, que le meilleur était sans doute à venir. La musique, c'était le cri d'espoir de l'humanité…

Involontairement, Ivan, musicien jusqu'au fond de l'âme, vint interrompre ce moment de méditation en prenant sa bien-aimée par les épaules.

— À notre tour de chanter maintenant, mon amour.

Ils entamèrent alors le *Petit bonheur* de Félix Leclerc, au grand étonnement du jeune couple.

— Tu connais cette chanson-là, Ivan ? Comment ça ?

— Bof… j'ai suivi des cours de chant, l'été dernier, dans les montagnes de Suisse.

— Oh, comme la mariée est belle !

Était-ce à cause des sons tonitruants de la *Marche nuptiale* de Mendelssohn jouée à l'orgue, ou bien la vue de Caroline, tout de blanc vêtue, pénétrant dans l'église au bras de son père pour aller rejoindre son cher François tout ému qui l'attendait impatiemment dans le chœur ? Marjolaine ne put réprimer ce cri admiratif. Submergée par l'émotion, elle serrait la main d'Ivan à lui en rompre les os.

— Calme-toi, mon amour, il s'agit d'un merveilleux moment de bonheur. Sois heureuse, voyons !

— Oui, je sais, je sais, mais…

Un souvenir, vieux de vingt-trois ans, ne cessait de l'obséder. Elle se revoyait elle-même, jeune et jolie, enveloppée dans une magnifique robe blanche, allant retrouver son fiancé à l'avant de la même église, convaincue de s'unir à lui jusqu'à la fin de ses jours et de vivre avec lui un bonheur impérissable.

Aujourd'hui, Alain et elle ne se parlaient plus, ne se regardaient plus. Pire, l'époux d'autrefois semblait avoir renoncé à jamais à son rôle de père auprès de son second fils. Ce dernier brillait par son absence en ce grand jour où il aurait dû célébrer avec toute sa famille. Même sur le perron de l'église, lors de l'arrivée des futurs époux, Alain, témoin de François, n'avait pas daigné saluer Marjolaine, préférant baisser hypocritement la tête. Il aurait pu au moins s'informer des raisons pour lesquelles Rémi n'assistait pas au mariage de son frère. Rien ! Le scélérat était passé devant son ex-épouse sans lui jeter un œil.

En ce moment même, en l'apercevant assis en retrait au centre de la nef en compagnie d'une étrangère, et non à l'avant parmi les invités, à la place revenant de droit au père du marié, Marjolaine se demandait à quoi Alain Legendre pouvait penser. Ressentait-il au moins quelque émotion joyeuse le jour du mariage de son fils aîné ? Il n'avait d'attention que pour la jeune femme qui l'accompagnait et il ne cessait de lui glisser des mots à l'oreille.

Lors du dernier party de Noël de l'entreprise d'Alain auquel elle avait assisté, Marjolaine avait entrevu la fameuse Ghislaine, l'identifiant comme un simple membre du personnel. À ce moment-là, elle couchait probablement déjà avec lui, mais Marjolaine, en épouse naïve, ne s'en doutait nullement. Qui aurait dit qu'un jour cette donzelle la remplacerait au bras de son mari, et dans la même église où ils s'étaient épousés, de surcroît ?

À cette pensée, Marjolaine éprouva quelques frissons. Dieu merci, aujourd'hui, elle ne se sentait ni rejetée ni esseulée. Ivan se tenait là, debout auprès d'elle, digne, solide et fort. Elle le contempla d'un regard amoureux et se resserra contre lui, convaincue qu'entre elle et Alain Legendre, elle était la plus heureuse des deux. Par contre, dans l'histoire de leur divorce, il n'était pas le seul à blâmer, elle devait bien l'admettre. Toutefois, si elle portait elle-même une large part de responsabilités, elle ne regrettait rien, oh ! que non !

— Levons-nous, mes frères.

Heureusement, l'appel de l'officiant la ramena à l'instant présent. Elle se concentra alors sur les lectures, les prières, le sacrement du mariage, le sermon, la consécration, la communion, désagréablement surprise par l'ennui que suscitaient tous ces mots qu'elle trouvait vides de sens pour la plupart. Non… il lui était nettement plus facile de rencontrer Dieu à l'intérieur d'elle-même, dans son jardin secret, plutôt qu'au sein d'un office religieux sous le toit d'une église. Pourvu qu'il existe, ce fameux bon Dieu invisible et trop silencieux…

Une fois à la salle du banquet, on pria les parents des mariés de s'asseoir à la table d'honneur. Marjolaine n'avait pas prévu ce coup-là ! Elle prit place immédiatement à la droite de François, obligeant Ivan à faire, de son côté, la conversation avec Ghislaine et Alain. Mieux valait favoriser des échanges neutres et banals entre des inconnus qu'entre deux ex qui n'avaient plus rien à se dire et n'avaient communiqué, les dernières fois, que par la voix de leurs avocats.

Un violoniste, un violoncelliste et une pianiste se chargeaient de maintenir une ambiance joviale et chaleureuse. Le père de la mariée fit un bref discours pour offrir ses meilleurs vœux aux époux, en son nom et au nom de la cinquantaine d'invités. Quand on demanda au père du marié s'il voulait s'approcher du micro, Alain fit signe que non, ne s'étant pas préparé à prendre la parole. Il fit néanmoins rire l'assistance en affirmant qu'il adresserait des conseils précis aux mariés seulement au moment où ils monteraient à leur chambre, au dernier étage de l'hôtel. Le maître de cérémonie jeta alors un regard interrogateur à Marjolaine en lui tendant le micro.

— Madame ?

Elle n'hésita qu'une seconde, puis se leva d'un bond.

— Moi, mon cher François et ma chère Caroline, non seulement je vous souhaite de former, pour le reste de vos jours, un couple heureux, serein et toujours en amour, mais je formule aussi le vœu, ardemment et de tout mon cœur, que vous me rendiez grand-mère à maintes reprises au cours des années à venir.

Elle prononça les derniers mots d'une voix brisée, ce qui déclencha un grand sourire sur le visage de Caroline et de François, et de chauds applaudissements du côté de l'assistance.

Après le repas, les invités se mirent à danser allègrement au son d'une musique entraînante créant une atmosphère joyeuse et détendue. Une heure plus tard, pendant une pause des musiciens, la mariée s'approcha timidement d'Ivan pour lui demander s'il accepterait de « jouer quelque chose » pour François et elle… ainsi que pour la plupart des invités se mourant d'envie d'entendre une prestation du grand Ivan Solveye !

À l'insistance de la pianiste embauchée qui avait elle aussi reconnu le célèbre interprète, Ivan consentit de bon gré et s'en fut s'asseoir au piano pendant qu'un silence respectueux s'installait dans la salle. Il interpréta alors *Comme au premier jour*[♪] d'André Gagnon, puis le *Liebestraum*[♪♪] de Liszt. Les gens n'avaient pas encore fini d'applaudir qu'il enchaîna avec la vieille chanson française *Plaisir d'amour*. Quelques secondes plus tard, l'assistance au grand complet se balançait doucement et chantait avec lui les mots de la mélodie.

Marjolaine lança un rapide coup d'œil vers Alain. L'homme dardait le pianiste d'un regard mauvais, mais il demeurait immobile et muet. Curieusement, elle éprouva un étrange contentement,

---

♪ Pour entendre ce morceau, visitez le www.quebec-amerique.com/coupsurcoup et sélectionnez l'extrait musical nº 9 : *Comme au premier jour* d'André Gagnon.

♪♪ Pour entendre ce morceau, visitez le www.quebec-amerique.com/coupsurcoup et sélectionnez l'extrait musical nº 10 : *Liebestraum* de Franz Liszt.

comme si elle obtenait enfin sa revanche sur lui, elle qui n'avait pourtant jamais entretenu un aussi vil sentiment.

C'est à ce moment précis que son téléphone portable sonna, à l'intérieur de son sac à main. Afin d'interrompre le bruit au plus vite, elle le porta aussitôt à son oreille sans regarder l'afficheur et quitta précipitamment la salle pour entendre une voix féminine inconnue s'adresser à elle.

— Madame, acceptez-vous les frais d'appel de Rémi Legendre ?

— Oui, oui…

— Maman ?

Marjolaine ne perçut rien d'autre, dans son appareil, que des sanglots déchirants. Ils lui brisèrent le cœur.

# CHAPITRE 5

Marjolaine allait quitter la maison quand elle croisa le facteur en train de déposer le courrier dans sa boîte aux lettres. Elle y jeta un coup d'œil rapide, n'en revenant pas de l'abondante correspondance reçue quotidiennement par Ivan depuis sa venue au Québec. Banques et représentants financiers, journalistes, promoteurs internationaux de concerts, agents de presse, maisons d'édition ou de disques, tous ces envois en provenance de France affichaient un logo au coin gauche de l'enveloppe. À croire que le réseau Internet n'existait pas pour ces institutions ! De rares lettres personnelles accompagnaient parfois le tout, la plupart portant des timbres de Croatie et adressées à Franjo Penkala par sa sœur ou ses nièces, bien évidemment.

Cette fois, une enveloppe retint l'attention de Marjolaine, destinée à Ivan Solveye et dont l'expéditeur, sans indiquer son nom, avait inscrit à l'encre verte une adresse de Fontainebleau pour le retour. Ah ? Fontainebleau ? Ivan ne lui avait jamais parlé de cet endroit très touristique situé au sud de Paris. Sans doute un admirateur, ou plutôt une admiratrice. Mais comment pouvait-il ou pouvait-elle connaître leurs coordonnées de Montréal ? Peu importe, cela ne la regardait pas. Elle déposa la pile de lettres et de feuillets publicitaires sur la petite table de l'entrée et se dépêcha de partir, sinon elle allait manquer l'autobus reliant directement la dernière station de métro au pénitencier fédéral.

Pour une fois, Rémi semblait avoir guetté l'arrivée de sa mère avec une certaine frébrilité puisqu'il se pointa dans la pièce réservée aux visites-contacts dès le premier appel du gardien au micro. En général, Marjolaine devait faire le pied de grue pendant au moins une demi-heure dans la salle d'attente. En prison, rien ne pressait, pas même pour les visiteurs impatients. Elle avait beau protester auprès du surveillant, rien n'y faisait.

— Monsieur, pourriez-vous l'appeler encore, s'il vous plaît ? Il ne vous a peut-être pas entendu.

— Bien sûr qu'il m'a entendu, madame ! Cet appel résonne à tue-tête dans tous les recoins du pénitencier, vous saurez. Que voulez-vous, votre garçon est probablement occupé ailleurs. Ne vous inquiétez pas, il va finir par arriver.

— Occupé ailleurs, occupé ailleurs… Il se trouve à l'intérieur des murs, non ? Comme je l'ai prévenu de ma visite à cette heure précise, il devrait se tenir prêt !

Marjolaine interprétait cette attente inutile imposée par son fils comme une manifestation de la rancœur qu'il entretenait envers elle depuis la fin mai, à la suite du départ forcé du chien Jack, peu de temps avant son déménagement au Carré Saint-Louis avec Ivan. D'ailleurs, Rémi ne connaissait pas encore le pianiste, le permis de visite en prison exigeant une enquête serrée sur la personne, surtout pour un étranger. Afin d'éviter cela, Marjolaine misait plutôt sur une sortie temporaire de son fils, en liberté conditionnelle, pour présenter les deux hommes l'un à l'autre.

Exceptionnellement, ce jour-là, elle n'eut pas à s'impatienter et put se lever rapidement dès l'arrivée de Rémi, après la fouille réglementaire que les détenus devaient subir, tout comme leurs visiteurs, avant de pénétrer dans la salle communautaire. Il s'approcha d'un pas rapide et se planta devant sa mère sans poser de geste affectueux comme il le faisait les premiers temps de sa détention. Marjolaine ne fut pas sans remarquer son visage inexpressif, mais elle insista quand même pour prendre dans ses bras le grand corps immobile et sans réaction et pour l'embrasser fougueusement sur les deux joues.

— Salut, mon gars ! Comment vas-tu ?

— Bof… ça va.

— Toujours aux études ?

— Ben obligé !

— Comment ça ? Tu n'en as plus envie ? Ça se passait si bien, dernièrement…

— Ben là, ça me tente plus ! J'en ai assez d'être ici.

— Tu n'as pas le choix de prendre ton mal en patience, mon garçon.

Marjolaine poussa un long soupir. De toute évidence, les choses allaient de mal en pis pour son fils. Son indifférence à son égard, ses appels téléphoniques toujours aussi rares, ses sanglots insupportables, l'après-midi du mariage, quand il avait raccroché brutalement sans prononcer une parole, les permissions de sortie conditionnelle refusées et, surtout, le fameux tiers de peine qui ne comptait plus… Elle décida de prendre le taureau par les cornes. La perte d'un chien ne suffisait pas à expliquer le changement de comportement de

Rémi depuis quelques mois. La mère s'était levée ce matin, avec la ferme résolution de tirer les choses au clair.

— Dis-moi, Rémi, combien de fois ton père est-il venu te visiter, dernièrement ?

— Pas une seule depuis Noël.

— Et… ça te choque ?

— Pantoute ! Il peut bien aller au diable ! J'en ai plus de père ! Il s'est jamais occupé de moi, de toute façon, même quand j'étais petit. Alors, ça ne fait pas grand différence, hein ?

— Et François, ça te fait plaisir quand il te rend visite ?

— Ouais…

Elle éprouvait de la reconnaissance envers François qui, malgré le travail exigé par le projet de fin d'études de sa dernière année à l'École technique et la préparation de son mariage, n'avait pas lâché son frère et venait régulièrement le visiter en compagnie de Caroline. Cependant, à l'instar de Marjolaine, le jeune couple aussi manifestait de l'inquiétude au sujet de Rémi devenu peu loquace, hermétique même ! Le garçon n'exprimait rien, ne s'informait de rien, n'avait plus l'air de compter les semaines, à tout le moins les mois, jusqu'à sa libération, comme il le faisait au début de sa détention. Plus rien ne l'intéressait. Il semblait se laisser aller comme un pantin désarticulé, le moral complètement à plat.

— Rémi, ce matin, j'aimerais bien qu'on se parle sérieusement, toi et moi. Il se passe quelque chose qui m'échappe. Tu m'apparais toujours de mauvaise humeur, tu ne me téléphones plus, tu ne me remets plus tes copies d'examens réussis, et on veut te garder en prison plus longtemps que prévu. Dis-moi pourquoi.

— Pour les permissions, c'est bien simple, je leur ai dit que j'avais plus de place où aller dormir en sortant d'ici.

— Quoi ! Tu leur as raconté ça ! Mais voyons, je suis là, moi, et j'habite quelque part. J'ai un logement, une adresse. Je ne vais quand même pas te laisser sur le trottoir ! C'est quoi, ces mensonges ?

— Si tu penses que je vais aller rester chez toi pis ton chum…

— Tu ne le connais même pas, mon chum ! Ivan est un homme extraordinaire et il possède un grand cœur, tu peux me croire ! Attends donc de le rencontrer avant de le juger. Et t'héberger pendant une permission de quelques jours ne serait la fin du monde pour personne, que je sache ! Mon bureau se ferme à clé et il s'y trouve un beau grand canapé convertible en lit, précisément pour toi. À n'en pas douter, au moment de ta libération, on va d'abord t'envoyer dans une maison de transition. On avisera alors en temps et lieu selon tes désirs et tes projets. Un job intéressant, un appartement bien à toi, un coloc ou mieux, une petite blonde, tu ne rêves pas à ça, des fois ?

— Bof, tu sais, chus pas près de sortir d'ici, moi !

— Comment ça ?

— Ben… On m'a surpris, la semaine passée, à consommer du pot, et j'ai été envoyé au trou pour quelques jours. Trois jours, en fait. Et on a coupé toutes mes possibilités de sortie pour un bon bout de temps.

— Quoi ! Tu ne m'avais pas dit ça ! Es-tu en train de devenir fou, coudon ? On t'a mis trois jours au trou pour avoir fumé un joint ? Ah, mon Dieu ! Et le mariage de ton frère ? Quand donc vas-tu la lâcher, ta maudite cochonnerie, et faire un homme de toi ? T'as pas encore eu ta leçon, Rémi Legendre ?

Malgré l'effort évident du garçon pour demeurer impassible, Marjolaine remarqua le tremblement de sa lèvre inférieure, trahissant son état de détresse extrême. Elle posa une main qu'elle voulait douce sur son bras, mais elle dut la retenir pour ne pas y enfoncer les ongles de nervosité et de hantise.

— La thérapie, ça n'a rien donné ?

— Bah... Depuis mes trois jours écoulés au trou, j'ai pus envie de rien. De rien, m'man ! Il y a une autre raison... Je...

Rémi s'arrêta net de parler et se mit à examiner le bout de ses chaussures comme s'il s'agissait de la chose la plus importante au monde.

— Dis-le, ce que tu as à dire, pour l'amour du ciel ! Tu ne vois pas que je suis en train de devenir folle ?

Le garçon persista dans le silence, tandis que sa mère ne tenait plus en place sous le regard placide du gardien, habitué à ce genre de discussions tordues entre les jeunes détenus et leurs parents. Mais Marjolaine ne lâcha pas prise. Une porte venait de s'entrouvrir et elle n'allait pas la laisser se refermer sans entendre la confidence qui se trouvait de l'autre côté.

Elle continua d'insister pour connaître la vérité et gagna finalement la partie. Cependant, elle regretta presque son obstination quand elle entendit la suite des aveux de son fils.

— OK, si tu veux tant le savoir, je vais te le dire ! Il y a quelques semaines, je suis devenu ami avec mon fournisseur de pot, ici, un gars pas mal plus vieux que moi. Avant de partir en libération conditionnelle pour une période de trois jours, il m'a demandé un petit service. Je devais simplement retrouver et cacher la balle de tennis qu'il lancerait pendant son congé, dans le coin sud-est de la cour située derrière la prison, précisément à neuf heures et cinquante-cinq, quelques minutes avant la permission des détenus d'aller s'y promener, le dimanche matin. Rien de plus. On m'a malheureusement pris sur le fait, et la balle, dissimulée sous mon chandail, était pleine de… remplie de… tu sais quoi ! On a alors transféré le gars dans une autre aile du pénitencier et, moi, on m'a envoyé au trou.

— Merde, Rémi ! À quoi as-tu pensé ? As-tu accepté de faire ça naïvement pour lui rendre service ou bien en toute connaissance de cause ?

— Ben c't'affaire ! Me prends-tu pour un épais, m'man ?

Elle faillit répondre : « Oui ! », mais prit sagement la décision de se taire.

Ce jour-là, Marjolaine quitta le pénitencier la mine basse, l'espoir de salut pour son fils dans les talons, au ras du sol. Comme on était loin des soirs où Jack, tout frétillant, suivait le petit garçon dévalant l'escalier du sous-sol après avoir terminé ses devoirs…

De retour à la maison, Marjolaine décida de classifier la paperasse traînant sur la table de l'entrée. À son grand étonnement, elle ne retrouva pas dans le courrier la fameuse lettre adressée à Ivan en provenance de Fontainebleau. Elle n'avait pas rêvé, pourtant, et l'avait bien déposée sur le dessus de la pile après le passage du facteur. Cela ne se pouvait pas, elle avait dû l'échapper quelque part. Elle chercha partout, dans son sac à main, derrière les portes du vestibule et du vestiaire, dehors à côté du perron et même dans leur chambre. Elle ne la trouva nulle part. Ivan serait-il venu à l'improviste ce midi ? Il lui arrivait à de rares occasions, ses obligations professionnelles le lui permettant ce jour-là, de se pointer pour le dîner sans prévenir. Elle retourna vérifier sur la table et le comptoir de la cuisine, sur le piano, sur le bureau de travail du pianiste et sur le sien. Rien ! Au fond, cela n'avait pas d'importance, sans doute l'avait-il lue et glissée dans sa poche, sans plus.

Elle oublia l'incident et préféra s'installer à son ordinateur, histoire de se replonger dans la rédaction de son roman afin de se changer les idées, ce dont elle avait rudement besoin. L'histoire de Jean-Claude, ou plutôt celle de Jean-Claude déguisé en Théodore, la passionnait et allait bon train. Elle avait déjà rédigé et pratiquement terminé une cinquantaine de pages remplies d'action et d'émotion. Cette fois, la romancière tenait un bon filon, elle en avait la certitude. Il va sans dire qu'elle transformait passablement la réalité, construisait de nouvelles intrigues et ajoutait des péripéties et des détails inventés de toutes pièces. Mais l'œuvre conservait un fond de vérité indéniable qui ne laisserait aucun lecteur indifférent, l'auteure n'éprouvait pas de doute là-dessus.

Au moins une fois par semaine, le handicapé attendait Marjolaine dans son fauteuil roulant, à l'entrée du parc, un souvenir ou une anecdote sur le bout des lèvres quand ce n'était pas une réflexion fort appropriée ou un commentaire à introduire dans le roman. Dès qu'elle l'apercevait, elle venait le retrouver et s'installait sur un banc à ses côtés, prête à noircir des pages et des pages de sa tablette à écrire. Elle restait près de lui, le temps d'un café et de dialogues extrêmement enrichissants, sans oublier les éclats de rire et les multiples témoignages de sympathie. Puis, elle le quittait précipitamment non sans s'excuser de lui voler ainsi son temps, l'empêchant de remplir sa boîte de conserve des dons des passants. Pour se faire pardonner, elle y glissait parfois un billet de banque qu'il acceptait en protestant. Elle finit par lui donner son numéro de téléphone.

— De cette façon, mon cher Jean-Claude, si d'autres souvenirs remontent à la surface, ou même si vous avez seulement envie de jaser, vous pourrez m'appeler. Cela me fera un énorme plaisir.

— On pourrait s'écrire sur Internet aussi. Mon ordinateur est mon jouet préféré, vous pensez bien !

— C'est fou, je l'avais deviné !

Une belle amitié était en train de naître entre elle et cet homme intelligent et cultivé en dépit de son passé laborieux. Déjà, il avait lu tous les livres de Marjolaine et ne tarissait pas d'éloges, même pour le dernier tome de la trilogie, malgré les commentaires négatifs qu'elle lui avait humblement montrés sur la coupure de journal.

— Ce critique-là avait dû se lever du mauvais pied quand il a entrepris l'analyse de votre roman. Moi, je l'ai adoré, madame Danserot.

— Appelez-moi donc Marjolaine, monsieur Normandeau.

— Appelez-moi donc Jean-Claude, madame Danserot !

— Et si on se tutoyait ?

Elle lui avait fait rencontrer Ivan, un certain matin où il se trouvait à la maison, en le présentant simplement comme pianiste et professeur en résidence pour une année à l'Université McGill. Ivan, conquis par la personnalité attachante du mendiant, avait alors promis de l'inviter chez eux, un de ces jours, à un récital « juste pour vous, monsieur Jean-Claude », dans le Château des Sons et des Mots.

Jean-Claude avait bien ri à l'appellation de leur lieu d'habitation et il avait brandi un doigt en l'air.

— Attention, monsieur Solveye, je n'oublierai pas votre promesse de m'offrir un concert privé au palais des Sons et des Mots !

Je possède une mémoire phénoménale, vous savez. Votre épouse en sait quelque chose.

« Votre épouse »... Marjolaine tressaillit silencieusement en entendant ces mots, se demandant bien si elle deviendrait jamais l'épouse d'Ivan Solveye. Que lui réservait l'avenir ? Autant Ivan avait insisté, l'hiver dernier, pour l'inviter à aller le retrouver à Paris, autant il n'élaborait pas de projets pour la suite de son contrat d'une année au Québec. Elle voyait les semaines s'écouler une à une avec une rapidité effarante, mais refusait de se ronger les sangs à ce sujet. Elle aurait souhaité pouvoir rêver à une existence définitive de princesse dans son château du Carré Saint-Louis, mais qui sait si Ivan ne choisirait pas de retourner vivre à Paris ? Que déciderait-elle alors ?

Elle chassait bien vite tous ces points d'interrogation, préférant chercher l'oubli en barbouillant ses pages blanches du passé de Jean-Claude, alias Théo. Le rayon flamboyant apporté un jour par un certain prêtre dans l'existence de ce jeune homme démuni physiquement et complètement perdu l'inspirait outre mesure. Cette réhabilitation miraculeuse, ce prodigieux échappatoire dans les livres et l'étude... Et cette paternité généreuse et inattendue de la part d'un homme de Dieu, quelle histoire merveilleuse et inédite !

Toute cette lumière attisait le souffle créateur de l'auteure et la propulsait en avant. En dépit de ses malheurs, de son épouvantable infirmité et de son manque total de ressources, Jean-Claude avait non seulement trouvé la quiétude et une certaine joie de vivre, mais il se rachetait actuellement à son humble manière pour ses années de délinquance en ramassant des fonds au profit d'un organisme d'aide aux jeunes. Et la romancière Marjolaine Danserot se sentait privilégiée de pouvoir traduire, pour son lectorat, l'exemple de ces deux hommes, Jean-Claude et son mentor, héros chacun à leur façon à la fois discrète et fabuleuse.

Par un bel après-midi ensoleillé, Ivan remplit sa promesse à Jean-Claude, après avoir réussi à hisser son fauteuil roulant au-dessus des quatre marches du perron avec l'aide de Marjolaine et de deux voisins, l'infirme ayant laissé ses jambes artificielles à sa résidence. Ivan ne se gêna pas pour supplier les voisins.

— S'il vous plaît, messieurs, revenez dans deux heures, sinon ma conjointe et moi ne parviendrons jamais à ramener notre ami près de son banc de parc.

Jean-Claude s'empressa de calmer les esprits.

— Ne vous énervez donc pas ! Pour grimper les marches, je ne vaux rien, je l'admets ! Mais pour les débouler, là, je deviens un expert insurpassable ! Voulez-vous en avoir un aperçu ?

Un verre de porto à la main, quelques biscottes et fromages disposés sur une table devant lui, l'amputé savoura manifestement cette amitié nouvelle avec ces deux artistes qu'il considérait comme hors pair. Il écouta religieusement, les yeux fermés dans un geste de recueillement intense, la sonate qu'Ivan joua pour lui. Il ne put retenir une larme pendant l'Adagio cantabile♪, ni s'empêcher de tressauter joyeusement sur sa chaise à l'écoute de la finale.

À la fin, il applaudit à tout rompre.

— Ah ! quel beau cadeau vous me faites et quelle interprétation merveilleuse de la sonate *Pathétique* ! Jamais je ne l'ai entendue aussi bien jouée, particulièrement l'Adagio.

---

♪ Pour entendre ce morceau, visitez le www.quebec-amerique.com/coupsurcoup et sélectionnez l'extrait musical n° 11 : Sonate *Pathétique n° 8, Op. 13*, Adagio cantabile de Ludwig van Beethoven.

— Vous avez reconnu l'œuvre de Beethoven ?

— Bien sûr ! Mes jambes ne fonctionnent plus, mais mes oreilles n'ont jamais été aussi alertes. Depuis des années, je ne fais que ça : écouter de la musique, lire des livres et fouiner sur Internet.

Ivan ne put résister à la tentation de l'interrompre en lâchant un clin d'œil à Marjolaine.

— Quoi ! Vous fouirnez vous aussi ! Mais qu'est-ce qu'ils ont, ces Québécois, à fouirner de la sorte ? Saviez-vous que quelqu'un m'a enseigné à fouirner en Suisse, l'été dernier ?

— Fouiner, mon amour, fouiner…

Jean-Claude leur lança un regard affectueux.

— Quel joli couple vous faites ! Quand votre femme vous a présenté à moi, monsieur Solveye, j'étais certain de vous avoir déjà entendu à la radio, mais je n'ai pas osé vous en parler. La timidité, sans doute…

Marjolaine et Ivan se regardèrent, aussi surpris l'une que l'autre, devant les connaissances musicales de l'homme. Le pianiste s'approcha alors du fauteuil roulant.

— Savez-vous quoi, mon cher Jean-Claude ? Marjolaine et moi, nous vous admirons beaucoup. Si on se tutoyait, vous et moi ? Euh… toi et moi ? De temps à autre, on pourrait aller fouirner tous les trois ensemble, non ?

# CHAPITRE 6

Les lettres mystérieuses en provenance de Fontainebleau se mirent à apparaître dans le courrier à raison d'au moins une ou deux par semaine. Pas une seule fois, Ivan n'en fit mention. Il s'en emparait dès son arrivée à la maison et les dissimulait mine de rien dans un lieu sûr sans souffler mot.

Marjolaine s'en rendait bien compte, mais n'osait pas le questionner, ignorant totalement de quoi tout cela retournait. Un membre de sa famille croate réfugié en France avait-il rebondi ? Qui sait si une histoire du passé ne remontait pas à la surface, dont il ne voulait pas lui parler ? Peut-être une ancienne maîtresse tentait-elle de renouer avec lui ? Non, non, il s'agissait vraisemblablement d'une publicité tenace, ou encore d'un organisme insistant auprès du pianiste pour une raison quelconque. Pourtant, aucun sigle ni logo n'ornait les enveloppes, à part une adresse de retour, toujours la même, inscrite à la main, à l'encre verte. Sans doute Ivan mettait-il automatiquement cette paperasse inutile à la poubelle après en avoir pris connaissance. Hélas, elle avait vérifié : aucun panier destiné aux ordures ou au recyclage ne recelait des restes de ces intrigantes lettres.

Outre le fait que Marjolaine se faisait du mauvais sang au sujet de ces envois, les jours filaient un à un à l'enseigne de l'amour et du travail pour les deux amants. Ivan se montrait fidèle à lui-même, tendre, attentif, généreux… et désordonné ! Tandis qu'il écoulait une grande partie de ses journées à l'université, la romancière travaillait d'arrache-pied à son manuscrit, l'inspiration ne lui faisant plus défaut.

Le couple se retrouvait le soir, plus épris et passionné que jamais. Leurs petits soupers d'amoureux se prolongeaient dans la lecture ou dans des discussions interminables sur l'actualité, tous les deux confortablement enfoncés dans les fauteuils d'osier de leur balcon. Parfois, Marjolaine suppliait Ivan de jouer du piano pour elle. Il interprétait invariablement des pièces tout en douceur qui remuaient l'écrivaine jusqu'au fond de l'âme et ramenaient à la surface toutes les émotions du monde, de l'exaltation de ce nouvel amour jusqu'à la tristesse de l'échec de son entreprise familiale.

Les jours de congé, ils continuaient de profiter des beautés de la nature et partaient à la découverte des magnifiques coins de la province. De plus, ils partageaient mille et un autres petits plaisirs, dont celui d'assister à des spectacles ou des concerts en plein air, ou encore celui de siroter une bière froide à la terrasse d'un bistrot du centre-ville. Mais déjà, l'automne et des activités plus nombreuses pour Ivan se pointaient à l'horizon.

Marjolaine savait qu'au début d'octobre le pianiste devait se produire en Autriche. À cet effet, il recevait très souvent, de la part de son agence en France, des propositions pour aller jouer dans différents pays dans un futur éloigné. Comme l'artiste attirait facilement les foules, sa popularité lui permettait de signer des contrats alléchants pour des cachets faramineux, toutes dépenses payées pour ses multiples voyages.

À deux reprises au cours de l'été, comme il avait été accepté d'avance avec l'École de musique Schulich de l'Université McGill, il avait quitté Montréal pour New York et Boston. Il va sans dire que le pianiste avait offert à Marjolaine de l'accompagner, mais elle avait préféré demeurer à Montréal à cause de rendez-vous importants, dont l'un chez son éditeur et l'autre avec son avocat pour régler les derniers détails de son divorce. De toute manière, elle connaissait déjà très bien ces deux villes américaines.

Ses préoccupations au sujet de Rémi, de plus en plus découragé et déprimé, avaient également influencé ses refus, mais elle s'était retenue d'en parler à Ivan. Mieux valait ne pas l'ennuyer ou le perturber avec ses problèmes, surtout avant un concert. Le pianiste devait se distancier des ennuis personnels de sa compagne et partir avec un esprit serein afin de se consacrer pleinement à sa musique. Les deux récitals, d'ailleurs, avaient remporté un immense succès et lui avaient mérité d'excellentes critiques.

Cependant, contrairement à ses habitudes, Ivan ne lui avait donné aucune précision à propos de son départ pour Vienne. Aussi, quelle ne fut pas la surprise de Marjolaine de trouver sur son oreiller, un certain soir avant de se mettre au lit, un laissez-passer pour un concert de musique de Mozart dans un palais de Salzbourg, fixé par un trombone à une page sur laquelle Ivan avait imprimé leurs deux billets d'avion.

— Cette fois, mon amour, tu n'as pas le choix, je t'emmène en Autriche pour notre deuxième lune de miel. Par contre, nous devrons passer par Paris, au retour, car j'ai des choses à régler là-bas et dans la région, avant de revenir ici.

Marjolaine aurait pu lui reprocher de ne pas l'avoir consultée d'abord, mais au contraire elle se montra folle de joie en retournant dans ses mains le billet de concert sur lequel elle ne comprit pas un traître mot, à part *Salzburger* et les pièces musicales au programme.

*Eintrittskarte*

*Salzburger Schlobkonzerte in historischen kostümen und international bekannte solisten*

*Aus dem Programm :*
*Eine Kleine Nachtmusik, KV 525*
*Symphonie Nr. 40, g-moll, KV 550*
*Die Zauberflöte, KV 620*
*Concerto Nr. 21, C-dur KV 467*

*Die Plätze sind unnumeriert, daher ist pünktliches Erscheinen unbedingt erforderlich*[4].

— N'était-ce pas à Vienne que tu devais jouer ? Si je comprends bien, nous assisterons également à un concert de musique de Mozart à Salzbourg. Bonne idée ! Tu as reçu personnellement une invitation, je suppose ?

— Hé, hé ! Ce billet comporte une belle surprise, mon amour. Je n'en dis pas plus, sauf que tu auras à patienter quelques heures toute seule à Vienne… et à Salzbourg, car je vais devoir, au préalable, aller m'exercer et participer à quelques répétitions avec l'orchestre.

Marjolaine en conclut qu'Ivan se produirait sans doute aux deux endroits, même si, dans le programme qu'elle tenait dans les

4. Les sièges n'étant pas numérotés, les auditeurs sont priés de se présenter à l'heure.

mains, une seule des pièces requérait l'usage du piano : le *Concerto*♪ de Mozart.

— Ah ! Tu vas jouer à Salzbourg aussi, mon petit coquin ? Pas de problème. Pendant que tu travailleras, moi, je mangerai des viennoiseries pour deux, voilà tout !

Quelques jours avant le grand départ, elle trouva dans le courrier une autre enveloppe blanche en provenance de Fontainebleau. Pour la première fois – était-ce par mégarde ou par distraction ? –, Ivan la laissa traîner bien à la vue sur le comptoir de la cuisine après l'avoir lue. Marjolaine se demanda s'il ne s'agissait pas d'un oubli volontaire. Qui sait s'il n'avait pas un secret à lui révéler et ne désirait pas lui en faire prendre connaissance de cette manière afin de déclencher une discussion ? Non, non, ce genre d'attitude calculatrice ne ressemblait guère à Ivan Solveye.

Elle tourna et retourna l'enveloppe dix fois entre ses mains avec l'envie d'en sortir le contenu pour l'examiner, faisant fi de tous ses principes sur le respect d'autrui. Décidément, depuis sa première apparition dans sa vie, cet homme ne cessait de mettre dangereusement en péril ses convictions morales profondes. Fouiller dans le courrier de quelqu'un d'autre… quelle horreur ! Non, non, non ! Elle remit la lettre sur le comptoir d'un geste brusque et regagna son bureau, pour finalement revenir dans la cuisine quinze minutes plus tard.

Au bout d'une heure, après avoir tout rangé distraitement dans la pièce en maintenant les yeux rivés sur le courrier d'Ivan, elle succomba et farfouilla dans l'enveloppe pour en retirer la photocopie

---

♪ Pour entendre ce morceau, visitez le www.quebec-amerique.com/coupsurcoup et sélectionnez l'extrait musical n° 12 : Andante du *Concerto n° 21* de Wolfgang Amadeus Mozart.

d'une page unique ne comportant que quelques lignes dactylographiées et adressée à une personne féminine inconnue.

Elle dévora littéralement le court texte.

*Bonjour, madame Shebel,*

*Compte tenu de l'endroit éloigné où se trouve actuellement l'homme en question, il vaudrait mieux exiger qu'il passe le test en France et en présence d'un témoin, question de vous assurer de l'authenticité et de la valeur légale des résultats.*

*Je vous prie d'accepter, chère madame, mes respectueuses salutations.*

*Joachim Latourelle, avocat*

Que signifiait donc cela ? La lettre d'un avocat adressée à une femme… La lecture du message troubla tellement Marjolaine qu'elle se sentit incapable de reprendre ses activités d'écriture pour le reste de la journée.

Même Jean-Claude, présent ce matin-là dans le parc, n'arriva pas à la distraire en lui racontant une aventure loufoque survenue alors qu'il avait douze ans et résidait dans un centre d'accueil. Un jour, la directrice générale avait dû remplacer, au pied levé et à la dernière minute, un des moniteurs ayant organisé une partie de pêche pour tous les pensionnaires. La pauvre femme, fort corpulente, s'était retrouvée en compagnie de quatre garçons bien excités, au fond d'une chaloupe ballottée par d'impressionnantes vagues au milieu d'un lac, sans l'ombre d'un savoir-faire dans l'art de pêcher. Quand Jean-Claude avait brandi sous son nez la longue et frétillante anguille qu'il venait de capturer, elle s'était levée d'un bloc et était tombée par-dessus bord en lançant des hurlements de mort, au grand amusement et au fou rire de tous les enfants en train de pêcher aux alentours. Par miracle, l'infortunée directrice savait nager. Quand elle réussit, après maints efforts, à remonter dans la barque, tous les enfants crièrent victoire. Ils venaient d'attraper une énorme baleine !

Même si Jean-Claude se tenait les côtes en lui relatant ce souvenir, Marjolaine le trouva à peine drôle. Pourquoi s'effrayer d'une anguille, grands dieux ? Au moins, s'alarmer d'un message incompréhensible inscrit sur une lettre en valait la peine, pas l'apparition soudaine d'un innocent poisson ! Hélas, tout la ramenait à la curieuse enveloppe découverte le matin, et cette pensée ne cessait de lui remonter à l'esprit comme une obsession.

En regardant rire son ami, elle réalisa qu'elle devait user de prudence et arrêter de se morfondre outre mesure pour une histoire qui ne la concernait pas. Sinon, elle risquait, comme la malheureuse directrice, de basculer hors du bateau et de se noyer dans l'amertume. Elle tenta de s'excuser auprès du handicapé et de justifier son manque de réaction en affirmant avoir largement dépassé, dans son manuscrit, l'époque des douze ans de son personnage.

— Mais rien ne m'empêche d'insérer cette anecdote dans les premiers chapitres. Merci beaucoup, Jean-Claude !

L'homme la regarda longuement d'un air interrogateur.

— On dirait que ça ne va pas trop fort aujourd'hui, ma belle amie. Est-ce que je me trompe ?

— Bof… Un peu de fatigue, je suppose. Oh ! je voulais te dire, Jean-Claude : ne sois pas surpris si tu ne me vois pas ici, la semaine prochaine. Ivan et moi partons vendredi pour l'Europe. Il doit présenter un, ou plutôt deux concerts en Autriche, et nous nous arrêterons quelque temps à Paris, au retour. En surprise, mon homme m'a invitée à l'accompagner.

— À Paris ! Mon rêve ! Quelle chance tu as, Marjolaine ! Moi, je ne verrai jamais Paris… Tu vas prendre beaucoup de photos pour moi, n'est-ce pas ? La Bastille, les Champs-Élysées, la place de la Concorde, la tour Eiffel, la cathédrale Notre-Dame de Paris, les quais de la Seine et leurs bouquinistes…

— Tu connais tout cela ?

— Les livres, ma chère, les livres… et Internet !

Marjolaine réintégra son logement après avoir déposé un bec sonore sur la joue du barbu, l'esprit déjà tourné vers son séjour à Paris. Qui sait si « l'homme en question » ne devrait pas passer, là ou à Fontainebleau, le mystérieux test « en présence d'un témoin », selon l'énigmatique lettre ?

— Merci d'être là, Jean-Claude. J'apprécie beaucoup ta présence, tu sais.

— Et moi donc !

Au cours de l'après-midi, toujours dans l'incapacité de travailler sur son manuscrit, Marjolaine décida d'aller rendre visite à François et Caroline. À la fin de leur dernière session d'études à l'École technique, dès le mois de mai, on les avait embauchés tous les deux dans un centre de vente de produits d'informatique. Les tourtereaux désiraient y prendre de l'expérience avant de se lancer dans l'exploitation de leur propre entreprise de commerce. Ils s'étaient donné un an ou deux pour ramasser des fonds afin de concrétiser leur rêve.

Marjolaine trouva Caroline en grande discussion avec un acheteur éventuel pendant que François travaillait à la comptabilité dans l'arrière-boutique.

— Bonjour, belle-maman ! Je suis à vous dans un instant.

— Prends ton temps, ma chouette ! Je viens simplement vous inviter à souper ce soir, François et toi, si ça vous convient.

Elle circula dans les allées en jetant un regard distrait sur tout le matériel électronique disposé sur les étalages. En passant devant la série de liseuses électroniques, une idée lui vint à l'esprit. Si elle en offrait une à Jean-Claude, en guise de remerciement ? Après tout, c'était grâce à lui si l'écriture de ce roman la captivait autant. Ainsi, son histoire d'anguille de ce matin, elle ne la trouvait pas si mal, à bien y penser ! Avec un appareil de lecture aussi léger, l'homme se sentirait assurément plus à l'aise pour se livrer à son sport favori, la lecture. Il pourrait se procurer des livres numériques à la bibliothèque et même s'en acheter un de temps à autre avec ses prestations d'invalidité.

Quand Caroline, débarrassée de son client, se retourna enfin, Marjolaine n'hésita pas une seconde.

— Dis donc, ma grande, ta belle-mère pourrait-elle obtenir un rabais de sa bru pour l'achat de cet iPad ?

— Bien entendu !

— Dans ce cas, je vais prendre le meilleur.

— Parfait ! Oh ! pendant que j'y pense : c'est d'accord pour le souper de ce soir, nous n'avons rien au programme et nous nous chargerons d'apporter le dessert. Donnez-moi seulement une minute pour confirmer tout ça avec François.

Quelques instants plus tard, Marjolaine ressortait du magasin avec un précieux petit paquet à la main et la trace d'un baiser mouillé de son fils sur la joue. Elle remercia le ciel pour la présence rassurante de ce couple-là et de Jean-Claude Normandeau dans son existence, les autres membres de sa famille éloignée et la plupart de ses amis entretenant avec elle des relations moins intimes et davantage sociales.

Quand elle réintégra le Château des Sons et des Mots avec quelques sacs de victuailles au bout des bras, Ivan s'y trouvait déjà. Avant même de le saluer, elle jeta un œil rapide sur le comptoir de la cuisine. L'enveloppe s'était volatilisée.

L'homme de la maison n'en fit aucune mention, ni ce soir-là ni les jours suivants.

# CHAPITRE 7

Marjolaine et Ivan tombèrent sous le charme de Salzbourg, traversée par les eaux paisibles de la Salzach, et dont les dômes, les clochers, les palais et les petites rues étroites baignaient dans une lumière douce, sous la protection d'un imposant château fort dressé sur un bloc de dolomite en plein centre de la ville.

Enchantée et fort excitée, Marjolaine n'arrêtait pas de pousser des cris d'admiration.

— Regarde, Ivan, cette fontaine en forme de chevaux sculptés au milieu de la place ! Et là-bas, as-tu remarqué, dans cette avenue, comme les enseignes de fer forgé des boutiques sont jolies et originales ? Vite, viens voir ! Ils vendent du chocolat emballé dans des boîtes affichant le portrait de Mozart ! Tu parles !

Ivan examinait, admirait, souriait, photographiait, mais c'était surtout la Québécoise pâmée comme une petite fille qui retenait son attention. Comme il la trouvait belle et comme il l'aimait, cette femme, avec sa simplicité, son intelligence, sa grandeur d'âme, sa pureté d'enfant ! S'il vénérait son talent de créatrice, il appréciait par-dessus tout sa vie intérieure profonde, autant ses questionnements que ses convictions, autant ses réflexions que sa capacité d'émerveillement spontané, autant son extrême sensibilité que ses réponses aux questions existentielles et son espérance en une vie meilleure. Lui-même partageait cette intériorité influençant inconsciemment les faits et gestes, et même les écrits de Marjolaine. Ah ! si seulement il pouvait régler le problème qui l'obsédait depuis des semaines...

La première idée de Marjolaine en pénétrant dans Salzbourg avait été de s'imprégner du génie de Mozart né dans cette ville en 1756. Non seulement il existait un monument sur un emplacement appelé Mozartplatz, mais on le trouvait un peu partout, ce fameux Mozart, dans tous les programmes musicaux, dans les théâtres de marionnettes où l'on présentait ses opéras ainsi que dans de nombreux musées. On le rencontrait même sur plusieurs coins de rue, personnifié par des jeunes hommes portant perruque blanche et costume d'époque « à la Mozart », tentant de vendre aux hordes de touristes à la fois des billets de concert et des boîtes de chocolats à l'effigie du musicien.

— Ce serait amusant, aujourd'hui, d'aller visiter l'une des maisons où il a vécu. Qu'en penses-tu, Ivan ?

— Tu vas devoir t'y rendre toute seule, comme tu l'as fait hier pour la forteresse, j'en ai bien peur, mon amour. Malheureusement, j'ai une autre rencontre de prévue avec l'orchestre. N'oublie pas que le concert a lieu ce soir. L'idéal pour toi serait de prendre une légère collation en fin d'après-midi et de me retrouver ensuite à la résidence impériale. Je t'attendrai à la porte à sept heures pile. D'accord ?

— À sept heures ? Mais la représentation ne commence qu'à huit heures trente ! N'est-ce pas un peu tôt ?

— Tu pourras venir dans ma loge, si tu veux, ou encore visiter quelques salles de ce magnifique palais. Nous irons souper ensemble en fin de soirée. De nombreux cafés et bistrots restent ouverts toute la nuit. Qu'en penses-tu ?

— Parfait, je serai à la Residenz à sept heures précises. À plus tard, mon chéri, passe une bonne journée.

Marjolaine marcha en solitaire dans les rues de la ville, puis orienta ses pas, carte et guide Michelin à la main, vers la Mozarts Geburtshaus, maison natale où le musicien composa presque toutes ses œuvres de jeunesse. À la vue des instruments utilisés par Mozart, de son petit violon d'enfant jusqu'à son clavecin et son clavicorde aux notes de bois sur lequel il avait écrit d'éblouissantes sonates et fantaisies, elle resta un long moment figée, plongée dans un profond recueillement malgré les nombreux visiteurs se bousculant autour d'elle. À l'examen des partitions, des portraits et des lettres du jeune musicien, elle sentit l'émotion lui serrer le cœur, bien consciente de vivre là une expérience unique.

Une promenade sur le balcon de la cour intérieure du bâtiment l'impressionna encore davantage. Mozart avait sans doute marché ici, sur ce sol, et posé la main sur un semblable garde-fou à chacune de ses sorties. Et il portait son regard précisément sur ces fenêtres, ces murs, ces arbres, cette rue là-bas... « Mozart, je te salue ! Et merci pour ta musique, elle est divine ! », faillit-elle s'écrier tout haut. D'instinct, elle chercha des yeux un papillon blanc batifolant autour des arbustes longeant la balustrade, mais elle n'en vit point.

Elle écoula le reste de l'après-midi à fureter dans les boutiques de la Getreidegasse, l'une des principales artères du vieux Salzbourg, bordée de commerces et de hautes maisons aux fenêtres élégamment sculptées. Quand vint le temps de prendre la « légère » collation recommandée par Ivan, elle opta pour un gargantuesque morceau de gâteau au chocolat. Après tout, il s'agissait de l'une des spécialités de l'Autriche, elle se devait de l'expérimenter, n'est-ce pas ?

À sept heures moins cinq minutes, elle se dirigea allègrement à la rencontre de son pianiste préféré, vers l'ancien palace dans lequel résidaient autrefois les princes-archevêques de la ville. De loin, parmi la foule, elle aperçut un autre jeune homme déguisé en Mozart comme elle en avait vu plusieurs au cours de la journée ; il se tenait debout, immobile, près de l'entrée. Sans doute l'avait-on chargé de vendre les derniers billets restants pour le concert. Elle se mit à rire en s'imaginant que Mozart lui-même allait l'accueillir, appuyé contre la porte du palais.

Cependant, plus elle s'approchait, moins elle en croyait ses yeux. Il ne s'agissait pas d'un jeune homme. Ce visage-là, malgré le léger maquillage et la perruque, elle le connaissait ! Non, non, ça ne se pouvait pas ! Elle se trompait sûrement, Ivan ne pouvait pas vendre des billets pour son propre concert, allons donc ! Et pourtant, c'était lui, c'était bien Ivan Solveye vêtu en Mozart ! Quelle audace tout de même ! Elle éclata de rire et décida de jouer le jeu.

— Bonsoir, monsieur Wolfgang !

— Bonsoir, mon amour !

— Mozart, je vous adore ! Mais… dites-moi, ça ne fait pas très sérieux de promouvoir votre propre spectacle. Vous attendez donc si peu de monde ?

— Pas du tout ! On affiche complet depuis des semaines. Ce soir, tous les musiciens, y compris les solistes, seront vêtus de costumes d'époque et joueront sur des instruments anciens sous un éclairage aux flambeaux et à la chandelle. Et l'exécution aura lieu dans la salle de conférence du palais, précisément à l'endroit où

Mozart a dirigé de nombreux concerts devant le prince-archevêque. Comment aimes-tu ma surprise ?

— Oh ! Ivan, je n'en reviens pas ! Comme tu es beau !

Elle n'arrivait pas à y croire. Ce long manteau bleu royal en soie brodée, ouvert sur une chemise blanche à jabot et à manches de dentelle, ce pantalon noir s'arrêtant au genou sur de longues chaussettes blanches couvrant toute la jambe, ces chaussures à boucles et surtout, surtout, cette chevelure blanche attachée sur la nuque avec quelques frisettes au-dessus des oreilles, faisant ressortir la lumière ardente de son regard…

Éberluée, elle sauta au cou du pianiste en lançant des cris de joie. Il la saisit par le bras pour l'entraîner à l'intérieur des grandes portes.

— Vite, entrons avant que quelqu'un ne me reconnaisse et affirme que Solveye se prend pour un autre, ha ! ha !

Marjolaine le prit vraiment pour un autre, au milieu de la représentation, lorsqu'il vint s'asseoir devant le pianoforte pour interpréter son concerto, selon elle le plus émouvant jamais écrit par Mozart. Elle éprouva le sentiment que le grand musicien se trouvait là et jouait uniquement pour elle. Son Mozart à elle… Jamais elle n'allait oublier ce moment-là.

Après avoir quitté Salzbourg, les amoureux s'engagèrent vers l'est pour traverser, dans la petite Opel rouge louée à l'aéroport, le Salzkammergut, région dotée de multiples lacs, de vertigineux sommets et d'adorables villages. Marjolaine trouva bien drôle de prendre un repas à la terrasse d'un café situé sur le bord d'un lac appelé St-Wolfgang. Ils longèrent ensuite le Danube, en direction de Vienne.

— C'est ça, le Danube bleu ? Mais il est gris et sale, et à peine plus large qu'une petite rivière de chez nous !

— Que veux-tu, mon amour, le fleuve Saint-Laurent ne peut pas se retrouver dans tous les pays du monde ! Mais ici, au moins, la région ne manque pas de vignobles. Si on en visitait quelques-uns ?

Une fois à Vienne, Marjolaine ne tenait plus en place. Elle voulait tout voir et prendre les bouchées doubles. Comme à Salzbourg, Ivan dut lui faire faux bond à quelques reprises pour aller répéter les deux concertos qu'il présenterait avec l'orchestre symphonique, l'un de Felix Mendelssohn et l'autre de Mozart, évidemment !

Cela n'empêcha pas la romancière de suivre à la lettre la liste de visites qu'elle s'était proposé de réaliser dans ce haut lieu de la musique dont les palais princiers avaient constitué, au cours des périodes classique et romantique, de véritables foyers où se produisaient les plus grands compositeurs. De nombreux musiciens avaient laissé leurs traces à Vienne, de Haydn jusqu'aux contemporains Schönberg, Webern et Berg, en passant par Beethoven, bien sûr !

De théâtres en châteaux, de musées en cathédrales, elle n'arrêta pas durant trois jours. Le soir, elle profitait des plaisirs gastronomiques de la ville en compagnie du pianiste aussi fatigué qu'elle. Bras dessus, bras dessous, les tourtereaux s'en retournaient ensuite à leur chambre d'hôtel pour y dormir du sommeil du juste, après avoir goûté aux délices de l'amour charnel. « Le paradis doit ressembler à ça ! », se disait Marjolaine, une fois de plus, en se blottissant contre son homme.

Et puis non ! Il n'existait pas sur terre, ce fameux paradis... Cet après-midi-là, elle avait réussi à joindre François au téléphone pour lui demander des nouvelles. Elle s'était rendu compte que, de toute évidence, il esquivait chacune de ses questions au sujet de Rémi.

— Lui as-tu rendu visite, au moins ?

— Oui, oui...

— Et il se porte bien ?

— Euh... oui, ça va.

— François, cesse de m'épargner et dis-moi la vérité. Rémi continue d'être déprimé et n'en mène pas trop large, n'est-ce pas ?

— Mais non, maman, tu t'en fais pour rien, tout va... bien ! On est là pour lui. Arrête de t'inquiéter et profite donc de ton voyage !

Elle ne l'avait pas cru et, maintenant, elle se tourmentait. Le ballon du bonheur total et parfait venait de se dégonfler : son instinct de mère lui laissait pressentir que la dépression de Rémi avait continué d'empirer, ces dernières semaines. À bien y songer, à moins d'un miracle, pourquoi se serait-elle améliorée depuis son départ puisque les conditions demeuraient inchangées ? Marjolaine espérait seulement que les autorités du pénitencier s'en rendaient compte et prenaient les mesures nécessaires.

Indéniablement, les beautés et les centres d'intérêt de l'Autriche, en plus de l'émouvoir, contribuaient encore à lui changer les idées, mais, qu'elle le veuille ou non, une grande partie d'elle-même retournait au Québec par la pensée. Qui donc avait dit que le rôle de mère se perpétuait durant toute la vie ?

Le concert fut présenté au Konzerthaus de la ville, en bonne et due forme, sans éclairage à la bougie et sans déguisement à la

Mozart. Ivan Solveye, l'unique soliste invité, remporta, comme à l'accoutumée, un énorme succès.

Tôt le lendemain matin, Ivan proposa à Marjolaine de se rendre au cimetière central de la ville, histoire de visiter la section consacrée aux musiciens et de se recueillir sur leurs tombes, juste avant de remettre la voiture et de reprendre l'avion pour Paris en fin de journée. À l'entrée du lieu, elle remarqua la boutique d'un fleuriste.

— J'aimerais bien acheter un bouquet, moi !

— Pour quoi faire ?

— Pour le déposer sur la tombe de mon musicien préféré, c't'affaire !

— Tu ne pourras pas. On a enterré Mozart dans la fausse commune, le croirais-tu ? Il est mort démuni et ignoré de tous.

— Mais non, je te parle de Beethoven.

— Lui, au contraire, a eu des funérailles publiques et on lui a érigé un monument.

La marchande affirma ne vendre que des plants en caissettes de douze. Pour les arrangements floraux , il fallait traverser la rue, mais le magasin était encore fermé à cette heure matinale.

Marjolaine n'hésita pas une seconde et commanda une boîte de pensées.

— Des mauves et des bleues, s'il vous plaît.

Ivan la dévisagea d'un air surpris.

— Tu ne vas pas te mettre à planter des fleurs dans le cimetière, tout de même ! Des jardiniers entretiennent certainement la section consacrée aux musiciens.

— Pas grave ! Si la chance nous sourit et que personne ne les enlève de là, ces humbles petites fleurs, dont certaines variétés sont vivaces, repousseront au printemps prochain. Grâce à ces pensées, toi et moi resterons auprès de Beethoven durant un bon bout de temps.

Une fois devant la tombe du musicien, les amoureux s'agenouillèrent pour repiquer à mains nues et en silence les douze plants de pensées mauves et bleues parmi les ornements déjà en place dans la plate-bande entourant le monument. Quand ils se relevèrent, ils tombèrent dans les bras l'un de l'autre, fiers et contents du geste symbolique qu'ils venaient de poser. Marjolaine osa même lancer à voix haute ce qu'elle pensait tout bas en faisant office de jardinière :

— Merci, Beethoven, d'avoir existé et d'être allé jusqu'au bout de toi-même en dépit de ta surdité.

À l'aéroport de Paris, Ivan héla un taxi et donna l'ordre de les conduire sur l'avenue Kleber, où il avait réservé une chambre dans un vieil hôtel confortable. À l'instar de Marjolaine à Montréal, il avait sous-loué pour une période d'une année l'appartement parisien où il avait vécu, ces dernières années, et dont il était le propriétaire, remettant lui aussi au début de l'été prochain, à la fin de son mandat avec McGill, la décision de le vendre ou de s'y réinstaller définitivement.

Le pianiste semblait connaître Paris comme le fond de sa poche et il joua au guide touristique pour sa belle qui revenait dans la Ville lumière pour la première fois depuis plus de vingt ans.

— Pour ce soir, mon amour, j'ai réservé une table dans un restaurant de la tour Eiffel. Qu'en penses-tu ?

Une fois sur place, Marjolaine leva son verre pour souligner la réussite de cette merveilleuse virée sur le point de s'achever.

— Je te dois mille mercis de m'avoir emmenée. J'ai beaucoup apprécié ce voyage, Ivan, tu ne peux t'imaginer à quel point. Il m'a changé les idées et fait énormément de bien, compte tenu du climat d'angoisse dans lequel m'a plongée Rémi ces derniers temps.

— À moi aussi, cette escapade a fait du bien, mon amour. Mais attends, ce n'est pas encore fini. Il nous reste toute la journée de demain… sauf que, moi, je n'aurai pas le choix de me rendre à Fontainebleau, où j'ai un rendez-vous important.

Marjolaine tenta de dissimuler sa surprise, mais faillit s'étouffer avec sa gorgée de vin. Fontainebleau ! Elle avait oublié ! Ivan lui donna l'impression de prendre un ton suppliant en lui annonçant cette escapade. Se sentirait-il coupable de certaines cachotteries, par hasard ? Le moment de subir le fameux test était-il venu ?

— Ma chérie, tu pourrais en profiter pour poursuivre ta conquête de Paris pendant que je ferai un aller-retour là-bas. J'ai l'intention de prendre le train très tôt demain matin et de revenir le plus vite possible, en fin de journée. Fontainebleau se trouve seulement à une soixantaine de kilomètres de Paris.

— Je vois…

— À moins que tu tiennes absolument à m'y accompagner. Si tu décides de visiter le château et de traverser la forêt, il nous faudrait alors louer une voiture. Hum, ça risquerait de s'avérer compliqué, je le crains. Il vaudrait mieux que tu restes à Paris. D'ailleurs, je préfère y aller seul, ça simplifiera les choses.

De suppliant, le ton du pianiste était devenu plus catégorique. Marjolaine n'osa pas insister pour être du voyage.

— Pas de problème, Ivan ! Dans ce cas, en t'attendant, je vais faire le tour de Paris dans l'un de ces autocars pour touristes, où l'on peut descendre et remonter à son gré. Ça me permettra de renouer avec mes souvenirs anciens et, surtout, de prendre des photos.

Elle regretta sa réponse. Il eût été préférable et plus sage d'accompagner Ivan afin de faire enfin la lumière sur ces fameuses lettres en provenance de Fontainebleau. Il était trop tard, maintenant, elle venait de rater sa chance !

Le lendemain matin, elle se retrouva donc, assise sur le toit d'un autocar, en train d'écouter la description des principales attractions de Paris, appareil photo à la main mais l'esprit nettement ailleurs. L'image de Rémi effondré, pleurant au fond de sa cellule, ne la quittait plus, sans parler de celle d'Ivan assistant à son mystérieux rendez-vous.

Elle rejoignit finalement le pianiste sur les Champs-Élysées, en fin d'après-midi, et le bombarda aussitôt de questions précises. Cette fois, elle tirerait les choses au clair, elle en avait pris la résolution ferme tout au long de sa visite parisienne.

— Alors, mon cher, ta journée s'est bien passée ?

— Oui, oui, pas mal. Et toi ?

— Super ! Et ta rencontre, tu en es satisfait ?

— Bof... oui et non. C'est une histoire à suivre. Certaines obligations, dans la vie, deviennent facilement assommantes. Les affaires, que veux-tu ?

— Les affaires ? Si je comprends bien, tu avais rendez-vous avec ton gérant de banque ou ton conseiller financier.

— Non, non. Il s'agissait plutôt d'un notaire. Maître Latourelle. Des choses ennuyeuses à régler, rien de plus. Dis donc, si on prenait un autre Martini avant d'aller bouffer ?

Le regard de nouveau fuyant du pianiste n'échappa pas à Marjolaine. Elle faillit répliquer que, d'après la signature aperçue au bas de la fameuse lettre, maître Joachim Latourelle occupait la profession d'avocat et non celle de notaire, mais elle se garda d'aller aussi loin. Trop risqué de mettre la puce à l'oreille d'Ivan, qui la croyait au courant de rien. Quant au test à passer en présence d'un témoin, tel que stipulé dans le texte, elle avait espéré qu'en amenant elle-même le sujet du rendez-vous sur la table, Ivan lui en aurait révélé davantage. Mais il n'en fit rien. Pas plus qu'il n'expliqua pour quelle raison il faisait affaire avec un homme de loi de Fontainebleau plutôt que de Paris, où il avait vécu depuis plus de vingt ans.

— Comment trouves-tu ce pâté de campagne, ma chérie ?

— Euh... pas mal, pas mal.

Le soir venu, la tête appuyée sur le traversin du grand lit de leur chambre d'hôtel, Marjolaine observait Ivan en train de retirer sa chemise devant le miroir de la salle de bain quand elle remarqua le diachylon recouvrant un petit morceau de ouate au pli de son coude. Mine de rien, il s'empressa de l'arracher d'une main leste et de le jeter à la poubelle.

De toute évidence, le pianiste avait subi une prise de sang au cours de la journée. Ah ? Et s'il s'agissait de l'intrigant test mentionné dans la lettre ?

Elle ne dormit pas de la nuit, mais se garda de poser des questions. La vérité surgirait bien en son temps…

# CHAPITRE 8

« La parole est d'argent et le silence est d'or. » Marjolaine s'était répété le vieux proverbe dix fois par jour à partir du moment où elle avait découvert l'évidence d'un prélèvement sanguin sur le bras droit d'Ivan.

Son amoureux avait sans doute de bonnes raisons de demeurer muet à ce sujet. Tests de routine et banales vérifications de sa santé ? Cancer latent ? Lymphome en rémission depuis le moment de sa rencontre avec elle au château de Manuello, l'an passé ? Souci de ne pas affoler sa nouvelle compagne avant d'obtenir une certitude sur la nature de sa maladie ? Mais... pour quelles raisons subir une prise de sang sans autre examen médical sérieux ? Pourquoi à Fontainebleau et non à Paris ? Et quel rapport avec le pseudo-notaire-avocat ? Quel rôle jouait-il dans cette histoire, celui-là ? Et si le mystérieux test mentionné dans la lettre concernait tout à fait autre chose qu'une simple analyse de laboratoire ? Un rendez-vous d'une autre nature avec Latourelle ? Par exemple, Ivan aurait pu aller passer un test d'évaluation quelconque, de solvabilité, d'admission ou de crédibilité. Ou, qui sait, de polygraphe, ce détecteur de mensonges, d'où la nécessité d'un témoin fiable pour l'identifier...

Mais une prise de sang en présence d'un témoin? Cette ouate blanche, elle l'avait pourtant bien vue.

Depuis le retour d'Europe, Marjolaine ne dormait plus, manquait d'appétit, ne se reconnaissait plus. Même son ordinateur demeurait fermé toute la journée. Toutefois, Ivan ne semblait se rendre compte de rien, occupé à mettre les bouchées doubles à l'université afin de rattraper le temps perdu au cours du voyage. Récital de ses élèves dans un proche avenir, examens d'interprétation, Semaine internationale du piano, classes de maître au prochain festival de musique, concertos avec l'orchestre de l'université, ça n'en finissait plus, sans compter les nombreuses invitations à se produire avec les plus grands orchestres de la planète.

Quant à Rémi, il gagnait la médaille d'or pour donner du fil à retordre à sa mère et la maintenir dans un état d'anxiété intolérable. Contrairement à ses périodes antérieures de bouderie, il avait commencé depuis une semaine ou deux à lui téléphoner plusieurs fois par jour, pleurant, sacrant, gueulant, chialant, faisant tous les temps. L'excès contraire, quoi!

Un certain mercredi, il dépassa les bornes dans l'art de stresser Marjolaine au bout du fil.

— Je veux sortir d'ici, m'man, je veux sortir d'ici! Sinon je vais mourir!

— Calme-toi, Rémi, je t'en supplie, calme-toi! Il faut prendre ton mal en patience, mon amour, tu n'as pas le choix. Montre-toi plus courageux que ça, pour l'amour du ciel! Préfères-tu sombrer dans une dépression?

— Tu vas voir que je vais m'en sortir, mais à ma manière…

— Rémi, mon trésor, penses-y : ta vie ne se termine pas là. Chaque jour qui passe en est un de moins à écouler en prison.

— Pour moi, chaque jour en d'dans compte pour dix ! Si je fais mes quatre ans pleins, il m'en reste mille quatre-vingt-six. Multiplie ça par dix, tu vas voir ce que ça représente. J'y arriverai jamais, mieux vaut mourir tout de suite !

— Ah, Seigneur ! Arrête de dire ça, Rémi, tu m'énerves sans bon sens ! As-tu confié ces idées noires à ta thérapeute ?

— Ouais… Elle a levé les yeux au ciel. Que veux-tu que ça lui fasse ? La plupart des gars d'ici lui tiennent le même discours.

— Et l'infirmière ? Ou le médecin ? Lui, au moins, pourrait te prescrire des antidépresseurs.

— Ces cochonneries-là me suffisent plus, tu sauras !

— Et l'école, Rémi ? Le temps s'écoulerait tellement plus rapidement si tu t'y remettais sérieusement, comme tu le faisais il y a quelques mois. Tu pourrais alors préparer ta libération, ton avenir…

— Ben là, m'man, tu vas être contente : j'ai pété des scores en composition française, la semaine passée.

— En composition française ? Bravo, mon grand ! Tu vois, les gènes, ça ne pardonne pas ! Et tu parlais de quoi, dans ton chef-d'œuvre ? J'aimerais bien la lire, moi, cette rédaction !

— Trop tard ! Le lendemain, je l'ai déchirée en petits morceaux et j'ai tout crissé à la poubelle. Ça racontait l'histoire d'un jeune gars qui devait un gros montant d'argent à un revendeur de drogue. Ses parents ayant refusé de lui fournir une telle somme, il a alors décidé de faire un vol à main armée afin de rembourser son dû, mais il a royalement raté son coup. Cependant, comme un de ses complices a gravement battu une fille, on a condamné le jeune à quatre ans de prison, lui aussi. Quelques années plus tard, quand arriva enfin le jour de sa libération, il avait le sentiment d'avoir payé sa dette à la société, de pouvoir marcher la tête haute et de repartir à zéro. Il se sentait libre et avait envie d'entreprendre une nouvelle vie calme et honnête. Hélas, à la porte du pénitencier, il se retrouva devant rien, sans argent, sans travail, sans ami, sans même un endroit où aller dormir. Seul le *pusher* l'attendait en brandissant bien haut la dette ancienne restée impayée. Le gars n'a pas eu le choix de recommencer sa chienne de vie de la même manière : dans la merde !

— Et ça finit comment ?

— Ça finit mal !

La seule explication du garçon fut un sanglot. Il coupa alors brutalement la communication téléphonique.

Le lendemain, Marjolaine faisait les cent pas depuis déjà une demi-heure devant la salle des visites quand un gardien s'amena et la pria de le suivre à l'étage de l'administration où un membre de la direction semblait l'attendre, assis derrière un bureau recouvert de paperasses.

— Votre fils était-il au courant de votre rencontre de cet après-midi, madame ?

— Non, je ne crois pas. Mais comme je viens toutes les semaines, il devait certainement prévoir une visite prochaine de ma part. J'ai pris le risque de me présenter sans prévenir comme l'exige le règlement, car son appel téléphonique d'hier m'a passablement inquiétée.

— Votre garçon se trouve à l'urgence, madame.

Marjolaine ne put retenir un cri quand l'homme lui apprit froidement et sans ménagement qu'on avait transporté Rémi Legendre en ambulance, tôt le matin même, dans un hôpital de Laval, à la suite d'une tentative de suicide.

— Quoi ! Une tentative de suicide, dites-vous ? Ah, mon Dieu ! Il… il va bien, j'espère ?

— Oui. On a essayé de vous joindre en vain durant toute la matinée, madame, mais personne n'a répondu ni chez vous ni sur votre portable. Son père n'a pas rendu nos appels non plus. Quant à son frère, François Legendre, dont le nom apparaît au dossier, il s'est avéré absent lui aussi.

— Mon pauvre, pauvre petit… Qu'a-t-il fait ? Est-ce grave ?

— Grave ? Nous espérons que non, madame. Le mieux serait de vous rendre directement à l'urgence de l'hôpital, on vous donnera des nouvelles plus précises.

— Dites-moi au moins ce qui s'est passé.

— On a mis Rémi sous étroite surveillance, ces derniers temps, précisément à cause de ses menaces de suicide souvent énoncées. Il a profité d'un instant d'inattention du gardien pour se lancer, de toutes ses forces, tête première contre un mur de béton. À peine quelques minutes plus tard, il faisait son entrée à la Cité de la santé, inconscient et le visage en sang.

Prise de panique, Marjolaine commença alors à se sentir mal, et on dut faire appel à l'infirmière, présente sur les lieux ce matin-là, pour la réanimer. Quand on lui offrit d'appeler un employé pour la conduire à l'hôpital, la mère refusa catégoriquement, préférant y aller seule. Elle expliqua néanmoins qu'elle pourrait toujours téléphoner à son conjoint. Cependant, il n'était pas le père de Rémi et il ne possédait pas de voiture.

— Ça lui prendrait trop de temps pour arriver ici par les transports en commun, et je ne pourrais supporter cette attente. Je veux voir mon fils au plus vite, vous comprenez ? Mais ne vous en faites pas, je me sens en meilleur état. Trouvez-moi simplement un taxi, s'il vous plaît.

Une fois à l'entrée de la Cité de la santé, Marjolaine vola plutôt qu'elle ne courut vers l'urgence. Elle passa tout droit devant le comptoir d'accueil, traversa à la hâte la salle d'attente et se rendit immédiatement dans la zone d'hospitalisation de l'unité. En arrivant au poste des infirmières, on lui demanda simplement le nom du patient qu'elle cherchait. Elle n'eut pas besoin de répondre, ayant déjà aperçu son fils en jaquette bleue au fond d'un cubicule donnant directement sur le centre des activités. Elle se mit alors à crier à pleins poumons. On dut l'entendre hurler le nom de son fils dans tout l'hôpital.

— Rémi ! Rémi ! Me vois-tu ? M'entends-tu ? C'est moi, ta mère ! Rémi, mon amour !

— Wa... wannn...

De le voir assis sur une civière, le bras branché à un sérum, les jambes pendantes, la tête enflée et un œil tuméfié louchant abondamment, la rassura quelque peu. Rémi semblait bien vivant.

Un gardien du pénitencier, installé tout près de l'entrée, intervint aussitôt.

— Il est interdit de pénétrer ici, madame. Puis-je voir vos pièces d'identité, s'il vous plaît ?

— Wa... wannn... Wa... wannn !

Était-ce là un cri de protestation de Rémi ou le désir d'identifier sa mère ? Le garçon, incapable de prononcer clairement le moindre mot, ne cessait de crier à tue-tête de manière tout à fait incompréhensible.

Marjolaine ne se laissa pas intimider par le surveillant et désigna son fils de la main.

— Elles sont là, mes preuves d'identité, vous le voyez bien !

Suivant son instinct de mère et faisant fi de l'homme en uniforme, elle s'avança directement vers Rémi pour le prendre dans ses bras.

— Rémi, pourquoi as-tu fait ça ? C'est épouvantable !

L'homme insista pour lui faire quitter les lieux, la menaçant d'appeler la police si elle n'obéissait pas.

— Sortez d'ici, madame, et au plus vite. Vous n'avez pas le droit…

— Mon œil, mes droits ! Appelle-la, la police, espèce d'imbécile ! Tu vas faire rire de toi. Tu ne vois donc pas que mon garçon n'est absolument pas en état de s'évader, en ce moment ? Il a besoin de sa mère, mon fils, encore plus que du sérum qu'on lui injecte dans le bras et des menottes que tu vas certainement finir par lui enfiler d'ici peu.

Surprise elle-même de sa façon cavalière de répondre au gardien qui n'accomplissait, au fond, que son devoir, Marjolaine songea qu'en effet Rémi semblait tout à fait incapable de se sauver lui-même, dans tous les sens du terme. Elle le pressa encore davantage sur son cœur en lançant des regards furibonds au gardien qui prit le parti de se tenir coi.

— Rémi, mon pauvre petit Rémi… Ne pleure plus, maman est là, avec toi.

— Wa… wannn…

Le garçon s'exprimait en mâchouillant ses mots d'une bouche pâteuse comme s'il venait de vider une bouteille de quarante onces de whisky ou, pire, de s'injecter une *surdose* de dope. Elle se demanda si ce problème d'élocution résultait des dommages causés par son geste insensé contre un mur ou s'il ne s'agissait pas plutôt des conséquences d'une sérieuse consommation de drogue ayant précédé l'étonnante mutilation. Se lancer la tête contre le béton froidement et en toute conscience s'avérait certainement plus grave, à ses yeux, que le même geste, aussi fou fût-il, exécuté avec des facultés affaiblies et coupées de la réalité par la dope, sans capacité de raisonner et sans volonté.

Oui, c'était cela : Rémi avait dû absorber une dose excessive de drogue avant d'attenter à ses jours. Il consommait pour oublier… Pour oublier quoi ? Oublier l'instant présent, la réalité ? Oublier les barreaux de la prison ? Oublier qu'il ne devrait plus recommencer ses bêtises ? Et si c'était pour oublier sa peur et son manque de courage pour affronter la vie ? Si c'était pour noyer dans les substances illicites son insoutenable mal de vivre ? Rémi ne consommait-il pas depuis déjà longtemps avant son arrestation ? Que voulait-il donc oublier, hein ?

Oublier, ne plus se rappeler, faire disparaître de son esprit, annihiler, n'était-ce pas mourir un peu ?

Au même moment, un médecin pénétra dans le petit local et se dirigea vivement vers le patient pour l'examiner. Marjolaine s'interposa dans le but de former momentanément une barrière entre lui et Rémi, et empoigna effrontément l'avant-bras du médecin d'une main suppliante.

— Juste une petite minute, docteur. Je vous en supplie, donnez-moi quelques renseignements. Je suis la mère de ce garçon et je n'en peux plus de me morfondre. Lui a-t-on fait passer des tests? Considérez-vous sa condition comme grave?

— Votre garçon souffre d'une sérieuse commotion cérébrale, madame, mais il devrait s'en sortir. On ne craint pas pour sa vie, et ses blessures vont se résorber avec le temps, selon toutes probabilités. Son problème se situe certainement à un autre niveau.

— Mais il n'arrive plus à parler clairement et son œil est tout croche. Pourrait-il s'agir des conséquences d'une ingestion de stupéfiants avant de... avant sa... Parce qu'en prison, vous savez, la drogue circule plutôt facilement.

— Non, non, votre fils était à jeun à son arrivée ici. Son état physique découle spécifiquement du méchant traumatisme qu'il s'est infligé, ma pauvre dame.

— Va-t-il garder toute sa tête?

— Nous l'espérons sincèrement, mais nous ne pouvons rien garantir pour le moment. De toute manière, il faudra le faire voir en psychiatrie. Vous devrez y mettre le temps et vous armer de patience, j'en ai bien peur, madame.

Rémi y mit le temps, en effet! Après six jours d'hospitalisation, les autorités carcérales décidèrent de ne pas le réintégrer immédiatement dans sa cellule, mais de l'envoyer plutôt subir une sérieuse thérapie dans l'aile psychiatrique du pénitencier. Si sa tête désenfla complètement et son œil retrouva rapidement son alignement, sa diction, par contre, fut longue à reprendre un cours normal. Quant à son moral et aux répercussions du traitement, Marjolaine ne constatait pas de progrès. Bien sûr, le garçon utilisait son handicap langagier comme prétexte pour ne pas s'ouvrir à sa mère et discuter avec elle de sa tentative de suicide.

Lors de sa visite, la semaine suivante, elle élabora une nouvelle stratégie et lui tendit un hameçon auquel il mordit à belles dents.

— Comment va ton moral, mon grand ?

— J... j'vas b... bien là ! Ppp... pas b'soin dd... d'en pp... parler !

— Si tu ne veux pas m'en parler, peut-être pourrais-tu m'expliquer tes états d'âme par écrit... Et ton père, est-il venu te voir ? On a bien dû l'avertir, lui aussi.

— Ppp... pas de ppère ! Ppp... pus de ppère !

— Que dirais-tu, Rémi, si je t'emmenais Ivan ? Depuis le temps que j'ai envie de te le faire connaître ! Je comptais sur tes sorties en libération conditionnelle pour te le présenter, mais au train où vont les choses, ça risque de prendre une éternité avant de se produire.

Elle songea à une éternité longue de près de trois ans et demi, mais n'osa le préciser, préférant poursuivre sa proposition.

— Tu ferais mieux, alors, de remplir immédiatement le formulaire pour lui permettre de venir te visiter. Qu'en penses-tu ? Une autre présence masculine parmi les tiens, en plus de François, ne serait pas de trop, il me semble. Tu vas aimer Ivan, j'en suis convaincue. Tiens ! Je vais te les emmener tous les deux en même temps, dès que les papiers seront signés, d'accord ?

— OK ! Ffff... Fran... çois... auss... si, l'aime !

# CHAPITRE 9

Depuis le voyage des amoureux en Autriche et en France, le rythme d'arrivée des lettres en provenance de Fontainebleau avait passablement ralenti. Marjolaine, troublée par la tentative de suicide de Rémi, relégua quelque peu aux oubliettes les fantasmes morbides suscités par le pansement furtivement arraché dans le pli du coude d'Ivan.

Aussi, son cœur s'arrêta de battre quand elle trouva dans le courrier, par un matin glacial du début de novembre, deux autres envois arborant des timbres français. La première enveloppe affichait l'adresse d'expédition habituelle, à Fontainebleau, rédigée avec la même écriture et la même encre verte. La seconde, par contre, portait un logo qui lui donna des frissons : celui de l'Institut hospitalier de la Souillère, Service des laboratoires, Paris.

L'heure de vérité venait de sonner. Marjolaine tenait sans doute dans ses mains le résultat du ou des tests énigmatiques subis par Ivan le mois précédent. Ainsi, on avait fait parvenir à Paris l'échantillon de sang prélevé à Fontainebleau. Cette agglomération peu populeuse ne disposant que d'un petit hôpital dirigeait probablement ailleurs les cas très sérieux… N'eût été le minuscule banc de bois appuyé sur un mur du vestibule, Marjolaine se serait écroulée de tout son long, bien consciente que son avenir pouvait dépendre du contenu de cette enveloppe.

N'en avait-elle pas déjà assez avec son fils ? Qui sait si l'épée de Damoclès n'allait pas de nouveau lui tomber sur la tête dès le retour d'Ivan, ce soir ? Drame, tragédie, horreur… Elle entrevoyait un homme en larmes la prenant dans ses bras, lui murmurant d'une voix à peine audible : « Je n'ai plus le choix, ma chérie, de te révéler la vérité. » Mais si, au contraire, ces lettres apportaient un rayon de soleil ? Si Ivan s'écriait tout ému : « Ça y est, la chose est réglée ! Me voilà définitivement guéri, je peux enfin t'en parler, mon amour » ? Après tout, depuis leur première rencontre, l'année précédente, il n'avait manifesté aucun signe de santé défaillante. Et si le Croate était simplement allé subir un examen de routine dans son pays d'adoption plutôt qu'au Québec, pour des raisons de police d'assurance ? Ah ? Elle n'avait pas songé à cette éventualité. Il aurait pu lui en parler, même s'il considérait ces examens comme sans importance, non ? Mais quel rapport pouvait-il y avoir entre un avocat et des analyses de laboratoire ? Sans doute aucun lien n'existait entre les deux. C'était pourtant lui, l'avocat de Fontainebleau, qui avait stipulé que l'homme en question devait passer le test en France, en présence d'un témoin.

Comme d'habitude, Marjolaine essaya de résister à la tentation d'ouvrir les enveloppes, surtout celle adressée par l'hôpital. Elle la tourna, la retourna, la déposa, la reprit, la porta sous la lampe, la scruta, la huma, la pressa contre elle, puis elle la lança hors de portée. « Respect d'autrui, mon œil ! », se dit-elle. Ivan Solveye n'avait qu'à se louer une case postale, comme elle-même l'avait fait l'an passé, et à ne pas recevoir son courrier ici s'il ne voulait pas qu'elle se mêle de ses affaires personnelles et intimes. Il y avait toujours bien des limites !

Animée d'un sentiment de révolte et rendue à bout, elle s'apprêtait à aller chercher son coupe-papier quand la sonnette de la porte retentit à deux reprises. « Sauvée par la cloche ! », se dit-elle, à la fois soulagée et curieuse, en se levant pour aller ouvrir. Jean-Claude Normandeau, le visage rayonnant, se tenait bien droit devant elle, un pot de poinsettias sous le bras, son autre main soutenant son fauteuil roulant replié à ses côtés.

— Jean-Claude ? Mais... tu es debout ?

— Bien sûr ! Qu'est-ce que tu penses ? J'enlève mes prothèses seulement pour mendier, je te l'ai déjà dit. Ça chatouille la générosité des passants quand le quêteux n'a pas de jambes. Leur fibre humanitaire fait un petit peu mal et ils l'apaisent en fouillant dans leurs poches, ha ! ha ! Mais le reste du temps, je peux très bien me tenir debout et marcher sur mes « jambes de bois ». Oh ! je ne gagnerais pas à un concours de vitesse, mais j'arrive à me débrouiller, comme tu peux le voir. Le jour où je suis venu, j'avais quêté une partie de la journée, c'est pourquoi je n'avais pas mes prothèses.

À vrai dire, Marjolaine se languissait de son ami. Elle adorait le retrouver, l'été dernier, dans un coin du Carré Saint-Louis et s'asseoir à ses côtés pour une jasette. Invariablement, l'homme, toujours de belle humeur et plein d'entrain, allumait un rayon de soleil au milieu de ses journées solitaires d'écrivaine. Si elle passait des milliers d'heures seule devant son ordinateur, elle aimait les entrecouper de temps en temps par des tête-à-tête avec le mendiant. Étrangement, ces rencontres la plongeaient en pleine action, au cœur de son roman et en présence réelle de son héros. À la vérité, non seulement une amie s'installait sur un banc du parc auprès de l'amputé, mais tout autant une auteure à l'oreille attentive et à l'œil scrutateur en quête d'un mot, d'une réflexion ou d'une attitude susceptible d'enrichir son texte. Hélas, l'automne avait mis un terme à ces rencontres hors de l'ordinaire.

— Entre donc ! Ça me fait un énorme plaisir de te revoir. Et tu tombes tellement bien !

— Tellement bien ? Ah non ! Quand je tombe, je me fais toujours mal, ha ! ha !

Marjolaine ne put faire autrement que de s'esclaffer elle aussi, tant l'homme riait de bon cœur.

— Je voulais juste dire que tu arrives au bon moment. Tu me manques beaucoup, Jean-Claude. Je ne te vois plus au coin de la rue, que se passe-t-il donc ?

— Voyons, Marjolaine, réfléchis un peu. Quelques heures assis immobile dans le froid de l'hiver et non seulement je ne possède plus de jambes, mais je perds aussi mes mains et mes oreilles. Même mon cerveau finirait par geler !

— Que je suis bête ! J'aurais pu y songer plus tôt, hein ?

— Jusqu'au mois d'avril, je vais devoir cesser mes activités de collecte de fonds pour mes jeunes.

— Parlant de jeunes… Dis donc, prendrais-tu un café ? Il faut entretenir nos bonnes habitudes, après tout !

— Avec plaisir. Tiens, je t'ai apporté ces fleurs, car elles restent épanouies pendant une grande partie de l'hiver. Elles pourront te rappeler mon existence.

— Quelle gentillesse de ta part ! Merci beaucoup ! Elles vont me faire penser à toi, bien sûr, mais je n'en ai pas besoin pour ça. Grâce au roman, tu es avec moi toute la journée, mon cher Jean-Claude, alias Théodore. N'oublie pas que je suis en train d'écrire ton histoire. D'ailleurs, tu arrives pile, j'ai plein de questions à te poser à ce sujet. Mais auparavant, tu parlais de tes jeunes...

— Ouais, parlons-en, de mes jeunes ! Je ne sais pas si c'est à cause de l'hiver, mais au centre jeunesse où j'enseigne le français et fais du bénévolat, certains m'en font voir de toutes les couleurs par les temps qui courent.

— Eh bien ! moi aussi, j'en ai un qui m'en fait voir de toutes les couleurs, mais il ne s'agit pas des couleurs de l'arc-en-ciel, crois-moi ! Le cher trésor s'appelle Rémi Legendre, imagine-toi donc, et ses couleurs varient plutôt dans les teintes de gris foncé et de noir.

Marjolaine ne mit pas de temps à tomber, en versant des larmes, dans les bras de son ami, lui qui avait connu la délinquance et la prison pendant sa jeunesse. Lui qui avait réussi à se réhabiliter malgré son horrible handicap, lui qui était parvenu à obtenir un diplôme universitaire, lui qui possédait, surtout, l'expérience de côtoyer des jeunes à problèmes. Elle admirait Jean-Claude d'œuvrer maintenant auprès de ces adolescents comme professeur plein de sollicitude, sans parler des temps libres qu'il écoulait à les tenir occupés ou à demander l'aumône au coin des rues afin d'en faire profiter ces jeunes blessés de la vie. Blessés de la vie... Qui donc avait blessé Rémi à ce point ?

Elle se vida le cœur et lui raconta tout au sujet de son fils. Jean-Claude l'écouta jusqu'au bout avec une oreille attentive et sans l'interrompre, puis il tenta de la rassurer.

— Tu es là pour lui, Marjolaine, et ta présence inconditionnelle compte bien plus que tu ne le penses. Rémi n'avait probablement pas vraiment l'intention de se suicider, je gagerais l'une de mes prothèses ! Donner un simple coup de tête dans un mur, même avec toute la force possible, ne peut mener directement et instantanément à la mort, c'est évident ! Personne ne croit ça. Ton fils en avait simplement assez, il ne pouvait en supporter davantage. Alors, il a posé ce geste d'automutilation sans réfléchir afin de se défouler, voilà tout !

— Mon pauvre petit...

— Tu devrais assurément en parler à ton ex, et insister pour qu'il se bouge un peu et s'occupe davantage de son garçon. Son grand frère aussi devrait aller le visiter plus souvent. Tout cela m'apparaît important, primordial même ! Tu ne dois pas prendre tous les problèmes sur tes épaules, mon amie. Ton fils a besoin de son père et de son frère aussi.

— François fait déjà des efforts, mais Alain, lui, ne réagira pas, j'en ai la certitude. Et si toi, Jean-Claude, tu lui parlais, à mon cher fils ? Toi aussi, tu t'es retrouvé jadis derrière les barreaux. Tu saurais certainement trouver les mots, discuter avec lui comme un père, le consoler, le rassurer, lui donner des conseils, lui faire entendre raison. Moi, il ne m'écoute plus.

— Mais je ne le connais même pas, et il ne sait vraisemblablement pas que j'existe ! Comment me rendre crédible à ses yeux ? On ne s'est jamais parlé lui et moi ! Chose certaine, mon nom ne figure pas sur sa liste de visiteurs.

— Dieu merci, Ivan a commencé à le visiter avec moi. La première fois, il est venu avec François. Ça se passe bien, ils ont l'air de s'entendre, mais ça ne va pas plus loin pour le moment. Ivan ne possède aucune expérience auprès des jeunes, tu comprends. Je crains qu'aux yeux de Rémi, mon conjoint ne fasse figure du méchant amant de sa mère, celui qui a contribué à faire éclater sa famille. Mais toi... si tu lui écrivais ?

— Pour lui dire quoi ? Lui faire la morale comme l'ont probablement fait tous les thérapeutes rencontrés jusqu'à maintenant ? Mais j'y pense, tout à coup...

Jean-Claude prit une gorgée de café et ne termina pas sa phrase, se contentant de tourner les yeux vers la fenêtre. Un long moment de silence s'installa, sans doute alourdi par l'impuissance des deux amis à trouver une solution satisfaisante. À travers le rideau de dentelle, sur un fond de ciel d'ardoise, on pouvait voir descendre et tourbillonner tout doucement d'énormes flocons de neige.

— Regarde, Marjolaine, comme c'est beau, il a commencé à neiger. On dirait des papillons... Dis donc, j'ai eu une idée tantôt. Pourquoi ne pas faire lire ton manuscrit à ton fils ? Mine de rien, il apprendrait à me découvrir. Je pourrais par la suite lui envoyer un petit mot signé : « Celui qui se cache derrière Théodore », puisque je m'appelle ainsi dans le roman. Mon nom de plume, hé ! hé ! Là, au moins, je pourrais tenter d'instaurer une correspondance suivie et de style copain-copain entre lui et moi. Pas maintenant. Qu'en penses-tu ?

— Jean-Claude, je t'adore ! Compte sur moi pour lui apporter les premières pages du manuscrit dès ma prochaine visite, même si je ne les ai pas encore relues ni corrigées. Et pendant que nous sommes dans le sujet, puisque tu t'es approprié le nom de « Théodore », d'après celui du prêtre devenu ton père spirituel et même ton père adoptif, aurais-tu une suggestion pour le nom à donner à cet homme dans le roman ? Bien entendu, il joue un rôle dans l'histoire, lui aussi.

— Le véritable aumônier s'appelait Théodore Nichols. On pourrait donc le nommer « père Nicolas ». Qu'en penses-tu ?

— Parfait ! Donc, le digne symbole de paternité adoptive, compte tenu de sa sollicitude envers le pauvre Théodore, aura pour nom « père Nicolas ». Qui sait si, dans la réalité, celui qui a inspiré ce fameux Théo n'adoptera pas un certain petit Rémi, bien vivant, qui l'appellerait « père Nicolas » comme dans le roman ? Oh là là ! Si les lecteurs n'y voient que du feu, moi, je vais devenir complètement mêlée, ha ! ha !

Marjolaine n'en revenait pas de s'entendre rire, après avoir tant pleuré. Elle insista pour garder Jean-Claude à souper, lui promettant le meilleur filet de doré amandine de sa vie, arrosé d'un blanc sec. Sans parler de la bonne compagnie !

— Ivan devrait arriver d'une minute à l'autre. Il serait certainement content de te revoir.

— Ah, ma chère dame, j'aimerais bien, mais l'autobus pour handicapés doit passer me prendre à ta porte dans quelques minutes.

— Pas grave ! Je vais dire au chauffeur de continuer son chemin. Ivan, ou moi s'il ne le peut pas, te ramènera à ton domicile au cours de la soirée. Tu n'habites pas très loin, n'est-ce pas ?

— Tu ferais ça malgré cette neige qui tombe ?

— Des papillons blancs plein le ciel ne me feront jamais peur.

— Dans ce cas, j'accepte avec plaisir.

Si la soirée se déroulait fort agréablement, Marjolaine ne fut pas sans remarquer que, dès son irruption dans la maison, Ivan s'était emparé du courrier et avait disparu dans la salle de bain en pressant les enveloppes contre lui, pendant qu'elle-même s'occupait de préparer la salade tout en faisant la conversation avec Jean-Claude. À vrai dire, elle se sentait soulagée de ne pas avoir succombé, grâce à l'arrivée impromptue de l'infirme au cours de l'après-midi, à sa curiosité morbide et ouvert les deux lettres. Après quelques minutes, Ivan était revenu, le visage impassible, et s'était mis à échanger des drôleries avec Jean-Claude.

On fit honneur à la bonne cuisine de Marjolaine et on ne vit pas passer les heures, riant à gorge déployée, se donnant des claques dans le dos et trinquant à tous les musiciens, à tous les écrivains et à tous les mendiants du monde entier.

Vers les neuf heures, les amoureux décidèrent d'aller ensemble reconduire chez lui, à quelques rues du Carré Saint-Louis, l'ami tout content qui se confondait en remerciements. Ce n'est qu'une fois Jean-Claude disparu derrière la grande porte de son centre d'hébergement que Marjolaine se rappela avoir acheté pour lui une liseuse électronique, oubliée dans un sac depuis un certain temps, sur une tablette du placard.

La neige continuait de tomber, abondante et silencieuse, transformant le paysage en une féerie de blancheur et de pureté. De retour au Carré Saint-Louis, Ivan proposa de marcher quelques minutes à travers le parc, histoire de s'imprégner de cette beauté immaculée.

Marjolaine déambulait serrée contre lui, sans dire un mot. Elle se sentait confuse, hésitant à avouer ses préoccupations au sujet des enveloppes mystérieuses, appréhendant la réaction d'Ivan. Après tout, elle n'avait pas de secrets pour lui, elle ! De quel droit se permettait-il de lui faire des cachotteries ? L'énigme avait suffisamment duré, elle n'en pouvait plus. Mais comment aborder un sujet aussi délicat, sinon épineux ? Après tout, la confiance totale et aveugle ne faisait-elle pas partie des règles de l'amour ? Deux fois elle se racla la gorge, trois fois elle prit une grande inspiration, quatre fois elle faillit s'écrier : « Que se passe-t-il donc, mon amour ? », et cinq fois elle serra les dents en se réfugiant dans le silence.

Comme s'il avait deviné l'état d'âme de sa compagne, Ivan s'arrêta sous un lampadaire. La prenant dans ses bras, il prononça exactement les mots qu'elle-même retenait.

— Que se passe-t-il donc, mon amour ? Tu ne parles plus ? Tu as raison, tant de beauté mérite une contemplation silencieuse. Mais, moi, je voudrais te dire que je n'ai jamais oublié le soir où je t'ai retrouvée à Québec, sur les remparts devant le Château Frontenac. C'est là précisément que j'ai compris à quel point je t'aimais et à quel point je désirais vivre auprès de toi. Tu te souviens, il neigeait comme ce soir. Quel souvenir merveilleux, n'est-ce pas, mon amour ? Et là, maintenant, j'ai encore envie de te le dire : je t'aime plus que jamais.

Doucement, l'homme s'empara des lèvres de sa bien-aimée et leurs deux silhouettes se fondirent en un long et doux baiser sous le faible rayon de lumière blanche. Marjolaine se laissa glisser jusqu'au plus profond du silence. À bien y songer, de quoi pouvait-elle donc s'inquiéter puisque Ivan l'aimait plus que jamais ?

*Bonjour, Alain, ou plutôt bonne nuit, car il est deux heures du matin.*

*Comme je tournoyais dans mon lit depuis des heures, incapable de dormir, je n'ai pu résister à l'envie de me lever pour t'écrire. Je veux d'ailleurs le faire depuis longtemps. Hélas, maintenant, ça urge ! Évidemment, il s'agit de Rémi. La direction du pénitencier a dû communiquer avec toi dernièrement, je suppose, pour t'informer de la récente tentative de suicide de notre fils. Je n'arrive pas encore à y croire. Notre pauvre petit garçon me semble tellement malheureux…*

*Il achève présentement une thérapie en psychiatrie à l'intérieur du pénitencier, mais je doute de sa réussite. J'ai beau le visiter plus souvent, lui parler et, surtout, l'écouter et lui manifester ma tendresse, rien n'y fait. Il continue de déprimer depuis que toi et moi, ainsi que son chien, avons quitté la maison chacun de notre côté. Il semble avoir perdu tous ses repères dont l'un, important, était toi, Alain, son père. Je t'écris, cette nuit, pour te supplier de renouer avec lui. Je sais, je sais, cet enfant-là ne fait pas ta fierté, et nous avons des choses à lui pardonner. Mais si c'était l'inverse ? Je me demande parfois s'il n'a pas raison de garder rancœur à ses parents, lui aussi… Qui nous dit que, toi et moi, nous nous sommes toujours montrés à la hauteur quand il a eu besoin de nous ?*

*Qu'importe, rien ne sert de ressasser le passé, on doit dorénavant envisager l'avenir. Même si nous ne formons plus un couple, nous devrions nous occuper de Rémi ensemble. Il en éprouve un besoin vital, je le sens, je le sais. Je t'en supplie, Alain, accepte de me donner la main. Au moins pour cela. Pour l'amour de notre fils, s'il reste encore des chances de le récupérer.*

*Comme ton nom existe toujours sur sa liste de visiteurs, que dirais-tu, histoire de briser la glace, de m'accompagner à ma prochaine visite prévue pour demain ? Ou pour après-demain, si tu préfères. Ou quand tu voudras. Je vois déjà les yeux de Rémi briller de joie en apercevant son père à mes côtés.*

*J'espère recevoir de tes nouvelles, convaincue qu'il te reste suffisamment de sentiments envers ton garçon pour accepter l'effort que je réclame de ta part. Crois-moi, il s'agit d'une pure requête d'amour paternel et, qui sait, d'une question de vie et de mort…*

*J'attends un signe de toi,*

*Marjolaine*

Après avoir signé et envoyé le message par courriel, Marjolaine se sentit soulagée, apaisée par le sentiment d'agir concrètement pour le rétablissement de Rémi : la persévérance d'Ivan à l'accompagner aux visites, la rencontre avec Jean-Claude Normandeau, la possibilité de créer des liens d'amitié entre lui et Rémi et, par-dessus tout, les retrouvailles primordiales et essentielles avec son père. Enfin, elle pouvait retourner dormir.

Avant d'aller retrouver Ivan, plongé depuis longtemps dans le sommeil du juste, elle se tourna un moment vers la fenêtre pour vérifier s'il neigeait encore. Comme l'ouverture donnait sur une ruelle trop sombre derrière la maison, elle décida plutôt de regarder, à travers la grande fenêtre de la salle de musique, du côté du parc mieux éclairé. Juste au moment où elle s'apprêtait à se lever, un nouveau courriel s'inscrivit sur l'écran.

*Ceci est un message automatique.*

*Désolé de ne pouvoir répondre à mes courriels. Je suis actuellement en voyage d'affaires en Asie pour une période indéterminée. En cas d'urgence, veuillez communiquer avec le secrétariat de mon entreprise, au 213-693-8749.*

*Alain Legendre*

Marjolaine ferma rageusement l'ordinateur et se dirigea dans la pièce d'à côté pour constater que la paisible et enchanteresse chute de gros flocons de la veille s'était transformée en violente tempête. « Ainsi va la vie », se dit-elle, en frissonnant dans sa robe de chambre.

C'est en quittant la salle de musique qu'elle aperçut, dépassant du couvercle du piano à queue, les coins de quelques enveloppes blanches.

# CHAPITRE 10

Il était à peine quatre heures du matin quand Marjolaine quitta de nouveau le lit et s'en retourna sur la pointe des pieds vers la salle de musique où elle avait aperçu les mystérieuses enveloppes cachées dans le piano. Cette fois, elle en aurait le cœur net. Le temps du camouflage avait assez duré, Ivan devait cesser son cinéma. Tant pis s'il refusait de lui pardonner sa curiosité dévorante et effrontée, elle n'en pouvait plus !

Elle alluma la petite lampe au-dessus du lutrin et constata qu'une pile de lettres déjà ouvertes étaient dissimulées très profondément sous le couvercle du grand piano. Ainsi, la cache d'Ivan se trouvait à cet endroit… Comment n'y avait-elle pas songé ? Elle s'empara de l'enveloppe sur le dessus, celle qui l'inquiétait le plus, marquée du sceau d'un institut de Paris, offrant un service de laboratoires. Elle ne prit même pas le temps de s'asseoir avant d'en extraire le contenu d'une main fébrile, tant elle avait envie de savoir de quoi tout cela retournait.

La première page comportait un bilan en hématologie et en biochimie de l'Hôpital de Fontainebleau. En comparant les analyses d'Ivan avec les normales inscrites sur le côté pour la formule sanguine, la glycémie et la cholestérolémie, elle en conclut que son amoureux jouissait d'une excellente santé.

Par contre, l'examen du deuxième feuillet à l'en-tête de l'Institut hospitalier de la Souillère de Paris, suivi du titre écrit en caractères gras, la décontenança : Résultat d'analyse d'ADN. La copie s'adressait à trois destinataires différents dont les noms apparaissaient en haut de page : *Ivan Solveye*, *Joachim Latourelle* et *madame Amal Shebel*. La première idée venue à l'esprit de Marjolaine fut qu'Ivan avait malencontreusement été témoin d'un crime et que les autorités judiciaires avaient exigé une comparaison génétique de son identité avec les empreintes laissées par les coupables. Tout cela afin de le disculper, bien évidemment !

L'envoi consistait en un tableau codifié auquel elle ne comprit strictement rien au premier abord. Mais en l'examinant avec plus de minutie, elle découvrit qu'il était divisé en quatre sections verticales et seize lignes horizontales. Tout à fait à gauche, sous la mention *Locus*, s'alignait une première colonne de lettres et de nombres impossibles à décrypter. Dans la deuxième, comportant uniquement des chiffres, le titre de *Père allégué* au-dessus de la série la fit sourciller. Juste à côté, la troisième rangée s'allongeant sous le mot *Enfant* commença à préciser les doutes qui naissaient dans l'esprit de Marjolaine. La dernière liste, marquée *Index*, ne comportait, elle aussi, que des nombres incompréhensibles.

Estomaquée, Marjolaine se mordit les lèvres pour ne pas hurler à la lecture du petit texte rédigé sous le tableau.

*Basé sur l'analyse de l'ADN dans seize loci génétiques évalués, le père allégué, IVAN SOLVEYE, n'est pas exclu d'être le père biologique de l'enfant, SAMIHA SHEBEL, avec une probabilité de paternité de 99,9999 %.*

Quoi ! Ivan avait une fille et il ne lui en avait jamais parlé ! C'était donc ça ! Mais alors, pourquoi le lui avoir caché ? Et quelle raison pouvait justifier ce test ? Jamais il ne lui serait venu à l'idée, à elle, de soustraire l'existence de ses deux fils à la connaissance du Croate, allons donc ! Avec l'impression d'assister à l'écroulement de son univers, Marjolaine commença à sangloter, affaissée par terre, le front appuyé sur le banc du piano. Ses gémissements ne tardèrent pas à réveiller le pianiste, qui se pointa, complètement nu, dans la porte de la salle de musique.

— Pour l'amour du ciel, que se passe-t-il, mon amour ? Il fait encore nuit, qu'est-ce qui t'arrive ?

— Ça !

Marjolaine n'hésita pas une seconde à lui lancer les deux feuilles par la tête.

— Ivan Solveye, je ne te pardonnerai jamais de ne pas m'avoir mise au courant de l'existence de ta fille. Tes cachotteries et tes tromperies, tu peux les garder pour toi. Prends tes affaires et fous le camp d'ici. C'est fini entre nous, papa !

Bien sûr, elle prononça le mot « papa » sur un ton rempli de mépris qui traduisait clairement son écœurement. Il tenta de l'aider à se relever, mais elle le repoussa brutalement.

— Bas les pattes, le père ! À quand les prochaines révélations ? Tes parents sont encore vivants ? Tu as six frères et cinq sœurs ? Tu n'es pas né en Croatie mais en Allemagne ? Tu fais de l'espionnage pour les talibans ? Tu mènes une double vie et tu possèdes une belle petite famille bien à toi, à Fontainebleau ? Ta femme s'appelle Amal Shebel et ta fille, Samiha, c'est ça, hein ? Combien d'enfants as-tu, au fait, espèce de menteur ? Et tu te sers de moi pour arriver à qui ou à quoi, au juste ?

— Marjolaine, Marjolaine, tu exagères ! Et tu fais complètement fausse route. Je n'étais même pas certain de l'existence de…

— Shebel, c'est le nom de famille de sa mère, ou le tien ? Pis, va-t'en donc la retrouver, ta belle p'tite Samiha Shebel, tiens ! Parce qu'elle, elle m'a tout l'air d'exister pour vrai, hein ? Et quel est son âge, à la merveilleuse princesse ? Six mois, cinq ans, dix ans ? Vingt ans, peut-être ? Ce serait spécial de revendiquer un test de paternité pour une fille de vingt ans, quand même ! Et devant témoin, par-dessus le marché ! La belle affaire ! D'ailleurs, qui l'a revendiqué, ce test-là, hein ? L'enfant te ressemble-t-elle ? Elle doit sûrement jouer du piano, la coquine ! Après tout, les caractères génétiques, ça existe, n'est-ce pas ? Peut-être même faites-vous partie tous les deux d'une recherche scientifique sur l'héritage des talents et des traits de personnalité, qui sait ? Pourquoi ne pas m'en avoir parlé, alors ? De toute évidence, la chère Samiha semble de toi, après tout. Je l'ai vu écrit en toutes lettres sur cette feuille-là, câlisse !

— Mon amour, mon amour…

— À moins que la chérie ne se trouve encore dans le ventre de sa jeune et jolie maman française, sait-on jamais ? Au fait, elle est enceinte de combien de mois, la jeune et jolie maman ? Dans ce cas-là, d'après mes calculs, au moment où tu as fabriqué cette enfant, on devait déjà se parler d'amour, toi et moi…

— Marjolaine, calme-toi, voyons ! Viens, retournons dans le lit, je vais tout t'expliquer. J'avais justement l'intention de le faire dès ce matin.

— Dès ce matin, bien entendu, n'est-ce pas ? Quel adon, hein ? Encore une menterie, je suppose. Penses-tu que je vais te croire ? Imaginez-vous donc que, par un pur et parfait concours de circonstances, le beau monsieur avait l'intention, en toute honnêteté, de me dévoiler la vérité au sujet d'une autre femme exactement, précisément, scrupuleusement et rigoureusement trois heures à peine après ma découverte du pot aux roses. Wow! Tu parles d'une coïncidence! Un vrai sorcier! Comme le hasard fait bien les choses! Veux-tu rire de moi, Ivan Solveye? Ou te penses-tu dans un roman? Garde-la, ta maudite vérité, je m'en contrefiche! TA vérité n'intéresse pas ta maîtresse. Parce qu'à tes yeux, je le constate à présent, je ne suis qu'une vulgaire partenaire sexuelle, n'est-ce pas?

— Arrête, je t'en prie, Marjolaine. ARRÊTE!

— Oh! tu as bien le droit de mener ta vie comme bon te semble et de coucher avec toutes les femmes que tu veux, Ivan Solveye. Ta vie t'appartient. Elle t'appartient plus que jamais à partir de maintenant, veux-tu le savoir? Mais tes mensonges me concernant m'écœurent, tu m'entends? Ils m'écœurent de la plus abominable façon! Maudit chanteur de pomme! Maudit maquereau!

— Un maquereau, moi? Ça veut dire quoi, un maquereau? Ce n'est pas un poisson, ça? Mon amour, tu exagères, je ne t'ai jamais menti.

— Taire la vérité, c'est aussi mentir, j'en sais quelque chose! L'été dernier, comme une belle idiote, j'ai menti à ma famille par amour pour toi, moi! Dire que je me croyais maintenant ta conjointe, ta compagne, ta bien-aimée, peut-être même ta femme, la femme de ta vie d'une certaine manière... Ça me donne la chair de poule et envie de vomir, rien qu'à y penser. Quelle imbécile je fais!

Marjolaine se remit à gémir, écrasée de chagrin. Ivan posa sur son épaule une main qu'il voulait douce et consolatrice.

— Ma chérie, je t'en supplie, ne te montre pas aussi dure. Calme-toi et laisse-moi au moins la chance de t'expliquer. Tu en es venue trop vite aux conclusions. Viens, allons nous recoucher.

— Va au diable, Ivan Solveye ! Si tu penses que je vais retourner me coucher avec toi… Ça jamais !

Penaud, Ivan regagna la chambre conjugale et se jeta à plat ventre sur le lit en commençant à verser des pleurs à son tour. Toujours réfugiée dans le studio, Marjolaine l'entendait sangloter silencieusement. Elle sentit sa fureur s'éteindre petit à petit. L'homme qu'elle n'avait pas cessé d'aimer pleurait, et cela, elle ne pouvait le supporter. Au fond, elle ne connaissait pas véritablement le problème. Ni la vérité.

L'amour prit tranquillement le dessus et apaisa la colère qui lui avait fait perdre la tête. Elle se releva, un pardon lui gonflant le cœur, sans même savoir avec précision l'énormité qu'elle s'attendait à devoir pardonner. Elle vint finalement s'allonger aux côtés de celui qu'elle considérait, à peine une heure plus tôt, comme l'homme de sa vie. En se retournant, il la reçut à bras ouverts.

— Excuse ma rage, Ivan, mais toutes ces lettres en provenance de Fontainebleau m'ont fait capoter, à la longue. Une seule fois, j'ai commis l'effronterie de lire le contenu de l'une d'elles, car tu l'avais oubliée sur le comptoir. Fâcheusement, cette lecture n'a servi qu'à semer le chaos dans mon esprit. Ce Joachim Latourelle avait signé « avocat » sous son nom alors que, toi, tu me parlais sans cesse d'un notaire. L'envoi faisait mention de ce test à passer en présence d'un témoin. Et, toi, tu ne disais rien et me gardais dans l'ignorance totale. Tout cela m'empêchait parfois de dormir. Et puis, en France, le soir où j'ai vu sur ton bras la marque d'une ponction veineuse, au retour de Fontainebleau, j'ai manqué devenir folle. Je t'ai cru très malade, Ivan.

— On a effectué le test d'ADN sur un échantillon de salive, Marjolaine, pas sur un échantillon de sang, et on a envoyé le tout dans un laboratoire de génétique de Paris. Mais j'en ai profité pour passer des analyses sanguines de routine à l'Hôpital de Fontainebleau pendant que mon assurance médicale française est encore en vigueur. Quant au témoin, l'avocat Latourelle est venu lui-même pour assister au prélèvement de ma salive afin de prouver qu'elle provenait bien de moi, et non d'un autre homme.

— Comment cela, d'un autre homme, Ivan ? As-tu commis un délit ?

— Pas du tout ! Mais j'aurais pu envoyer quelqu'un d'autre fournir de la salive à ma place afin de me débarrasser enfin, une fois pour toutes, de cette histoire de paternité contestée.

— Contestée ? Parle-m'en donc, de cette fameuse histoire de paternité contestée, mon cher !

Le ton de Marjolaine était redevenu acerbe. Quelques larmes ne pouvaient suffire à éteindre le douloureux brasier trop longtemps entretenu par les frustrations et l'inquiétude. Ivan plongea son regard humide dans celui, frondeur, de sa dulcinée.

— Je ne peux plus le nier maintenant. Comme tu l'as compris, je suis réellement le père de Samiha Shebel. Mais sache que je ne connais pas du tout cette enfant, je ne l'ai même jamais vue, croirais-tu ça ? Elle est née, il y a environ quatre ans, d'une jeune Tunisienne qui venait tout juste d'avoir dix-huit ans, donc mineure lors de la conception. Ses parents, assez âgés, avaient immigré en France quelques années auparavant. Comme un fada, j'ai entretenu à l'époque un petit béguin de rien du tout avec elle, à peine deux ou trois semaines, pas davantage.

— Un fada ?

— Comme un idiot, si tu préfères ! Un célibataire naïf et idiot.

— Tu l'aimais ?

— Même pas ! Une simple aventure sexuelle, rien de plus. Malgré sa grande beauté, je la trouvais trop jeune et plutôt tête en l'air. Volage de surcroît. Comment dites-vous au Québec ? Courailleuse ? Oui, c'est cela : une courailleuse dont je ne connaissais même pas l'âge véritable, car elle me mentait, la coquine. Au début, je mettais ses agissements sur le compte d'une crise d'adolescence pas encore terminée, puis quand j'ai découvert qu'en plus de ses multiples fornications, elle s'adonnait facilement à l'alcool et à la drogue, j'en ai eu assez. Très peu pour moi, ce genre de femmes. Je l'ai immédiatement laissé tomber et perdue de vue. Elle provenait pourtant d'un bon milieu, et ses parents semblaient l'avoir élevée plutôt sévèrement conformément aux coutumes de la Tunisie. Trop peut-être...

— Elle habitait à Fontainebleau ?

— Oui, mais c'est à Paris, où elle avait fugué que... que nous... Bref, moins de deux mois après la rupture, elle m'a téléphoné pour m'annoncer sa grossesse. L'enfant, paraît-il, était de moi. Je ne l'ai pas crue, tu penses bien ! Au rythme où elle baisait, n'importe qui pouvait l'avoir mise enceinte. Je n'ai donc pas donné suite à ses allégations, mais elle a persisté à me désigner comme le père de son enfant. Et non seulement elle, mais ses parents également, chez qui elle était retournée vivre. Le bébé n'était pas encore au monde que des amis de cette fille ont commencé à me harceler et même à me menacer.

— Te menacer ? Te menacer de quoi ?

— Si je ne reconnaissais pas ma paternité, ils allaient divulguer la vérité dans les médias. Ils le firent, d'ailleurs, dans un petit journal local de la banlieue de Fontainebleau, dont ils m'envoyèrent un exemplaire. L'article portait ce titre : *Le grand Ivan Solveye, un pianiste sans-cœur*. S'enchaînaient alors des phrases vitrioliques et méchantes : *Quand un artiste du calibre de ce célèbre pianiste ne se gêne pas pour s'accoupler à une fille mineure, mais refuse obstinément, par la suite, de reconnaître sa paternité, on peut se poser des questions sur les sentiments et les impressions de lumière que cet homme tente d'exprimer dans ses interprétations musicales*, et blablabla...

— Quelle mesquinerie !

— Convaincu de n'avoir rien à voir avec l'enfant de cette fille qui, soit dit en passant, avait atteint l'âge adulte tout juste quelques semaines avant de mettre son bébé au monde, j'ai tout de même acheté le silence et accepté le chantage en lui envoyant un minime chèque de pension chaque mois, surtout quand, revenue vivre seule à Paris avec sa fillette, j'ai su qu'elle se trouvait dans la misère totale. Grâce à cet argent, elle a entrepris une sérieuse thérapie, à tout le moins l'a-t-elle prétendu. Les montants n'avaient rien de faramineux, mais je lui offrais cela pour l'unique raison d'aider une mère célibataire sans le sou à se débrouiller dans l'existence. Un simple élan de charité qui n'avait rien à voir avec ma prétendue paternité, crois-moi, un peu comme on jette sans se poser de questions des sous dans la boîte de conserve tendue par Jean-Claude dans son fauteuil roulant, quoi ! Sauf que...

— Sauf que quoi, Ivan ?

Marjolaine ne pleurait plus, suspendue aux lèvres du pianiste revenu au grand calme. Il racontait froidement cette histoire avec le recul de quelqu'un qui faisait le compte rendu d'un film qu'il venait de visualiser.

— Sauf que la jeune mère de Samiha est morte d'une surdose, l'année dernière. La thèse d'un suicide n'a pas été élucidée. Les grands-parents ont alors dû prendre la petite en charge à Fontainebleau. Naturellement, j'ai arrêté d'envoyer de l'argent. Pour moi, il s'agissait d'une affaire classée. Ça s'est bien passé pendant un certain temps, mais moins de trois mois après mon arrivée au Québec, les grands-parents ont réussi à obtenir, par je ne sais trop quel habile stratagème, mon adresse d'ici, dans le Carré Saint-Louis, sans doute par l'entremise de mon imbécile d'agent de presse.

— Le scélérat ! J'espère que tu l'as congédié !

— Écoute bien la suite, Marjolaine. J'ai alors commencé à recevoir des lettres de l'avocat Latourelle, au nom de monsieur et de madame Shebel, les grands-parents, devenus ses nouveaux tuteurs. Ceux-ci me réclamaient le paiement d'une pension alimentaire, en tant que père de Samiha Shebel, car j'avais débauché leur fille mineure. J'aurais pu volontiers continuer de donner de l'argent à ces gens par charité, après m'être assuré de leur piètre condition financière, mais ils ne m'en ont pas laissé le temps. L'été dernier, ils ont subi un grave accident de voiture dans lequel le grand-père a perdu la vie. La grand-mère, Amal Shebel, a quant à elle gardé de sérieuses séquelles et ne peut plus prendre soin de la petite. Plus personne ne peut s'occuper maintenant de Samiha. À moins de la prendre sous mon aile, cette fillette écoulera ses premières années à l'orphelinat ou dans des foyers d'accueil jusqu'à sa majorité. Elle devra se débrouiller par la suite, sans famille et seule au monde. Moi qui n'ai jamais eu d'enfant, Marjolaine, je ne peux pas laisser faire ça, tu comprends ? Pense seulement à la misère de ton ami Jean-Claude, ayant connu une situation à peu près semblable.

— Oui, je peux te comprendre. Tu possèdes un cœur si généreux, Ivan. Mais des enfants dans la même situation, il en existe des millions. Et pas uniquement en France. Ne crains-tu pas de te faire exploiter, dans toute cette affaire ?

— Tu as raison. Moi, je ne désire rien d'autre que de poursuivre en paix ma carrière de pianiste, avec toi à mes côtés. Mais jouer en concert, enregistrer des disques, enseigner la musique, toutes ces activités artistiques ne s'avèrent-elles pas un peu futiles et superficielles, quand on y pense, en comparaison du rôle de père de famille ? À mes yeux, prendre soin d'une jeune enfant représente bien autre chose, tu ne crois pas ? La musique ne possède qu'un sens passager. Une fois exécutée par l'interprète, entendue et absorbée par l'auditeur, elle sombre dans l'oubli.

— Tu fais erreur, Ivan Solveye ! Certes, comme artiste, tu fais vivre à l'humanité des moments divins mais temporaires, et tu fais naître de bons souvenirs qui risquent en effet de s'effacer à la longue, sans semer de traces, je te l'accorde. Et cet investissement de toi-même ne changera pas le monde, tu as raison.

— Le père de famille, lui, laisse des humains derrière lui…

— Mais tu oublies qu'à l'instar des écrivains, il t'arrive d'aider, grâce à ta musique et sans même t'en rendre compte, les humains à se reconnecter avec eux-mêmes. Tu réveilles des états d'âme, des sentiments, des émotions enfouies au fond d'eux-mêmes, tu leur permets de déraciner ou d'extérioriser d'anciennes colères ou de revivre de grandes joies. Et plus encore, tu les consoles, tu les rends plus heureux, tu provoques des remises en question, tu élèves leur âme, tu les appelles à réfléchir et à grandir, parfois même à prier. Tout cela constitue une nourriture intellectuelle, spirituelle et essentielle à l'humanité. Crois-moi, cela vaut bien d'autres remèdes et thérapies ! La musique, tout comme la littérature, peut non seulement répandre la lumière sur le monde mais aussi traduire la joie, ou la douleur, ou l'espoir, ou la foi. Et pourquoi pas pour donner aux humains des coups d'envoi vers un avenir meilleur ?

— C'est bien beau tout ça, mais que vais-je laisser derrière moi quand je partirai pour l'ultime voyage, moi ? Une pile de disques ?

— Que va laisser le médecin derrière lui quand il va quitter ce bas monde, Ivan ? Des gens en meilleure santé pour un certain temps. Que laisseront les grands artistes comme toi, musiciens, peintres ou écrivains, au moment du dernier départ ? Des gens qu'ils auront momentanément et temporairement rendus plus sereins et plus heureux, sans trop s'en rendre compte.

— Les pères et les mères de famille lèguent bien davantage, je crois, car ils assurent la continuité du monde. Écoute-moi attentivement Marjolaine. Aujourd'hui, le destin met sur mon chemin une enfant à aimer, à élever, à regarder grandir, à préparer pour la vie, et cela ne peut pas me laisser indifférent.

— Je te comprends tellement ! Mais t'engager dans cette voie risque de chambarder ta vie sur toute la ligne, Ivan. Ta carrière surtout. Tu te produis un peu partout sur la planète et tu es citoyen du monde, ne l'oublie pas.

Marjolaine faillit ajouter que cette voie risquait aussi de chambouler sa propre vie à elle et que ce fait particulier l'inquiétait outre mesure. Ivan deviendrait-il avant tout un citoyen du Québec, un jour, lui qui possédait déjà des racines en Croatie et en France ? Citoyen du Québec et père de famille… Il ne lui laissa pas le temps de poursuivre sa pensée.

— Je sais, je sais. Voilà pourquoi, avant de m'engager plus à fond dans ce scénario, avant même de me permettre d'y réfléchir sérieusement et d'en discuter avec toi, mon amour, j'ai d'abord exigé ce test d'ADN afin de confirmer cette paternité à laquelle je ne croyais pas vraiment. Tu vois le résultat ! Tout est devenu officiel hier soir, avec l'arrivée de ces deux lettres. Mais je n'ai pas eu le courage de t'en parler, en fin de soirée, après le départ de Jean-Claude. Tu me semblais si heureuse après notre promenade dans la neige, pourquoi aurais-je perturbé ton sommeil ? J'ai alors remis cette conversation à ce matin. Tu vois, le « sorcier » ne te mentait pas.

— Que disait l'autre lettre ?

— Toujours le message de cet avocat me pressant, au nom de la grand-mère paralysée, de prendre mes responsabilités de père et de me préoccuper de ma fille. Bien sûr, il n'est plus question de chantage médiatique. Et j'ignore s'il existe, dans le Code civil français, un recours juridique contre un père vivant à l'étranger, n'ayant connu la mère que durant quelques jours à la veille de sa majorité, et qui refuse de subvenir aux besoins d'une enfant jamais désirée mais qui lui est imposée officiellement, quatre ans après sa naissance. Je suppose que oui… Les prisons devraient déborder, alors ! À vrai dire, en ce qui me concerne, c'est l'obligation morale envers l'innocente Samiha qui me tracasse. Une partie de mon sang circule dans ses veines, et je n'arrive pas à m'en ficher, tu comprends ?

Elle comprenait. Un silence à couper au couteau envahit soudain la chambre. Abasourdie, confondue par cette nouvelle situation, Marjolaine ne savait trop comment réagir. Après sept mois de vie commune avec Ivan, elle ne souhaitait aucun changement, ambitionnant au contraire la continuité de cette belle et douce période. Cet homme la comblait et la rendait heureuse. Si tous les deux se réalisaient et s'épanouissaient dans la pratique de leur art respectif, ils se retrouvaient avec bonheur et se complétaient dans leur amour de la vie et le partage de leurs aspirations profondes. De là à laisser une fillette s'introduire entre eux…

Par ailleurs, la venue de cette enfant transformerait probablement davantage sa propre existence que celle du pianiste toujours lié par de nombreuses obligations hors du pays. Pourtant, Marjolaine avait déjà élevé une famille et elle en avait par-dessus la tête avec Rémi.

Avait-elle vraiment envie, à quarante-quatre ans, de tout recommencer avec une autre enfant ?

Et si elle refusait ? Si elle n'acceptait pas de jouer le rôle de mère adoptive, cela risquerait-il de la conduire à la perte de l'homme de sa vie ? D'un autre côté, comment se permettre l'audace – ou l'ignominie – de placer Ivan Solveye devant un ultimatum lui enjoignant de choisir entre la femme qu'il aimait et son innocente petite fille ? À la limite de l'affolement, Marjolaine se taisait avec l'impression d'être en train de se noyer dans un bain de confusion.

Jusqu'à maintenant, Ivan ne lui avait rien demandé. Absolument rien. Et elle lui en savait gré. Il s'était contenté de lui relater simplement les faits sans manifester de remords ni de regrets, exprimant uniquement ses tourments concernant son engagement pour l'avenir. Il n'avait pas réclamé d'opinion, pas plus que des conseils, de la part de Marjolaine. Qui sait s'il ne l'avait pas déjà prise au fond de lui-même, cette fameuse décision ?

Elle se retourna vers lui. Couché sur le dos, il avait fermé les yeux et joint ses mains sur sa poitrine, plongé dans un état de recueillement intense. Elle eut l'impression qu'il appelait sur leur couple toutes les lumières, et aussi toutes les forces et les grâces du ciel. Mais des larmes s'échappaient de ses yeux, des larmes muettes et sans doute douloureuses. Elle le regarda sans broncher pendant un bon moment. Il respirait à longs traits, comme s'il cherchait dans son souffle un regain d'énergie qui ne venait pas. Et si c'était d'un regain de courage qu'il avait besoin ?

— Ivan, je t'aime et je te comprends.

— Moi aussi, je t'aime, Marjolaine.

— Pardonne ma colère de tantôt et tous mes jugements téméraires déclenchés par l'arrivée de chacune de ces lettres.

— Pardonne mon silence tout aussi téméraire. Dans mon esprit, il n'était que transitoire. J'aurais dû t'en parler avant.

Par la fenêtre, ils constatèrent, aux premières lueurs de l'aube, que la tempête de neige avait cessé. Marjolaine, assise sur le bord du lit, se dit que le temps des papillons blancs était révolu. C'est pourquoi elle lança un cri de joie en voyant passer un oiseau aux ailes blanches à travers le parc du Carré Saint-Louis.

— Regarde, Ivan, on dirait un papillon géant! Vois-tu, il n'y a rien d'impossible!

Ils se mirent à rire, surtout quand il s'informa de la signification du mot « maquereau » dont elle l'avait traité plus tôt.

Elle finit par se rendormir en se demandant quelle heure il pouvait bien être sur le continent européen où vivait, à cet instant précis, une petite fille de quatre ans.

# CHAPITRE 11

Rémi porta un regard distrait sur la pile de feuilles dactylographiées à double interligne déposée par sa mère devant lui, sur l'une des tables de la salle des visites. De toute évidence, se plonger dans la première partie de ce manuscrit ne l'intéressait guère, d'autant plus que la lecture en général ne lui disait rien qui vaille. Ivan insista pour qu'il y jette au moins un coup d'œil.

— Tu vas adorer ça ! Et en plus, il s'agit d'un fait vécu. Ta mère possède une très belle plume, tu sais, Rémi. As-tu déjà lu un de ses romans ?

— Euh… non ! Pas mon fort, les romans !

— Eh bien ! celui-là, mon cher, c'est plutôt ton genre ! Et Marjolaine et moi connaissons intimement celui dont elle raconte l'histoire, un loulou qui, dans sa jeunesse, a fait quelques années de taule comme toi.

— Ça va pas me changer tellement les idées !

— Ce petit loubard s'en sortira, tu vas voir.

— C'est quoi, ça, un loubard ? Pourquoi t'as appelé ton personnage Loulou, m'man ? Franchement !

Marjolaine se mit à rire en secouant la tête.

— Mais non, *ce petit loubard* veut dire « ce petit bum ». Et *loulou* signifie « un jeune garçon ». Que veux-tu, certains Français d'origine croate mettent du temps à absorber et utiliser nos expressions québécoises. Peut-être qu'avec les années, s'il persiste à vivre ici, Ivan appellera les loulous et les loubards des petits crapauds ou des petits morveux ! Peut-être même des p'tits bonyeux !

Mais le Français d'origine croate persisterait-il à vivre ici ? Marjolaine jeta sur Ivan un regard à la fois tendre et interrogateur. À vrai dire, en quarante-huit heures, rien n'avait encore été décidé quant à l'avenir de Samiha. Pas une seule fois, depuis ses aveux au sujet du test d'ADN, Ivan n'avait supplié sa compagne d'accepter de former une famille avec lui et la fillette. Si, pour un moment, elle avait cru irrévocable la décision du pianiste de prendre la garde permanente et légale de l'enfant, elle comprit peu à peu qu'au contraire il pataugeait comme elle dans l'incertitude et l'hésitation.

De son côté, Marjolaine, tout aussi perplexe, n'osait trop s'avancer, encore moins manifester sa vision des choses et imposer des conditions qu'elle-même ne se sentait pas certaine de vouloir remplir. Après tout, avant de savoir qu'un simple test génétique viendrait chambouler leur avenir, pas une seule fois les amoureux n'avaient élaboré ensemble de plans précis pour l'année suivante.

Pour l'instant, un unique élément semblait incontestable pour elle : il n'était pas question de quitter le Québec pour aller vivre ailleurs. Jamais elle n'abandonnerait ses fils pour l'amour d'une petite fille inconnue, fût-elle la plus adorable et la plus démunie du monde. François pouvait toujours se débrouiller sans sa mère, mais pas Rémi. À peine si le jeune homme parvenait à se remettre lentement de sa tentative de suicide, le moral dans les talons et l'élocution encore laborieuse. Après les Fêtes, il quitterait l'aile psychiatrique et se trouverait dans l'obligation de reprendre ses études. Assurément, il aurait besoin d'elle pour l'encourager et le soutenir. Quant à sa libération... hum! elle préférait ne plus y songer.

Par contre, elle aimait trop le pianiste pour admettre l'idée de le perdre. La perspective d'émigrer en France pour l'amour d'Ivan Solveye s'avérait pour elle le problème le plus préoccupant. D'un autre côté, s'il s'en retournait seul en Europe, elle doutait d'arriver à vivre sans lui. « Ah, mon Dieu! Éloignez de moi ce calice! », ne cessait-elle de répéter intérieurement, souhaitant ne jamais voir cette question-là se poser. Si au moins le pianiste lui confiait le fond de sa pensée au lieu d'attendre des solutions venant d'elle. Mais... les attendait-il?

Les fous rires du Croate et de Rémi la ramenèrent au moment présent, dans le parloir de la prison. Sous l'écoute attentive du jeune homme, Ivan était en train de relater ses mésaventures lors d'un concert donné dans une grande salle de Washington, l'an dernier. De toute évidence, un lien d'amitié semblait se créer peu à peu entre son nouveau conjoint et le prisonnier. Chaque fois qu'il le pouvait, Ivan accompagnait Marjolaine lors de ses visites hebdomadaires. Lui, au moins, acceptait d'emblée l'existence des deux fils de l'écrivaine, sans faire d'histoires.

— Tu sais à quel point les concerts classiques sont protocolaires et guindés, pour ne pas dire teintés d'un certain snobisme, avec le décorum parfaitement observé et chacun des gestes réglés au quart de tour, autant avant que pendant et après la présentation musicale. Imagine-toi donc que, ce soir-là, une fois ma prestation terminée, je me levai tout souriant en repoussant un peu trop loin le banc du piano pour saluer l'auditoire. Je perdis l'équilibre, et voilà que le banc buta contre je ne sais quoi et tomba à la renverse sur le pied de la chanteuse soliste, assise tout juste derrière moi.

Rémi écoutait religieusement, comme si on lui racontait l'événement du siècle. Et rien ne pouvait interrompre Ivan, emporté par son récit, et dont le demi-sourire promettait un dénouement heureux.

— La soprano, une Américaine pétulante, lança d'abord un cri de douleur, en me jetant un regard meurtrier. Puis, elle poussa avec une voix assourdissante et sans trop s'en rendre compte, en plein dans le micro, un juron tonitruant à faire dresser les cheveux sur la tête. La foule ne savait trop s'il s'agissait ou non d'un coup monté et si elle devait rire et applaudir ou bien se taire avec compassion. En réalité, la blessure n'était pas très grave. La femme, réalisant sa bêtise et possédant un bon sens de l'humour, tenta de sauver la face en commençant à chanter un air de lamentation du *Requiem* de Verdi, les yeux levés au ciel. Je jouai le jeu et me lançai sur elle, grandiose, pour lui porter secours. Dieu merci, l'auditoire n'y vit que du feu et s'esclaffa quand elle se jeta dans mes bras en s'écriant : « Oh, mi amore ! » Nous avons alors quitté la scène serrés l'un contre l'autre, sous les acclamations, elle, boitillant et pendue à mon cou, et moi, tout content de la presser contre moi, car je l'avais trouvée particulièrement jolie lors des répétitions des derniers jours. Le croirais-tu, le lendemain, dans les journaux, on a parlé « d'une formidable et audacieuse mise en scène pour échapper enfin au protocole et clore le concert de façon détendue et joyeuse ».

— Ha ! ha ! ha ! Elle est bien bonne !

Marjolaine savoura pleinement cet instant où elle voyait rire son fils pour la première fois depuis des lustres. Quand elle entendit Rémi poursuivre la conversation, lui qui, habituellement, interrompait systématiquement les dialogues en se rentrant la tête dans les épaules pour se réfugier dans un mutisme farouche, elle demeura stupéfaite.

— Eh bien, moi aussi, j'ai vécu quelque chose de drôle cette semaine, dans ce sale pénitencier. L'autre soir, je me brossais les dents devant mon lavabo quand j'ai aperçu une petite souris se délectant de miettes sur le plancher de ma cellule. Comme je possède au fond de ma poche, une collection de biscuits subtilisés en catimini à la cafétéria, je lui en ai tendu un afin de l'attirer. Elle est venue et je l'ai longuement regardée se régaler sans manifester de frayeur à mon égard. À mon grand plaisir, elle est revenue le lendemain et, finalement, chaque soir. C'est fou, je lui rapportais un biscuit avec l'impression de m'être fait une petite amie. Je l'appelais mademoiselle Titite et lui faisais des brins de jasette. Bien, croyez-le ou non, avant-hier, une gardienne bâtie comme une armoire à glace, une femme dure et « à l'air de beu », détestée et crainte par tous les détenus, a promptement ouvert la porte de ma cellule, curieuse de m'entendre parler tout seul. Quand elle a aperçu la souris, elle s'est mise à hurler comme une perdue et a grimpé sur mon lit, morte de peur. C'est moi qui l'ai rassurée pendant que Titite déguerpissait à la vitesse de la lumière. Vous vous rendez compte ? Rémi Legendre a protégé la pire gardienne de la prison contre une souris. Qui aurait pu imaginer ça ? Ha ! ha ! ha !

Les rires du trio attirèrent l'attention des autres visiteurs. C'était la première fois qu'une rencontre avec Rémi se passait aussi plaisamment depuis son incarcération. Marjolaine en sut gré à son amoureux.

Elle tapota légèrement le dessus des pages du manuscrit en regardant son fils dans les yeux.

— Alors, tu vas les lire, ou bien je les rapporte ?

— OK, m'man, je vais les lire.

— Si tu aimes ça, je t'apporterai vingt-cinq autres pages la semaine prochaine et je te les échangerai contre celles-ci. Par contre, je pourrai tenir ce rythme seulement pendant quelques semaines, car le roman n'est pas encore terminé. Mais il avance bon train, et de savoir que tu t'y intéresses va me stimuler. Alors, tu me rapportes cette partie du manuscrit ici après l'avoir lue, d'accord ?

— Oui, oui…

Malheureusement, Marjolaine et Ivan ne purent éterniser cette agréable visite, chacun contraint à d'autres activités pour le reste de ce samedi frisquet de fin de novembre. Le pianiste donnait, le soir même, un récital à la Chapelle historique du Bon-Pasteur, et Marjolaine devait se rendre au Salon du livre de Montréal où on avait retenu pour elle plusieurs heures de signatures au cours de l'après-midi, au kiosque de sa maison d'édition, afin de faire la promotion de son dernier roman.

Elle se retrouva donc, plume et signets à la main, derrière une pile d'exemplaires du troisième tome de sa trilogie. Hélas, elle se sentait incapable de vanter aux passants l'œuvre n'ayant mérité, à sa sortie, que deux étoiles et demie dans le plus grand quotidien de la ville. Aussi, quelle ne fut pas sa surprise quand deux visiteuses se présentèrent devant elle et la complimentèrent avec enthousiasme.

— Je ne peux pas acheter votre roman, madame Danserot, car je l'ai déjà lu. Mais quelle bonne histoire ! Vraiment, j'ai adoré !

— Moi aussi, j'ai dévoré les trois tomes de cette trilogie en quelques jours. Y en aura-t-il un quatrième ?

— Euh… non, je ne crois pas. Je travaille présentement à autre chose de tout à fait différent.

— Dommage… Je n'avais pas envie que ça finisse, moi, cette belle série-là ! Alors, à quand la prochaine publication ?

— L'an prochain, sans doute.

— Ah… il faudra attendre tout ce temps ? Mais j'y pense, je pourrais offrir la trilogie à ma sœur pour son anniversaire. Pourriez-vous lui dédicacer les trois tomes, s'il vous plaît ?

— Avec grand plaisir.

Émue, Marjolaine savoura ce moment comme une revanche silencieuse sur le critique littéraire qui l'avait malmenée et elle signa d'une main heureuse son nom sous la pensée qu'elle venait d'inscrire sur la première page : *Le soleil gagne toujours la partie sur les tempêtes…* Elle n'en revenait pas de ces commentaires élogieux et de ce succès sur lequel elle avait mis une croix, et elle buvait les paroles de ses nombreux lecteurs comme une eau de source. Sans le savoir, à l'instar de Rémi le matin même, ils lui redonnèrent des ailes et une envie folle de poursuivre son œuvre. C'était pour eux, ses lecteurs, qu'elle écrivait, et ils le lui rendaient bien. Elle ne les abandonnerait pas, convaincue de leur appréciation, l'année suivante, de la belle histoire de Jean-Claude Normandeau, alias Théodore, sauvé par un père adoptif. Et tant pis pour les critiques !

En fin d'après-midi, elle s'apprêtait à quitter le Salon pour aller rejoindre Ivan dans un bistrot près de la salle de concert quand se présenta devant son comptoir une femme vêtue de façon plutôt voyante, manteau et pantalon blancs, foulard blanc et bottes blanches. Elle la salua dans un français à l'accent européen.

— Bonjour, Marjolaine, ma belle amie du Canada !

L'écrivaine mit un certain temps avant de reconnaître le visage dissimulé sous la tignasse rousse et frisée qui lui descendait jusque sur les yeux. La femme portait autour du cou une carte avec son nom et celui d'une maison d'édition française.

— Agnès ! Agnès Lacasse, ça alors ! Quel bon vent t'amène ? J'ignorais ta présence au Québec. Ne me dis pas que tu es venue ici à titre d'auteure ?

— Oui, ma chère. J'ai suivi tes conseils et j'ai terminé mon roman entrepris en Suisse l'année dernière. Un éditeur de Paris a accepté de le publier, et il vient tout juste de sortir en librairie dans toute la francophonie. En fait, on m'a invitée au Québec pour une tout autre raison : une troupe de théâtre de Sherbrooke va présenter d'ici peu l'une de mes pièces, et une tournée est prévue par la suite. Mon éditeur a donc profité de ce voyage pour mousser la publicité de mon roman et me donner quelques heures de présence dans cette vaste foire du livre. Je ne t'ai pas avisée de ma visite car, certaine de te trouver ici, je voulais te ménager une surprise. J'ai bien réussi, qu'en penses-tu ?

— Bien sûr ! Et comment s'intitule ce fameux roman ésotérique et quelque peu érotique, si ma mémoire est bonne ?

— *Périsprit*[5].

— *Périsprit* ? Euh… ah, bon ? Je te souhaite bonne chance et un grand succès ! Dis donc, je suis un peu coincée par le temps et il me faut quitter le Salon, car mon conjoint m'attend pour prendre rapidement une bouchée. As-tu planifié une occupation particulière pour ce soir ?

— Non, mais je dois partir très tôt demain matin pour les Cantons de l'Est afin de rencontrer les acteurs et le metteur en scène, et d'assister à quelques répétitions. Je ne prévois pas revenir

5. Enveloppe semi-matérielle qui envelopperait le corps et l'esprit.

à Montréal avant mon retour en Belgique, excepté pour me rendre directement à l'aéroport. Il s'agit d'un très court séjour, à vrai dire.

— Viens manger avec nous, alors, et entendre ensuite le récital d'Ivan. Il ne devrait pas se terminer très tard. On pourra au moins jaser un peu.

— Tu ne m'avais pas dit que ton mari était musicien.

— Il n'est pas mon mari. Je t'expliquerai. Partons, je suis déjà en retard.

Agnès ne reconnut pas Ivan Solveye, ni comme pianiste ni comme l'un des nombreux visiteurs venus au château de Manuello lors de la lecture publique, près d'un an et demi auparavant. Avec son habileté dans l'art du flirt, elle ne vit en lui qu'un homme à séduire, le nouvel amant pour lequel Marjolaine avait évincé le père de ses enfants. La Belge sourcilla par contre en apprenant de quelle manière les amoureux s'étaient rencontrés.

— Te souviens-tu de ton départ de Manuello, Agnès ? Toi et les autres auteurs m'avez quittée l'un après l'autre en me laissant en plan, un vendredi en fin de journée, car mon avion ne décollait que le lendemain matin. J'étais donc condamnée à écouler cette dernière soirée absolument seule dans le château que tu prétendais habité par des fantômes. Heureusement, comme je n'y croyais pas du tout, je n'ai ressenti aucune crainte.

— Tu avais tort. Moi, j'ai perçu leur présence tout le long du séjour, même si je n'ai réussi à communiquer avec aucun d'eux.

— Eh bien, ce soir-là, à la lueur d'une chandelle, pendant que je jouais du Beethoven sur le grand piano du salon, on a frappé à la porte. D'abord paralysée de stupeur, je n'ai pas osé broncher. Puis, en me retournant, j'ai découvert une véritable apparition à travers la fenêtre. Une formidable et extraordinaire apparition qui m'a aussitôt rassurée. J'ai poussé un long soupir de soulagement, tu peux me croire!

— Quoi! Les fantômes de la petite Manuella et de sa mère se sont enfin pointés!

— Bien mieux que ça! L'esprit de Beethoven m'a envoyé un pianiste en chair et en os pour le représenter, croirais-tu cela? Un Croate est arrivé et s'est mis à jouer pour moi et... à tenter de me conquérir! Un vrai, un beau, un sublime interprète! C'est l'homme que voici, présentement assis en face de toi, le plus grand et le plus merveilleux pianiste de l'univers : Ivan Solveye, musicien de réputation internationale.

— Pour sa grandeur et sa beauté, tu as raison, Marjolaine. Quant à le considérer comme un spectre...

Agnès Lacasse se mit à glousser, ne se privant pas de lancer un clin d'œil à Ivan, qui répondit par un sourire charmeur. Marjolaine s'empressa de reprendre en main la description de son conjoint.

— Quand tu vas l'entendre jouer, tout à l'heure, tu vas admettre sa dimension divine et transcendantale, ma chère amie!

Amusé, Ivan se leva néanmoins de table et s'excusa auprès des deux femmes en expliquant devoir retourner au plus tôt à la Chapelle. Il leur donna rendez-vous après le récital.

De toute évidence, Agnès ne s'y connaissait guère en musique classique et elle se montra plutôt distraite pendant la performance du pianiste. À la fin, plongée dans ses pensées, elle mit même un certain temps à se joindre à l'auditoire debout, battant des mains à tout rompre en réclamant des rappels.

Une fois l'événement clos, après avoir quitté la petite chapelle, Marjolaine et Ivan l'invitèrent par politesse à prendre un verre au Château des Sons et des Mots. La Belge ne se fit pas prier et accepta avec entrain.

— Vous piquez ma curiosité, là, avec votre château !

— Ne t'en fais pas, Agnès, tu ne trouveras aucun spectre chez nous !

— Non, mais si le cœur vous en dit, je pourrais vous prédire l'avenir. Je me suis découvert un don divinatoire, j'ai même une clientèle en Belgique. Qu'en pensez-vous ?

Marjolaine leva les yeux au ciel et retint un soupir d'exaspération, contrairement à Ivan qui se montra curieux et emballé. Quelques minutes plus tard, la Belge, appuyée contre le piano de la salle de musique, le regard perdu et les bras tendus vers le couple, entra en transe. Puis, elle examina longuement les lignes de main de chacun des amants. Après plusieurs minutes de silence, elle énonça d'une voix chevrotante, le fruit de sa divination.

— De grands secrets ont été récemment révélés ici même, dans cette salle… Pour toi, Ivan, des changements importants se produiront bientôt dans ton existence. Tu auras aussi à vivre des moments difficiles, mais tout rentrera finalement dans l'ordre. Quant à toi, Marjolaine, je ne réussis pas à prédire clairement ce que te réserve l'avenir. Cela me semble étrangement confus. Je vois de lourds nuages apparaître, mais ils laissent filtrer en même temps d'ardents rayons de soleil. Tout peut arriver.

— Tu as raison, Agnès, rien n'est impossible.

# CHAPITRE 12

Comme Marjolaine l'espérait, Rémi lui réclama d'autres pages du manuscrit lors de sa visite à la prison, une semaine plus tard.

Hélas, il ne lui en avait rapporté aucune.

— Hum ! N'avions-nous pas convenu d'un échange : tu me remettais les premières pages et je t'en confiais vingt-cinq autres ? Tu n'as pas respecté la condition, mon garçon. Les aurais-tu oubliées, par hasard ?

— Je peux pas te les donner, m'man, je les ai prêtées.

— Prêtées à qui ? François t'a-t-il rendu visite ou les as-tu offertes à un gars en d'dans ?

— Je les ai données à papa.

— Quoi ! Ton père est venu te voir !

Marjolaine manqua tomber par terre. Ainsi, Alain avait fini par prendre connaissance de son message envoyé sur Internet, deux semaines auparavant, et il s'était enfin souvenu de l'existence de son fils. Alléluia !

— Ben oui, m'man, imagine-toi donc ! Il se demandait comment j'allais, paraît-il. Ça faisait tellement longtemps que je l'avais vu, j'en revenais pas. Presque un an…

— Lui as-tu parlé de… de ta commotion cérébrale ?

— Non, ça me tentait pas de discuter de ça. On a jasé surtout de la Chine, d'où il rentre justement. Quel voyage ! Il vit avec une femme riche, ça m'a l'air. Elle est pas barrée, en tout cas ! Mais il a aussi demandé de tes nouvelles.

— Ça me surprend ! Et tu as insisté pour lui faire lire le début de mon roman ? Je n'arrive pas à y croire !

— Pas du tout. Il a lui-même voulu le prendre. Lorsqu'on m'a appelé au micro du pénitencier pour m'annoncer un visiteur, j'ai apporté les pages à la salle des visites, comme convenu, pensant qu'il s'agissait de toi. Quand papa les a vues, il a manifesté l'envie de les lire.

Marjolaine était estomaquée. Alain ne s'était jamais intéressé à ses écrits et n'avait lu aucune de ses œuvres. Sans doute désirait-il se faire valoir auprès de sa maîtresse et se péter les bretelles en lui offrant une primeur, lui, l'ancien digne époux d'une auteure connue. Elle se mordit les lèvres pour ne pas confier cette dernière pensée à son fils, tout content d'avoir renoué avec son père. Un père qui ne le méritait pas.

Rémi n'hésita pas, cependant, à aborder le sujet complexe des pères en général et du sien en particulier. Lui qui s'exprimait si peu habituellement prit sa mère par surprise.

— Tu sais, maman, un père a une importance capitale pour un fils. Grâce à mes séances de psychothérapie, j'ai réalisé que papa m'avait beaucoup manqué au cours de mon enfance. Ça ne le tient pas directement responsable de ma toxicomanie, non, non, mais, inconsciemment, l'insuffisance d'appui et de modèle masculin m'a rendu fragile et vulnérable, paraît-il.

— L'insuffisance... Il faut faire attention de ne pas mettre le blâme sur ton père ou sur quelqu'un d'autre que toi-même pour tes malheurs, mon fils. C'est Rémi Legendre qui décidait de s'injecter de la drogue, et personne d'autre. C'est lui qui a commis un vol à main armée ayant mal tourné.

— Je sais, je sais... Mais c'est Alain Legendre qui refusait d'aider son garçon à payer sa dette de drogue, m'man.

— Alain avait tout à fait raison de ne pas jouer ton jeu, Rémi. N'ai-je pas fait de même ? Pas toujours facile, le rôle des parents, tu sais, et il n'existe pas d'école pour eux. Tes problèmes résultent plutôt de nombreux facteurs, à commencer par les faiblesses de ta propre personnalité, je crois. Peut-être qu'Alain et moi avons aussi commis des erreurs quelque part sans nous en rendre compte, je te l'accorde.

— Pas toi, maman. Lui !

— Ton père a fait son possible, je peux te l'assurer, mais son travail le tenait et le tient toujours très occupé, pour ne pas dire trop occupé. Ajoute à cela son manque naturel de compassion et tu vois le résultat : il est passé à côté des graves problèmes de son fils.

Marjolaine faillit renchérir en disant : « Et il n'a pas su, comme un vrai père aimant et compétent, mettre ses priorités à la bonne place et accomplir des efforts dans le bon sens », mais elle tourna sa langue huit fois au lieu de sept avant d'enchaîner :

— Maintenant, l'important est de regarder en avant. Tant mieux si tu as renoué avec ton père, et tant mieux s'il peut t'aider.

Mais ne perds pas de vue les obligations que toi, Rémi, tu as à remplir envers toi-même : établir de véritables raisons de vouloir t'en sortir, développer de nouvelles forces, chercher de l'aide là où il s'en trouve, te rebâtir une vie en cultivant une amitié avec des personnes adéquates…

— Comment veux-tu que je cultive une amitié avec des personnes adéquates, dans cet enfer ? Tu fabules, m'man !

— En janvier, ici même, dans une classe du pénitencier, tu vas sûrement croiser quelques gars solides, déterminés à ne plus recommencer leurs bêtises et à se sortir définitivement de l'univers carcéral. Pourquoi ne pas te faire ami avec eux afin de partager vos difficultés et vos craintes, et surtout vos ambitions et vos bonnes résolutions ? As-tu une idée de la force qui peut se dégager de telles relations ?

— Ouais…

— Et puis, nous sommes là pour toi, nous ! Ton frère et Caroline, Ivan et moi. Si on peut ajouter ton père à cette liste, c'est tant mieux ! Ivan aussi t'apprécie beaucoup, tu sais, ne l'oublie pas.

Le garçon prit le parti de se taire et garda la tête baissée, de toute évidence non convaincu de trouver parmi les siens les bonnes personnes-ressources. À vrai dire, Marjolaine misait énormément, dans un avenir pas si lointain, sur Jean-Claude Normandeau. Ne s'en était-il pas sorti, lui, en dépit de ses problèmes démesurés ? Qui sait si le fameux Théodore du manuscrit n'ouvrirait pas une porte à son misérable fils en lui servant de modèle et d'ami ? Elle brûlait d'envie de le lui présenter, mais préférait attendre que Rémi avance davantage dans la lecture de l'histoire avant d'exécuter la mise au jeu.

Une histoire non seulement à suivre, mais à vivre. Une histoire qu'elle-même suivait et vivait au rythme de ses doigts martelant le clavier, à travers sa rédaction fidèle, un mot, une ligne, une page, une anecdote et une scène à la fois. Une histoire qu'elle suivait et qui la suivait, jour et nuit, pendant des heures et des heures, devant son ordinateur et même ailleurs ! Dès la page 130, l'aumônier faisait connaissance avec le jeune prisonnier Théo, aussi gravement handicapé moralement que physiquement, ce jeune infirme qui ne croyait plus à rien, ni à Dieu, ni à diable, ni à lui-même. Il ne savait pas encore qu'un homme intègre allait poser une main paternelle sur son épaule.

Rémi avait besoin d'une telle main, sa mère le pressentait indubitablement. Fasse le ciel qu'Alain... ou plutôt Jean-Claude Normandeau, la lui tende !

Assise à l'arrière de l'autobus, au retour du pénitencier, Marjolaine retenait difficilement ses larmes. Les décorations et les lumières de Noël enjolivant le paysage auraient dû la réjouir, mais, au contraire, elle aurait donné n'importe quoi pour se trouver ailleurs, dans un autre pays et à une autre époque. Dans une autre vie, tiens ! Tandis que, maintenant, elle devait envisager le malheur de son enfant en prison pour un deuxième Noël, ce fils en train de se relever d'une tentative de suicide. Se pointait également devant elle le drame d'un amant qui risquait de l'abandonner pour s'occuper de sa fille sur un autre continent. Tout cela ne donnait certainement pas lieu à la réjouissance. Peut-être bien un peu à l'espérance, sans plus. Mais ne disait-on pas : « Noël, fête de l'espoir » ?

En montant la première marche du perron, elle entendit retentir des notes de piano à travers la grande fenêtre du salon. Ivan se trouvait déjà là, lui qui ne devait rentrer que tard en soirée. Elle reconnut aussitôt le sublime *Jésus, que ma joie demeure* de Jean-Sébastien Bach, cette musique qui avait sauvé sinon la vie, à tout le moins le moral du Croate quand il s'était retrouvé, aux abords de la vingtaine, enfermé dans un hangar après la disparition fatale de ses parents. Ah ? Elle l'avait entendu jouer cette pièce à quelques reprises, toujours à des occasions bien particulières, la première fois à la Place des Arts, au moment des rappels, puis au château de Manuello, le soir de leur première rencontre, ensuite à Dubrovnik, dans une salle éclairée aux flambeaux et, l'hiver suivant, dans son salon, la veille du procès de Rémi. Chaque fois, cela lui avait chaviré le cœur. Par contre, depuis qu'ils habitaient au Carré Saint-Louis, jamais il n'y avait retouché.

Sans doute avait-il besoin, ce soir, de se ressourcer lui aussi, se dit-elle, pleine d'appréhension, en tournant délicatement la poignée de la porte. Ce qu'elle aperçut, dans la salle de musique, la figea sur place. Ivan, les yeux bouffis perdus au plafond, jouait en gémissant, sans même regarder le clavier. Quand il vit Marjolaine surgir, il ne s'interrompit même pas. Au contraire, les traits contractés et les lèvres serrées, il frappa plus fort, plus rapidement et avec plus d'intensité les touches du piano. Elle comprit alors qu'elle-même faisait partie des tourments de l'homme qu'elle adorait et que son arrivée subite ne faisait qu'approfondir sa souffrance.

Quand elle s'approcha et l'entoura de ses bras, par-derrière, il s'arrêta net.

— Ivan, mon amour, ne laissons pas une enfant nous séparer, toi et moi. Au contraire, essayons de l'aimer ensemble.

— Dis-moi comment, Marjolaine, dis-moi seulement comment !

— Noël arrive dans quelques jours. Donne-toi un peu de temps avant de prendre une décision.

— Évidemment, je dois respecter mon contrat à l'Université McGill jusqu'en mai prochain. Je ne pourrai donc pas retourner en

France d'ici là, je pense bien, quoiqu'un récital soit prévu à Bruxelles à la fin de janvier. Je pourrais éventuellement faire d'une pierre deux coups et aller voir ce qui se passe réellement à Fontainebleau.

Soudain, Ivan fondit de nouveau en larmes et mit du temps à reprendre son souffle et à retrouver son calme.

— Je n'arrive pas à y croire, mon amour : j'ai procréé une enfant, je suis père. Une petite fille possède mes gènes, mes cellules, elle me ressemble sans doute. Cela ne peut plus me laisser indifférent, tu comprends ? Sans famille, je me suis tellement senti tout seul au monde une grande partie de ma vie que jamais je ne pourrai abandonner Samiha. Jamais, jamais ! Je refuse que mon enfant vive une telle solitude et une telle détresse par ma faute. Mais de te placer dans cette situation, toi, ma pauvre Marjolaine, qui en as déjà plein les bras avec ton Rémi, ça me semble très égoïste de ma part.

— Allons donc, Ivan ! Moi aussi, je t'oblige à accepter mes fils, le plus jeune surtout. Quand je te demande de m'accompagner en prison, je t'impose un pénible fardeau et je trouve cela abominable, crois-moi ! Penses-tu que je me sens à l'aise ? Cependant, tu viens sans protester. Il n'existe pas de mots pour te dire à quel point j'apprécie ta générosité, mon chéri. Tu ne me crois donc pas capable d'en faire autant pour toi ? Nos enfants font partie de nous-mêmes, il faut accepter celui de l'autre quand on s'aime. C'est à prendre ou à laisser.

— Ce n'est pas à laisser, dis-moi, Marjolaine ?

Elle se jeta spontanément contre sa poitrine.

— Non, je préfère prendre ! Te prendre ! Tout prendre ! Et cela, même si une petite fille fait maintenant partie intrinsèque de toi et pèse plus lourd qu'elle ne le devrait sur tes bras. Et même si, un jour, elle pèse aussi très lourd sur mes bras à moi, je ne te lâcherai pas. Parce que je t'aime. Compris ?

Il se remit à sangloter comme un enfant et resta inconsolable. Jamais elle n'aurait cru qu'un homme puisse pleurer autant. Elle aurait préféré poursuivre la discussion déjà amorcée, l'informer de sa décision d'accepter d'adopter la fillette à la condition de demeurer au Québec pour l'amour de ses deux fils. La sonnerie stridente du téléphone mit un terme à cette scène pour le moins pathétique où certains problèmes restaient en suspens.

— Ivan, c'est pour toi. Un homme à l'accent français. Un certain monsieur Joachim Latourelle… Hum ! ça te dit quelque chose ?

Le pianiste lança un regard outré à Marjolaine avant d'accourir à la cuisine pour répondre. Afin de ne pas entendre des segments de conversation qui risquaient de la troubler davantage, elle s'enferma dans la salle de musique et se mit à jouer maladroitement et en sourdine *Jésus, que ma joie demeure*, à partir de la version facile rangée dans le banc du piano. Après tout, elle aussi avait besoin de se ressourcer.

Ivan ne revint qu'au bout de vingt longues minutes, les yeux secs et l'air songeur. Naturellement, Marjolaine ne résista pas à l'interroger.

— Et puis, ce cher monsieur Latourelle, il va bien ?

— Il voulait savoir si j'avais pris une décision après la réception du résultat du test d'ADN. La pauvre grand-mère semble vraiment trop mal en point pour garder la petite et elle rentrera à l'hôpital d'une journée à l'autre.

— Et alors ?

— Eh bien, euh… je lui ai laissé entendre que je n'abandonnerais pas Samiha et que j'allais m'en occuper, tout en ne sachant pas encore de quelle manière, soit l'adopter, soit simplement envoyer de l'argent à une famille d'accueil, afin de pourvoir à ses besoins. Je lui ai demandé si on pouvait envisager une autre alternative, soit celle de mettre son nom sur une liste d'adoption. Les chances paraissent très minimes, d'après lui, et mieux vaudrait ne pas trop compter là-dessus. En attendant, il va faire évaluer l'enfant et la placer en institution ou dans un foyer d'hébergement dès cette semaine.

— Faire évaluer l'enfant ? Pour quelle raison ?

— Je ne sais trop. Bien entendu, j'ai pris rendez-vous avec lui en janvier, deux jours après mon concert de Bruxelles. Sur place, je serai davantage en mesure de voir ce qui peut ou doit être fait pour le bien de Samiha et...

Il se tourna vers Marjolaine avant de terminer sa phrase.

— ... notre bien à tous les deux.

Elle sentit le moment redevenu propice pour se lancer à l'eau et poser, clairement et sans détour, la question qui l'empêchait de dormir depuis trop longtemps, même avant l'arrivée du fameux test d'ADN. Dût-elle couler à pic au fond du désespoir, Marjolaine devait, voulait connaître la pensée réelle d'Ivan au sujet de leur avenir à tous les deux.

— Dis-moi, mon chéri, avant l'annonce de l'existence de Samiha, comment voyais-tu la suite des choses entre nous, au terme de ton contrat avec McGill, au printemps prochain ? Qu'on le veuille ou non, l'échéance approche. Désires-tu retourner en France ou bien demeurer ici ?

— À vrai dire, j'attendais après les Fêtes pour t'en parler sérieusement. Pour le moment, je ne possède qu'un visa de séjour. Cette décision ne dépend pas seulement de moi, Marjolaine, mais de toi aussi. Et puis, McGill a offert de prolonger mon contrat pour quelques mois, si je le souhaite ! Je pourrais aussi postuler pour un poste d'enseignement dans une université francophone du Québec ou au Conservatoire de Montréal. Ça me plairait mieux d'enseigner en français. D'un autre côté, l'organisation de ma vie est implantée en France depuis près de vingt-cinq ans, la maison où j'habite et dont je suis propriétaire se trouve là, mes bons amis, ma banque, ma police d'assurance, mon dossier médical, mon école de musique, ma maison de disques, mon agent de presse et même mon piano ! La vie en Amérique me plaît bien, mais cela ne suffit pas. Toi, tu vaux cent fois plus que tout ça mis ensemble dans la balance. Peut-être aimerais-tu vivre à Paris pendant quelque temps ? Tant d'écrivains rêvent d'expérimenter la chose.

— Hélas, Rémi…

— Oui, il y a Rémi… et maintenant une petite fille. Rémi au Canada et Samiha en France… La belle affaire ! Ces deux-là viennent tout chambarder. Il s'avérerait relativement simple, je suppose, de déraciner une enfant de quatre ans pour la changer de pays, pourvu que je la connaisse et sache bien comment l'élever. Mais est-ce vraiment une bonne idée de la séparer de sa grand-mère, même malade, la seule personne au monde qui l'aime encore, et de l'emmener vivre ailleurs, en territoire inconnu et en présence de parfaits étrangers ? Pas facile, pas facile, tout ça ! J'ai vécu ce genre d'arrachement, moi, même si j'avais dix-huit ans. On ne s'en remet jamais complètement, Marjolaine. Jamais ! Voilà pourquoi prendre sur mes épaules la responsabilité d'une enfant me fait si peur.

Marjolaine se sentit quelque peu rassurée en constatant qu'elle faisait officiellement partie des plans d'Ivan. Après tout, il aurait pu lui présenter un ultimatum et s'en retourner dans son pays en exigeant égoïstement qu'elle le suive. À prendre ou à laisser. Une écrivaine, ça pouvait écrire n'importe où, particulièrement à Paris, n'est-ce pas ? Mais, dorénavant, rien ne les séparerait, elle en avait la quasi-certitude.

Le pianiste avait raison, il fallait prendre les décisions ensemble et surtout pas à la légère. Pour aujourd'hui, ils avaient leur quota d'émotions. Mieux valait se changer les idées.

Elle eut soudain un éclair de génie et proposa d'aller acheter un cadeau de Noël pour Samiha. S'ils s'y rendaient maintenant, le soir même, ils pourraient s'offrir un petit souper d'amoureux quelque part, par la suite. Après tout, la vie continuait, devait continuer. Cela leur remonterait le moral et, en faisant parvenir le colis en Europe par le courrier express, la fillette le recevrait sûrement avant Noël.

Ils partirent donc, tout excités, bras dessus, bras dessous, et s'acheminèrent sur la rue Sainte-Catherine où ils rencontrèrent peu de boutiques de produits pour enfants. Heureusement, le magasin à grande surface La Baie les attendait au détour, avec son immense rayon de jouets. Ils voulurent tout acheter, hésitèrent pendant des heures devant les poupées et les millions d'autres bébelles pour fillettes, sans parler des vêtements. Le père Noël, cette année-là, se montrerait généreux sans bon sens envers Samiha Shebel. Même la grand-mère allait recevoir le plus joli châle de laine fabriqué en Amérique du Nord.

Cette nuit-là, Marjolaine et Ivan firent l'amour, non seulement comme les amants les plus passionnés du monde, mais comme une maman et un papa heureux et tissés serré.

# CHAPITRE 13

Jusqu'au dernier jour avant Noël, Marjolaine avait espéré entendre, au bout du fil, une petite voix frémissante réclamer son père et s'écrier dans un pur et délicieux accent français : « Merci, papa, pour les jolis présents ! » Mais rien ne vint. À part une invitation reçue des membres de sa propre famille pour le soir de Noël et les appels d'une vieille tante résidant à Matane, aucun coup de fil de l'extérieur du pays, pas même d'anciens amis d'Ivan, ne vint ajouter une touche joyeuse aux multiples heures passées, seule dans la cuisine, à préparer le réveillon traditionnel.

En cette période de réjouissances, Marjolaine avait le cœur en charpie. Pour une deuxième année, Rémi manquerait à l'appel à l'occasion des Fêtes. Mais heureusement, il était sain et sauf, et bien vivant. La pensée de sa tentative de suicide ratée ne cessait de la troubler. Elle se demandait parfois si son garçon ne se remettait pas mieux qu'elle de cette terrible crise. Plus rapidement en tout cas ! Lui, au moins, avait recommencé à sourire tandis qu'elle continuait de broyer du noir. Elle prit donc la résolution, si l'amertume et les idées sombres persistaient à l'accabler de la sorte, de consulter un psychologue. Il devenait urgent pour elle de mettre en pratique les belles leçons d'optimisme qu'elle ne cessait de servir au garçon. Après tout, ses deux fils avaient droit à une mère davantage sereine et Ivan, à une femme plus joviale. Elle-même méritait un état d'esprit plus tranquille. Il s'agissait d'une question de survie.

Rémi reprenait effectivement du poil de la bête et se montrait plus calme et plus ouvert lors des visites de sa mère. Alain était retourné au pénitencier à deux autres reprises, et ce rapprochement entre le père et le fils semblait pousser le garçon en avant sur le chemin du rétablissement tant corporel que psychique. L'ex-mari en avait profité pour s'approprier de nouvelles pages du manuscrit, au grand plaisir de l'auteure, habituée à n'attendre qu'indifférence de sa part. Si sa première femme et mère de ses enfants ne suscitait plus d'intérêt pour Alain, la romancière existait encore. Au moins cela ! Et s'il se rendait jusqu'au bout du roman, il y découvrirait un exemple réaliste et inspirant d'une paternité valable et réussie. Peu importait qu'il s'agisse d'une adoption par un prêtre, ce dernier se montrait toujours présent, à la fois doux et fort, modèle et guide, et en même temps protecteur et défenseur. Alain verrait à quel point cette image représentait tout le contraire de lui-même !

Encore faudrait-il qu'elle le termine un de ces jours, ce fameux roman ! À vrai dire, elle n'avait pas à s'inquiéter à cet égard, l'inspiration et les idées ne lui manquaient pas, et la rédaction allait bon train. Dans l'esprit de l'écrivaine, les scènes se dessinaient d'elles-mêmes, enrichies des témoignages abondants et précis de Jean-Claude. Il s'avérait facile pour elle de concevoir le jeune Théo révolté et sans ressources affectives, caressant avec rage ses moignons au fond d'une cellule de prison. Facile aussi d'imaginer l'aumônier Nicolas éprouvant non seulement un sentiment de pitié envers le misérable jeune homme blessé par la vie, mais se laissant envahir par une affection toute paternelle. Facile de décrire comment, à la longue, le prêtre l'arracherait à la mort et l'aiderait à développer son potentiel pour transformer le rebelle en l'être extraordinaire qu'était devenu Jean-Claude. Facile, facile pour Marjolaine Danserot d'écrire ce roman dont elle n'avait pas encore choisi le titre, d'autant plus que le mendiant prenait plaisir à répondre à ses incessantes questions avec force détails, mais aussi à en rajouter avec un empressement et une générosité sans bornes.

En cet après-midi de veille de Noël, alors qu'Ivan s'exerçait avec grand tumulte sur le piano de la salle de musique, Marjolaine eut envie d'une tout autre forme d'écriture. Elle ne résista pas et s'en fut dans son bureau pour rédiger à la main, sur des feuilles roses, les mots d'une lettre qui s'agitaient sur son cœur depuis son magasinage dans un rayon de jouets du centre-ville, la semaine précédente.

*Ma chère Samiha,*

*J'ignore où et quand tu prendras connaissance de cette lettre. Dans cinq ans ? Dix ans ? Trente ans ? Quel âge auras-tu alors et où en serai-je moi-même rendue dans ma vie ? Peut-être m'appelleras-tu maman, mais peut-être aussi n'auras-tu jamais entendu parler de moi ni lu ce présent message.*

*En cette veille de Noël, tu as actuellement quatre ans, tu ne sais pas lire et tu habites à au moins six mille kilomètres de chez moi. Tu ne liras donc pas ma lettre maintenant, tu ne connais pas ton père biologique et encore moins sa compagne de vie depuis quelques mois. Pour le moment, seule une grand-mère très mal en point te voue une affection certaine quand elle le peut. L'amour au quotidien, dans l'existence d'un enfant, me semble pourtant primordial, autant que l'eau à boire et l'oxygène à respirer.*

*Je voudrais te dire, en ce jour où les chrétiens célèbrent la naissance de l'Enfant-Dieu, que tu viens de naître dans le cœur d'une femme à l'autre bout du monde. Cette Québécoise ne demande pas mieux, si le destin le lui permet, que de t'aimer comme une mère. Depuis que j'ai appris ton existence, Samiha, je ne cesse de penser à toi. Sans même avoir vu ton visage, sans même m'être délectée de tes sourires et sans t'avoir serrée dans mes bras, l'envie me prend souvent de te faire une place dans ma vie, dans ma maison, dans chacun de mes jours. Dans mes pensées et dans mon cœur, surtout.*

*La décision ne viendra pas de moi. Le destin nous ménage parfois bien des surprises… Si l'Enfant de Noël est vraiment Celui que l'on dit, puisse-t-Il, en cette année de changements, t'apporter cette eau et cet oxygène de vie. Et si ma prière est exaucée, un jour, tu liras cette lettre. Je t'imagine, grande fille blottie contre ma poitrine, et moi, t'entourant de mes bras…*

*Pour l'instant, je ne la posterai pas, mais la garderai bien précieusement au fond de mon coffret de sûreté en souhaitant connaître la joie inexprimable de te la remettre à un moment donné, quand tu seras en mesure de la comprendre. D'ici là, ma petite Samiha, sois heureuse malgré ta situation pour le moins difficile et ambiguë. Par-delà l'océan, je t'envoie ce grand élan d'amour sur les ailes de cet humble papillon.*

*Je t'embrasse très fort.*

*Marjolaine, qui t'aime déjà*

Au bas de la lettre, Marjolaine dessina maladroitement un papillon. Voulant corriger son barbouillage avec du correcteur liquide, elle réalisa qu'elle venait de colorier en blanc les ailes du papillon, sur fond de couleur rose de la page.

Au début, le réveillon de Noël, au Château des Sons et des Mots, fut à la mesure du climat familial : tristesse causée par l'absence de Rémi, incertitude du couple de Marjolaine et d'Ivan face à l'avenir, anxiété pour Caroline et François quant à la réussite du nouveau commerce dans lequel ils venaient d'investir toutes leurs économies. Heureusement, l'arrivée de Jean-Claude, qu'Ivan était allé chercher en voiture, ne tarda pas à réchauffer l'atmosphère. Ses blagues, son rire facile, ses exclamations créèrent une joyeuse diversion. Les petits gâteaux préparés par lui-même au centre où il habitait, avec une décoration spéciale pour chacun des invités, ne manquèrent pas d'allumer des sourires sur tous les visages.

Le père Noël se montra aussi fort généreux. Marjolaine reçut de son homme une webcam, caméra numérique à relier à son ordinateur pour prendre des images en temps réel, grâce au logiciel *Skype*. Ainsi, quand Ivan partirait en tournée, les amoureux pourraient dorénavant se voir et se parler en direct. Elle songea aussitôt à l'important voyage d'Ivan en Europe, prévu pour janvier. Ce premier cadeau était accompagné de deux somptueuses robes d'intérieur de luxe.

— Tu les porteras quand, à partir des vieux pays, je te regarderai sur l'écran, mon amour.

Quant au pianiste, il découvrit à son grand plaisir une paire de raquettes pour marcher sur la neige.

— Quelle bonne idée, Marjolaine ! Je vais pouvoir partir à la conquête des forêts québécoises et aller observer les ours de près !

Sa réaction déclencha les rires et les taquineries. Encore cette obsession des ours ! À croire que le Croate ne se sentirait comblé qu'au moment où il se trouverait enfin nez à nez avec un ours bien vivant !

Les jeunes mariés, eux, déballèrent avec des exclamations de joie la cafetière dont ils rêvaient. Quant à Jean-Claude, il resta bouche bée devant la liseuse électronique donnée par son amie.

— Jamais je n'aurais pu m'offrir ça, moi qui aime tant lire !

Marjolaine savoura la réussite de sa surprise et prit un grand plaisir à la compléter en clignant de l'œil.

— Ce n'est pas tout, Jean-Claude. Je défrayerai l'achat de tes dix premiers livres sur Internet. Ça ne t'empêchera pas d'en emprunter aussi en ligne, à la bibliothèque du quartier.

— Comment ça, tu vas payer mes dix premiers livres ? Ça n'a pas de sens, voyons ! Tu exagères, ma douce amie.

— Cette fois, ça ne relève pas de la « douce amie ». Considère cela comme un salaire ou, plutôt, comme la rétribution d'une auteure à son assistant pour ses confidences et toute l'aide apportée au sujet de son prochain roman. Cela vaut infiniment plus que cette maigre somme, Jean-Claude. Sans toi…

Elle ne termina pas sa phrase, refusant de s'attarder à la période pas si lointaine où elle se heurtait chaque jour au syndrome de la page blanche, complètement à court d'inspiration.

Un dernier paquet, fort coloré et doté d'une minuscule étiquette, resta abandonné au pied de l'arbre de Noël. Marjolaine ne l'aperçut qu'au moment où elle s'apprêtait à prier ses invités de passer à table.

— Oups ! On a oublié un cadeau !

François se pencha aussitôt pour le ramasser et lut le nom de Marjolaine sur le dessus.

— C'est pour toi, maman.

D'un geste fébrile, elle déballa d'abord la petite boîte, soupçonnant un bijou ou des billets pour un spectacle quelconque. Elle ne put retenir un grand cri en découvrant le contenu. Se tournant alors vers son fils et sa femme, elle s'écria, le visage illuminé par une bouffée de joie :

— Ah, mon Dieu ! Est-ce que je rêve ?

Attachée à une minuscule paire de chaussettes tricotées à la main, une bleue et l'autre rose, une carte disait simplement : *Joyeux Noël, grand-maman ! Je te donne rendez-vous le 20 juillet prochain.*

La grande enveloppe contenait la première échographie du bébé. On lança des cris de joie, on se félicita, on s'enlaça, on s'embrassa, on rit et on pleura en même temps. Comme s'il avait eu l'intuition de ce moment unique, Rémi téléphona à cet instant précis et put profiter de l'euphorie générale. Il ne se doutait pas de recevoir, lui aussi, un merveilleux cadeau de Noël. Quand ce fut à François de s'adresser à son frère, il s'empara du combiné et lui demanda s'il acceptait d'être le parrain de son enfant, l'été suivant. À son tour, Rémi éclata en sanglots et répondit avec difficulté.

— Tu penses que je le mérite, François ?

— Bien sûr, frérot ! Qui ne fait pas d'erreurs dans la vie ? L'important est de se relever. Et cette fois, organise-toi, mon vieux, pour obtenir un permis de libération conditionnelle aux alentours de la fin de juillet, compris ? Le jour du baptême, c'est toi qui vas renoncer à Satan, pis t'as besoin d'être sérieux et sincère, ha ! ha !

Pour un moment, Marjolaine, au comble de l'euphorie, eut une pensée pour Samiha. Qui sait si elle ne faisait pas déjà partie de sa vie ? Une autre jeune enfant… Elle avait planifié montrer sa lettre à

Ivan en fin de soirée, dans l'intimité de leur chambre, avant de la déposer officiellement au fond de son coffret en attendant. En attendant quoi, au juste ? Elle ne le savait pas encore.

Toutefois, à voir ses proches se serrer les uns contre les autres, l'idée folle de la lire haut et fort devant eux surgit soudain dans son esprit. Le besoin de partager ce qu'elle vivait intérieurement avec une telle intensité devint impératif à un tel point qu'elle ne put résister à son impulsion. Elle venait d'apprendre en présence de tous qu'elle serait bientôt grand-mère, pourquoi ne pas leur annoncer qu'elle s'apprêtait également à reprendre pour une troisième fois sa fonction de mère, tout adoptive fût-elle ? Tôt ou tard, il faudrait bien les en informer, cela allait de soi. Tant pis pour le repas, il pouvait attendre. L'entrée du festin consisterait d'abord en une impressionnante nouvelle à croquer intellectuellement et à absorber avec le cœur, car tous à part Ivan ignoraient l'existence de Samiha. La pointe de tourtière viendrait plus tard, voilà tout !

Pelotonnée contre son amoureux et pâle d'émotion, elle lut donc la lettre d'une voix étranglée. Tout contre elle, Ivan se mit à trembler et perdit pratiquement contenance. Une fois la lecture terminée, il se retourna et planta ses yeux remplis de larmes dans ceux de Marjolaine, ne prononçant que deux mots :

— Je t'aime !

Stupéfaits par cette information pour le moins inattendue, les trois autres gardèrent le silence durant quelques secondes, jusqu'à ce que François, visiblement ému, lance :

— Parfait ! Mon bébé aura une petite cousine pour lui tenir compagnie !

— Tu te trompes, mon cher, elle sera sa demi-sœur. À moins qu'elle ne soit sa tante, je ne sais trop !

François entama alors le chant traditionnel habituellement réservé aux anniversaires dans la famille :

*Chère Marjolaine,*
*C'est à ton tour,*
*De te laisser parler d'amour*[6].

On répéta le couplet pour chacun avec de plus en plus d'assurance et de fermeté. À la fin, François supplia le Croate de se mettre au piano, et tous se réunirent autour de l'instrument. La salle de musique retentit bientôt des plus beaux chants de Noël.

Quand vint le temps d'entamer le traditionnel *Noël blanc*, Jean-Claude se leva et, en équilibre précaire, s'éloigna quelque peu du piano en réclamant un arrêt momentané.

— Il me reste un seul autre talent à partager avec toi, Marjolaine, et avec tous les tiens. Vas-y, Ivan !

Le pianiste reprit le *Noël blanc*, et Jean-Claude commença à se balancer sur ses jambes artificielles au rythme de la musique en chantant les mots d'une magnifique voix de ténor, sous les applaudissements admiratifs.

« Le bonheur absolu », songea Marjolaine en ravalant ses larmes.

Quelques minutes plus tard, François brisa le charme et ramena le petit groupe à une réalité plus prosaïque.

— Dites donc, j'ai faim, moi ! N'oubliez pas que ma femme doit manger pour deux, hein ?

—

6. Adaptation québécoise de la chanson de Gilles Vigneault, *Gens du pays*.

# CHAPITRE 14

Ivan partit pour l'Europe le 22 janvier, en affichant, contrairement à son habitude, un visage crispé et bougon. Bien autre chose le minait que le simple souci de se surpasser dans l'interprétation de son programme musical en Belgique, Marjolaine s'en doutait. En raison d'un rendez-vous chez son médecin pris depuis des mois et d'un engagement de longue date pour donner une conférence dans une bibliothèque de la région éloignée du Bas-Saint-Laurent, elle ne put l'accompagner, ni à son concert de Bruxelles ni à sa rencontre à Fontainebleau avec le fameux monsieur Latourelle.

À voir son air préoccupé, Marjolaine se demandait si Ivan n'hésitait pas davantage qu'elle-même à introduire Samiha dans son existence, une fillette qu'il n'avait jamais désirée. Signer et faire parvenir un chèque mensuel en Europe jusqu'à ses dix-huit ans lui convenait certainement mieux, de toute évidence, que d'endosser la responsabilité concrète et quotidienne d'éduquer une fille jusqu'à la maturité. De l'aimer, surtout.

À quarante-cinq ans, il avait mis au rancart depuis belle lurette l'idée de fonder un foyer. D'ailleurs, si ce vague projet l'avait effleuré durant sa jeune vingtaine, il n'avait abouti à rien. À vrai dire, l'éclatement de sa famille, en Croatie, alors qu'il accédait à peine à l'âge adulte, ne l'avait guère attiré vers cette forme de vie. Il avait plutôt opté pour une existence plus trépidante de célibataire dans laquelle il jouissait d'une pleine liberté. En adoptant un enfant, il craignait d'ouvrir une boîte de Pandore. Qui sait si, à son âge, il ne s'embarquait pas dans une situation pénible et embarrassante ? Une galère, quoi ! Et l'exemple de Rémi Legendre n'avait rien pour le rassurer. Pourtant, l'idée d'avoir une petite fille bien à lui, une descendante pour assurer sa lignée et qui l'appellerait papa, ne cessait de le séduire.

Plus elle y songeait, plus Marjolaine se consolait de ne pas être partie avec son amoureux. Elle lui avait laissé entendre son point de vue et montré sa porte ouverte, et cela suffisait. Mieux valait ne pas tenter de l'influencer. Elle préférait maintenant se taire bien sagement. La décision de prendre ou non la gamine sous leur aile incombait d'abord à lui, son père biologique. Elle-même se mêlerait de la planification et de l'organisation de leur vie par la suite, si jamais il s'engageait dans cette direction.

À l'aéroport, au moment de se quitter, ils s'embrassèrent avec fougue.

— Je vais t'accompagner par la pensée à chaque instant, mon chéri. Tu me tiendras au courant de tout, n'est-ce pas ?

— Bien sûr ! D'ailleurs, grâce à *Skype*, nous pourrons nous voir et nous parler chaque jour, sur l'écran de l'ordinateur. Formidable, non ? J'essayerai de te joindre au moment de retourner dans ma chambre, en fin d'après-midi, ce qui équivaudra, ici, à ton heure de dîner.

— Quand tu rencontreras Samiha, n'oublie pas de prendre des photos et… euh… eh bien, embrasse-la pour moi !

Cette dernière recommandation s'avérait fort significative, sous-entendant une fois de plus et sans équivoque qu'une parfaite étrangère du Canada se sentait prête à aimer et à embrasser l'enfant comme une mère. Ivan se contenta de répondre par un signe de tête sans ajouter de commentaire. Puis, il s'éloigna à pas lents, la tête basse et sans se retourner. Marjolaine le regarda franchir la barrière 23, frustrée de devoir ravaler ses mots d'adieu et de les prononcer intérieurement et en silence, uniquement pour elle-même.

Elle demeura un long moment sur place, après la disparition du pianiste parmi la foule de voyageurs. Dans un état de grave confusion, elle se demanda ce que le destin réservait à Ivan, de l'autre côté de cette barrière. Aux yeux de Marjolaine, cette séparation temporaire risquait de marquer un point saillant dans leur existence, soit le début de changements radicaux ou, au contraire, la poursuite inchangée du temps présent. Et si c'était la fin de leur belle histoire d'amour, lui vivant en France avec sa fille et elle, au Québec avec ses fils ?

Dans sa tête, de multiples pensées s'agitaient comme des dés au fond d'un verre. Le premier dé portait l'étiquette *le meilleur* : Ivan revenait ici en tenant une fillette de quatre ans par la main, et cela signait l'amorce d'une vie de famille heureuse et durable. Sur le deuxième, on pouvait lire : *laborieux mais faisable*, indiquant qu'Ivan s'établissait au Québec avec la petite, mais que cette responsabilité allait déstabiliser sa vie et celle de sa conjointe. Sur un autre dé était marqué : *réalisable à la longue*, signifiant que, dans de telles conditions, le couple ne s'en remettrait qu'avec le temps. Le suivant portait l'inscription : *très difficile*, révélant qu'Ivan rentrait seul, libéré à jamais de ses devoirs paternels mais imprégné d'un irréparable sentiment de culpabilité qui le démolirait pour le reste de ses jours. Le cinquième cube affichait les mots *possible mais inacceptable* : Ivan revenait momentanément sans l'enfant, mais annonçait sa résolution de la prendre à sa charge en France, dès son retour là-bas, au printemps, après avoir posé un ultimatum à sa conjointe. Le dernier dé indiquait *le pire* : Marjolaine devait définitivement s'adapter à une vie solitaire après avoir perdu un mari et un amant en moins de deux ans.

Peu importe le dé gagnant et la décision prise par Ivan, fût-elle la pire ou la meilleure, lui et elle auraient à réorganiser leur situation prochainement. Au retour de l'aéroport, assaillie de noirs pressentiments et incapable de demeurer seule, Marjolaine eut l'idée d'aller retrouver Caroline et François, histoire de se distraire et d'apaiser son angoisse croissante. Hélas, elle n'obtint aucune réponse en frappant à leur porte. Sans doute, par ce beau dimanche après-midi d'hiver rempli de soleil, le jeune couple avait-il pris l'initiative d'une balade à la campagne en amoureux, ou bien profitait-il des ventes de janvier pour meubler et décorer une chambre d'enfant.

Ah, quel bonheur de songer à la venue de ce bébé ! Comment avait-elle pu oublier d'ajouter cet autre dé dans son jeu ? Un dernier cube sur lequel on aurait pu lire : *le mieux du mieux*, indiquant la possibilité de devenir à la fois mère et grand-mère en l'espace de peu de temps. On avait inscrit : *20 juillet* sur la petite carte… Enfin une éventualité réelle, heureuse et prometteuse ! L'envers du pire se trouvait là, quoi ! Il était là, le dé positif, ou plutôt la bouée de sauvetage à laquelle Marjolaine devait s'agripper de toutes ses forces, en attendant une décision finale.

Elle se dirigea alors vers le centre d'hébergement où résidait Jean-Claude. En appuyant à plusieurs reprises sur la sonnette de son appartement d'une pièce et demie, elle n'obtint pas de réponse, là non plus. Toutefois, elle ne fut pas sans remarquer la chaleur étouffante des lieux, l'obsédante odeur de moisi – ou était-ce d'urine ? –, et les quelques personnes âgées avançant avec une lenteur mortelle le long des corridors aux portes closes et munis de barres de soutien. Elle eut une pensée pour Jean-Claude, à peine dans la jeune cinquantaine et pourtant confiné à vivre depuis des années dans cet endroit on ne peut plus déprimant pour personnes en perte d'autonomie. Il y recevait néanmoins une aide appropriée pour les soins ménagers, les courses, les repas et les déplacements.

Elle s'apprêtait à partir quand une femme l'interpella dans le hall d'entrée.

— Vous cherchez monsieur Normandeau ? Je l'ai vu sortir après le dîner. L'autobus pour handicapés est passé le prendre pour le mener au centre jeunesse, comme il le fait chaque jour, même le dimanche. Vous êtes sa sœur ?

— Non, non, une amie seulement. Il n'a pas de famille, je crois.

— Ah, bon. Bonne journée, madame.

Quoi ? Jean-Claude habitait dans cette résidence depuis des lustres, et cette femme ignorait que l'orphelin sans jambes avait dû se débrouiller, seul au monde et sans famille pour le soutenir, dès les premières années de son existence ? Bonté divine ! L'histoire de Jean-Claude lui apparut encore plus terrible qu'il ne le laissait paraître. Quel isolement dans son milieu de vie, même maintenant dans sa vie d'adulte ! Elle ne manquerait pas d'aborder cet aspect de la solitude dans son roman. Peut-être même allait-elle lui inventer une amie vers la fin de l'histoire. Oui, oui ! Quelle bonne idée ! Et pourquoi ne pas transformer cette amie en maîtresse et, ensuite, en compagne de vie ? Quel heureux dénouement pour un roman ! Après tout, rien n'était impossible. Les romanciers, grâce à l'écriture, ne devenaient-ils pas tout-puissants et ne disposaient-ils pas de toute latitude ? Et puis, deux jambes coupées ne suffisaient pas à enrayer le droit à l'amour, quand même !

Marjolaine n'hésita pas une seconde et s'achemina vers le centre Les Papillons de la Liberté, où on la conduisit dans une salle située au bout d'un long couloir. Tout au fond, un petit groupe d'adolescents semblaient s'amuser ferme autour d'une table, et on pouvait entendre fuser des rires joyeux jusqu'à l'extérieur. En s'approchant, elle découvrit parmi eux, assis dans son fauteuil roulant mais portant ses prothèses, un Jean-Claude tout souriant, en train de brasser un jeu de cartes. En apercevant sa grande amie, il lança un cri de joie.

— Marjolaine ! Quelle surprise ! Quel bon vent t'amène ?

— Je reviens de l'aéroport. Ivan vient de partir et... Bref, je passais près d'ici et j'ai pensé venir te saluer, sans compter qu'une auteure se doit de visiter son héros au travail, avant d'en parler en toutes lettres dans son manuscrit, n'est-ce pas ?

— Ah, je ne suis pas au travail, ma chère ! Le boulot, ce sera pour demain, lundi. Là, je m'amuse avec mes p'tits gars et mes p'tites poulettes. As-tu le temps de jouer aux cartes avec nous ? À moins que tu ne désires me voir en privé...

— Non, non, allons-y pour les cartes, ça va me changer les idées.

— Il nous reste un bon bout de temps avant que ces jeunes aillent terminer leurs devoirs de français. Leur prof est intraitable, paraît-il. Un vieil haïssable...

Des cris de protestation retentirent aussitôt. De toute évidence, contrairement à ses prétentions loufoques, les élèves appréciaient Jean-Claude, leur professeur de français. Cette constatation rassura Marjolaine. Son ami semblait mieux entouré ici qu'à sa maison d'hébergement, et elle s'en réjouit sincèrement.

— Mesdemoiselles et messieurs, je vous présente une populaire auteure de romans à succès, Marjolaine Danserot. Elle a écrit la trilogie historique *Les Exilés*, dont j'ai mis le premier tome à l'étude pour les élèves de cinquième secondaire.

— Quoi ? Tu as mis mon roman à l'étude ?

— Je voulais te faire une surprise et, tôt ou tard, t'inviter dans la classe pour te montrer les travaux d'analyse de ton texte par les élèves et te faire entendre leurs commentaires.

— Ah, comme tu me fais plaisir !

— Tu le mérites bien, ma chère ! Ce livre-là m'apparaît tellement intéressant et instructif. Si certains réclament la suite, ils l'auront, sois-en certaine ! Alors, viens-tu t'asseoir pour jouer au trou du cul avec nous ? Tu connais ce jeu de cartes, je suppose.

— Ça me dit quelque chose, mais je ne me rappelle plus les règles. Mes fils jouaient à ça, il y a des années.

— Viens, on va t'expliquer.

Une heure plus tard, Marjolaine s'amusait comme une adolescente auprès de ce groupe de garçons et de filles en difficulté. L'un, révolté, avait battu sa mère et on l'avait condamné à deux ans de réclusion ; une autre avait subi les sévices sexuels de son beau-père durant des années et avait essayé de l'oublier dans la cocaïne ; un petit blond à lunettes n'avait jamais eu de famille et se rattrapait auprès d'un gang de rue ; un grand flo maigre et chétif se faisait valoir en commettant des délits et s'était acquis la réputation de multirécidiviste ; deux autres faisaient partie d'un réseau de trafiquants de drogue ; quant à la dernière, elle vivait déjà de prostitution à quatorze ans et s'avérait une toxicomane invétérée.

Malgré tout, Marjolaine les trouvait beaux et sympathiques, ces ados remplis de fraîcheur. Presque des enfants. Leurs regards encore remplis d'une certaine candeur, leurs yeux pétillants capables de s'émerveiller, leurs beaux visages à la peau lisse et ferme, leur soif enfantine de gagner à tout prix une ridicule partie de cartes, comme s'il s'agissait d'une question de vie ou de mort, tout cela la fascinait.

Parce que pour le reste, ils partaient tous perdants, ces jeunes-là. En général mal-aimés, paralysés par leur peu d'estime de soi, démunis par le manque de confiance en eux, possédant davantage de mauvais souvenirs que de repères et de références heureuses, encore moins de points d'appui... Déjà brimés dans leur liberté, tous portaient l'étiquette de « jeunes en difficulté », accolée par la bonne société, et tous ne connaissaient de l'existence que le rejet, l'abus, la violence, la pauvreté, la solitude et la révolte. Classifiés comme des rebelles pour la plupart, ils ne savaient pas tous la véritable raison pour laquelle ils se montraient à ce point insoumis et le demeureraient peut-être, pour certains, le reste de leurs jours.

Un peu plus et Marjolaine les aurait pris dans ses bras et pressés sur son cœur, l'un après l'autre, ces pauvres petits pour qui l'espoir d'une réhabilitation demeurait aléatoire. Plusieurs s'en tireraient, pourtant, car l'avenir à bâtir leur appartenait toujours, selon leur bonne volonté et leur coopération sincère. Elle eut envie d'adresser au ciel une prière pour chacun d'eux.

Bien entendu, ces observations éveillèrent chez elle la pensée de son fils Rémi, encagé comme un animal derrière les barreaux d'une prison. De quoi avait-il donc pu souffrir à ce point pour en arriver là ? Si, au moins, on l'enfermait ici, entre les murs d'un tel endroit, dans ce milieu assurément plus humain où peut-être d'autres bonnes âmes comme Jean-Claude venaient y jouer aux cartes, le soir et le dimanche après-midi... Mais à bientôt vingt ans, son fils avait largement dépassé l'âge de l'admissibilité dans un centre jeunesse.

Elle souhaita ardemment qu'il n'ait pas excédé celui de la réhabilitation. Un besoin fou la prit de le voir et de le serrer longuement contre elle, là, tout de suite, aujourd'hui même. Par malchance, les visites n'étaient pas autorisées, le dimanche soir. Elle se promit de s'y rendre le lendemain après-midi, dès l'ouverture.

Quelques heures plus tard, après avoir aidé deux des adolescents à compléter leurs devoirs de français, elle quitta le centre Les Papillons de la Liberté quelque peu rassérénée, après avoir embrassé chaleureusement Jean-Claude sur les deux joues.

— Je te dis merci pour ta présence et ta sollicitude auprès de ces jeunes-là, mon ami, parce qu'eux, ils ne pensent naturellement pas à te remercier.

— Pas grave ! Je remets ma dette à la société comme je le peux. Moi aussi, tu sais, j'ai profité d'un lieu semblable, il y a des dizaines d'années. Ce centre de réhabilitation s'appelait Boscoville, et le père Théodore Nichols s'est dévoué davantage pour moi que je ne peux le faire ici, pour mes flos et mes flounes. Pourquoi ne pas me consacrer à améliorer le monde puisque je dispose de beaucoup de temps libre ?

— Tu m'impressionnes, Jean-Claude Normandeau ! Et quand tu vas quêter, rappelle-moi de quelle manière tu utilises l'argent récolté.

— Comme j'en ramasse pas mal, je remets la plus grande partie aux autorités du centre. Avec le reste, j'achète des disques, des jeux ou des chandails dont rêvent ces ados, j'organise des sorties et j'invite des artistes qui, bien souvent, acceptent de venir gratuitement, au bout du compte. Même aller manger un hamburger chez McDonald's excite ces jeunes-là, tu n'as pas idée.

— Je te trouve super, sauf aux cartes !

— Chut ! Dis-le pas, mais, comme par hasard, je ne gagne pas très souvent aux cartes, ni au Monopoly, hé ! hé ! Tu devines le subterfuge ?

Oui, elle le savait capable de manigances, à commencer par sa mendicité au Carré Saint-Louis, après avoir enlevé ses prothèses. Les deux amis se laissèrent avec un rire de connivence. En quittant le centre, Marjolaine eut l'impression de retrouver ses esprits et elle se sentit plus légère. Un miracle s'était produit : elle avait réussi à neutraliser les sentiments de solitude et d'abattement éprouvés au cours de la matinée, devant la barrière 23 de l'aéroport. Pendant quelques heures, elle avait oublié le Croate et sa Samiha. Elle se promit de revenir bientôt à titre de bénévole. Après tout, elle savait maintenant jouer au trou du cul, elle avait même pu conserver son titre de « présidente de la partie » durant tout l'après-midi. Il s'agissait d'une bonne note dans son curriculum, non ?

Une fois dans sa voiture, elle s'apprêtait à démarrer quand son portable sonna. Elle mit un certain temps avant de le retrouver au fond de son sac à main. À l'instar de la prison où on lui retirait systématiquement ses effets personnels avant de la laisser pénétrer dans la salle des visites, on lui avait confisqué, à son arrivée dans le centre jeunesse, son porte-monnaie et son portable. À la sortie, elle avait distraitement rangé le cellulaire sans vérifier la présence de messages. Elle reconnut avec plaisir la voix de François.

— Bon, enfin, tu réponds ! Où étais-tu donc, maman ? J'imagine à quel niveau est ton moral depuis le départ d'Ivan.

— Bah… disons que je me sens mieux maintenant que ce matin.

— Caroline et moi avons pensé t'inviter à souper. Qu'en dis-tu ?

— Yesssss ! J'arrive !

Vers dix heures du soir, la sonnerie du téléphone retentit juste comme Marjolaine insérait sa clé dans la porte du Château des Sons et des Mots. Hélas, elle n'eut pas le temps de répondre et dut se contenter d'écouter les deux messages enregistrés dans sa boîte vocale. Le premier consistait en une annonce, mais le second la revigora.

— Me voici bien rendu, mon amour. Le ciel de Bruxelles est radieux, mais la température semble plutôt froide. Comment dis-tu ça ? Y fâ frette ! J'aurais voulu te parler de vive voix pour te dire que je t'aime et, surtout, pour te répéter de ne pas t'en faire. À Fontainebleau, la fin de semaine prochaine, je ne prendrai aucune décision précipitée et sans te consulter, je te le promets encore une fois. Je ne te rappellerai pas ce soir, parce que je m'en vais me coucher. Je dois surmonter au plus vite la fatigue due au décalage horaire, tu comprends, car j'aurai besoin de toute ma tête pour les répétitions et le concert de jeudi. Par contre, prépare-toi à recevoir un appel de vidéoconférence demain, autour de midi. Moi, j'en serai déjà, à ce moment-là, au souper, oups ! au dîner, comme disent les Français. J'ai hâte de te voir sur l'écran, tu me manques ! Je t'aime. Bon dodo !

En effet, Marjolaine connut, ce soir-là, un véritable bon dodo, en dépit de son grand lit à moitié vide.

# CHAPITRE 15

Le lendemain, Marjolaine n'osa pas bouger. Elle attendit pendant des heures, assise immobile devant son ordinateur, que le timbre sonore l'avise d'un appel sur *Skype*. Le temps du lunch était largement dépassé, et elle commençait à broyer du noir. Non seulement elle avait raté sa rencontre avec Rémi prévue pour l'après-midi, mais elle s'était sentie incapable d'avancer d'une seule ligne dans son manuscrit, malgré l'inspiration suscitée la veille par sa visite à Jean-Claude au centre Les Papillons de la Liberté.

Le soleil allait bientôt descendre derrière l'horizon quand retentit le fameux signal confirmant qu'un certain monsieur d'outre-mer pensait à elle et désirait la voir et lui parler.

— Ivan ? Te voilà enfin ! N'avais-tu pas promis de m'appeler sur l'heure du midi ? Je me suis fait du mauvais sang, je t'avoue.

— Sur l'heure du midi ? Ah oui…

Sur l'écran, elle reconnaissait difficilement son amoureux à cause de son allure débraillée, ses yeux pochés, ses cheveux en bataille et sa bouche pâteuse. C'est à peine si elle arrivait à comprendre ses mots tant il articulait mal. De toute évidence, Ivan avait bu. Trop bu. Elle le voyait en état d'ébriété pour la première fois. Malgré son penchant et ses goûts raffinés pour le vin et le cognac, jamais le pianiste n'avait abusé de l'alcool. Qu'avait-il pu se passer au lendemain de son arrivée en Europe pour qu'il se présente à ce point éméché ?

— Ivan, tu es paqueté !

— Parquetté ? Ça veut dire quoi, au juste ?

— Tu as pris un coup de trop !

— Personne ne m'a roué de coups, voyons ! Tu... hic !... divagues, Marjolaine.

— Ivan, tu as trop bu, ça s'entend et ça se voit. Parle-moi plutôt de ta journée. Es-tu satisfait de l'exercice d'aujourd'hui avec le Brussels Philharmonic ?

— Euh... oui, oui. Le chef connaît bien son affaire. C'est en quittant les studios du palais... hic !... des Beaux-Arts que... que... que je suis allé faire la bringue... hic !

— Faire la bringue, hein ? Tu ferais mieux de lâcher la bouteille et d'aller faire la sieste, mon amour, si tu veux retrouver tes esprits et ta forme. D'autres répétitions auront lieu bientôt, je suppose, et tu auras besoin de toute ta tête.

— Je me sens prêt pour le concert, là ! Ne te mêle pas de ça et arrête donc de t'en faire... hic ! Ça me tape sur les nerfs, tes petits énervements à la con !

— Ivan, tu m'inquiètes.

— Tu te tracasses tout le temps... hic !... pour rien, Marjolaine Danserot ! Mes répétitions, je peux m'en occuper moi-même, tu sauras ! Là, ça suffit ! Tu me bassines, bordel de merde ! Et puis… hic !… explique-moi pourquoi tu ne portes pas une des robes d'intérieur que je t'ai offertes à Noël, hein ? Tu ne les aimes pas ?

— Il est près de cinq heures de l'après-midi à Montréal, Ivan, et j'attends ton appel depuis midi, avant de partir pour ma visite à Rémi. Maintenant, grâce à toi, c'est foutu ! Et au lieu de t'excuser, tu me chantes des bêtises ! Tu peux me ficher la paix avec la façon dont je m'habille et sur le fait que je m'énerve, OK ? À la con, as-tu dit ? Désormais, je ne me ferai plus de souci à ton sujet, mon cher, je viens d'en prendre la ferme résolution, à l'instant même. Va où tu veux, fais ce que tu veux et amuse-toi comme tu veux pendant toute la semaine et tout le mois, si ça te tente, moi, je m'en sacre ! Sais-tu ce que ça veut signifier, « je m'en sacre » ? Alors, bonne buvette, bonne nuit et bonne vie ! Et puis, va au diable, Ivan Solveye !

Rageusement, Marjolaine mit fin à la vidéoconférence et ferma complètement son ordinateur et son cellulaire. Puis elle décrocha le combiné du téléphone de la maison. Ainsi, Ivan ne pourrait la joindre d'aucune manière. Ah ! elle le « bassinait », hein ? Dire qu'elle s'en faisait pour lui… À la vérité, même si elle ignorait la définition de ce mot, elle en devinait parfaitement la signification. Quant au « bordel de merde », il portait à ses yeux tout le poids des jurons à caractère religieux des Québécois. Elle fit mentalement un doigt d'honneur au pianiste et se versa un verre de vin dans l'espoir d'apaiser sa fureur. Puis, enfoncée dans le confortable fauteuil à bascule du salon, une revue sur les genoux, elle s'exclama à voix haute :

— À mon tour de faire la bringue ! À ta santé, Ivan Solveye ! Et à la mienne, bordel de merde !

Durant les derniers jours avant son départ, Ivan avait semblé filer un mauvais coton et avait manifesté une humeur massacrante.

Sans doute l'approche de la date fatidique de son rendez-vous à Fontainebleau et l'obligation de prendre alors une décision dont dépendrait toute sa vie le tourmentaient à outrance. Marjolaine lui en voulait d'avoir préféré se replier sur lui-même et conservé un air renfrogné, au lieu d'en discuter ouvertement et calmement avec elle.

Le regard inconsidérément braqué sur la fenêtre du salon, elle sirotait tranquillement son vin rosé. Elle pouvait comprendre le besoin impératif du pianiste de noyer momentanément son anxiété dans l'alcool. Mais pas à Bruxelles, grands dieux ! Et pas trois jours avant un concert. Quel idiot ! Et si demain la folie le prenait de continuer sur la même tangente et de poursuivre sa soûlerie ?

Elle se versa un autre verre.

Une demi-heure plus tard, elle enfila son manteau et ses bottes dans le but d'aller se changer les idées dans le parc, les trois cents millilitres de vin rapidement ingurgités n'ayant pas suffi à la calmer. Qui sait si de marcher dans la neige qui commençait à tomber ne la ramènerait pas à de meilleurs sentiments ?

En entrouvrant la porte, elle remarqua le courrier resté dans la boîte aux lettres. Sous le feu de l'émotion, pour ne pas dire « de son énervement à la con », elle avait oublié de le ramasser durant l'après-midi. Ivan avait-il raison, par hasard, au sujet de son système nerveux ? Elle jeta un coup d'œil rapide sur les lettres et, comme à de maintes reprises, une enveloppe adressée au pianiste attira son attention. Contrairement à la correspondance des derniers mois, celle-ci ne provenait pas de Fontainebleau, mais portait plutôt le logo de l'Université de Montréal. Ah ?

Au lieu de sortir, Marjolaine pivota sur ses talons et retourna dans le vestibule, avide d'en connaître le contenu. Cette fois, elle n'attendrait pas des jours et des jours avant de savoir, oh ! que non !

L'alcool lui donnant toutes les audaces, elle déchira l'enveloppe avec détermination. Ce qu'elle y découvrit lui coupa littéralement le souffle. Elle tomba assise, bouche bée, sur le petit banc de l'entrée.

*Bonjour, monsieur Solveye,*

*Nous avons bien reçu votre demande d'accéder à un poste de professeur de piano à la Faculté de musique de l'Université de Montréal. Sachez, cher monsieur Solveye, que nous apprécions grandement l'intérêt que vous portez à notre maison d'enseignement et que nous serions profondément honorés de compter parmi nos professeurs un pianiste de votre renommée.*

*Nous avons donc transmis votre formulaire à la haute direction, et nous vous prions de nous faire parvenir votre curriculum vitæ dans les plus brefs délais afin de compléter le dossier. Nous pourrons ensuite prendre rendez-vous avec vous pour discuter des conditions.*

*En espérant voir votre postulation se conclure par une embauche, je vous prie, cher monsieur Solveye, d'accepter mes respectueuses salutations.*

*Marc-André Dandurand*

*Doyen, faculté de musique*

*Université de Montréal*

Ainsi, sans même l'en avoir informée, Ivan se cherchait concrètement un travail à temps plein au Québec pour l'année suivante. Marjolaine aurait dû se choquer de cette dissimulation et d'un tel manque de transparence à son égard. Après tout, elle méritait assurément plus de considération et de confiance de la part de son amoureux, et elle avait le droit de partager ses espoirs et ses attentes, car elle se sentait aussi concernée que lui dans l'organisation de leur avenir.

Cependant, elle n'écartait pas non plus la possibilité qu'Ivan l'ait tenue à l'écart de ses recherches d'emploi, justement pour lui éviter de se faire de la bile ou encore d'accuser une déception trop vive advenant un refus. « Tu te tracasses tout le temps pour rien... », lui avait-il lancé tantôt d'un ton courroucé, sur l'écran de l'ordinateur. Devait-elle lui pardonner ou lui en vouloir pour ce propos mal placé ? La lettre qu'elle tenait dans les mains devrait pourtant la rassurer et même la faire sauter de joie. Le Croate semblait désirer rester au Québec et il avait des chances d'enseigner le piano ici, l'an prochain, et en français, wow !

Au lieu de cela, Marjolaine demeurait éteinte, sans réaction, le cœur déchiré, ravalant péniblement ses « petits énervements à la con » méchamment stipulés par Ivan. Elle haussa les épaules et retira son manteau. Elle n'avait plus envie de rien, ni de marcher dans la neige, ni de se préparer un bon souper, ni de lire, ni d'écrire. Elle rouvrit néanmoins l'ordinateur et referma le combiné du téléphone, juste au cas où un autre appel... À bien y penser, mieux valait pardonner. À tout le moins essayer.

En allant déposer la lettre sur le pupitre de la salle servant de studio, l'envie la prit de s'installer au piano, non sans s'être versé un troisième verre de vin. « La musique constitue la plus merveilleuse forme d'évasion », avait-elle toujours prôné. Le moment était venu de prouver la véracité de cette affirmation. Après tout, quand les mots n'arrivaient plus à exprimer les émotions, il restait les sons. La musique ne contenait-elle pas tous les cris et tous les pleurs, de joie ou de rage, de l'humanité ? Ne savait-elle pas plonger les êtres dans les abîmes les plus sombres autant que les porter sur les plus hautes sphères de la douceur et de la tendresse ? N'était-ce pas le chant des hommes et, en même temps, leur grande consolation ?

Elle ne se trompait pas. Si, grâce à la beauté des sons, elle n'arriva pas à quitter totalement les régions de la colère, elle réussit toutefois à s'évader de ses préoccupations au sujet d'Ivan. Cependant, sans contredit à cause de l'alcool, elle ne put évidemment tirer une interprétation satisfaisante de *Jésus, que ma joie demeure*, même si elle connaissait par cœur la version la plus facile. Non seulement elle ne pouvait maintenir le rythme, mais elle oubliait les fa dièse et plaquait des accords complètement faux. Furieuse, elle se leva promptement et s'empara de la partition avec l'intention de la déchirer et de la jeter à la poubelle. Quelle journée, tout de même !

Au bout du compte, l'attirance du divan du salon et la promesse de détente générée par un quatrième verre de vin l'emportèrent. Elle ne résista pas et s'y allongea en pressant les deux pages de musique contre sa poitrine. Elle s'endormit en répétant inlassablement, comme une petite enfant, les mots de sa prière : « Jésus, que ma joie demeure ».

Elle n'ouvrit l'œil qu'aux premières lueurs de l'aube, le lendemain matin, sans que le téléphone ou l'ordinateur ne soient venus troubler son sommeil.

Ivan mit plusieurs jours à rappeler Marjolaine en train de devenir folle. Celle que son amant avait accusée de s'énerver pour rien s'alarmait pour une bonne raison, cette fois, elle en avait la certitude. Les pires scénarios lui passaient par la tête : Ivan avait viré la brosse du siècle et on avait dû annuler son concert « pour des raisons de santé », ou bien une voiture l'avait frappé et, blessé gravement, il ne se trouvait pas en mesure de l'appeler. Ou encore, il la boudait parce qu'elle lui avait raccroché au nez, l'autre jour. Dans la pire des conjectures, il avait cessé de l'aimer.

Le jeudi matin, elle poussa néanmoins un soupir de soulagement en vérifiant, sur Internet, qu'on continuait bel et bien d'annoncer le concert pour le soir même, avec le soliste invité, Ivan Solveye, pianiste de renommée internationale, au palais des Beaux-Arts de Bruxelles, preuve que tout allait pour le mieux pour son amoureux. Ou pour son ex-amoureux...

Comme s'il avait deviné à distance les pensées noires de Marjolaine, Ivan lui envoya un signal sur *Skype*, exactement au même instant. Elle sursauta et ne put retenir ses larmes.

— Ivan, tu es là, enfin ! Je te vois sur l'écran, tu es vivant, tu es beau et tu me regardes. Oh, mon amour, mon amour, tu m'as laissée si longtemps sans nouvelles... Depuis lundi. Je n'en pouvais plus.

— Pardonne-moi, Marjolaine, ce fut tout à fait involontaire. Euh... soyons franc : pendant les deux premiers jours, ça s'est avéré plutôt intentionnel. Tout d'abord, j'ai mis vingt-quatre bonnes heures à me remettre de ma griserie. Puis, j'ai cru qu'un petit répit entre toi et moi, un moment de silence si douloureux soit-il, nous ferait du bien à tous les deux. Il va sans dire que je me languissais de toi, tu penses bien ! Je craignais surtout de t'avoir lancé des paroles blessantes, lors de ma cuite, pour lesquelles tu allais me garder rancune.

— Tu n'avais pas tout à fait tort, Ivan, mais c'est pardonné depuis longtemps, allons donc !

— Je sais, je sais. C'est pourquoi mardi soir, n'y tenant plus, j'ai décidé de t'écrire longuement sans utiliser *Skype*, car je voulais éviter de te déranger en pleine nuit à cause du décalage. Hélas, mon ordinateur portatif a fait défaut et j'ai dû l'envoyer à la réparation après avoir perdu ma lettre. Le lendemain, donc hier, je n'ai pu trouver un moment pour toi avant le soir, pris toute la journée entre l'orchestre et des entrevues dans les médias. Quand, finalement, j'ai pu réutiliser mon ordinateur, c'est le réseau Internet de l'hôtel qui ne fonctionnait plus, je ne sais pour quelle raison. Je t'ai alors appelée par téléphone, mais tu ne semblais pas dans notre château à cette heure-là. Du moins, j'ai essayé de m'en convaincre, car la peur d'un refus de me parler de ta part m'a hanté. Même ton cellulaire restait muet. Tu ne m'en veux plus, dis ?

— Voyons, mon amour, comment peux-tu avoir pensé cela ? Je me morfondais, moi aussi, à attendre ton appel. Je ne me suis absentée qu'hier après-midi pour aller voir Rémi, rien de plus. Tu as dû appeler à ce moment précis, car nous n'avons pas le droit d'apporter nos portables dans la salle des visites. Tu aurais pu laisser un message dans la boîte vocale, non ?

— …

— Dis-moi que tu vas bien, Ivan, et que… et que tu m'aimes encore !

— Je t'aime plus que tout au monde, ne doute jamais de cela, Marjolaine. Jamais !

Sur l'écran, elle le vit secouer la tête en se mordant les lèvres avec l'air repentant d'un petit garçon pris en défaut.

— Dans quelques heures, mon amour, je serai au milieu de la scène, entouré de près d'un millier d'auditeurs. Personne ne pourra deviner que le grand Ivan Solveye ne joue pour aucun d'eux, mais uniquement pour la femme qu'il adore, celle qu'il porte dans son cœur et qui l'attend à bras ouverts, à l'autre bout du monde. Ce soir, Marjolaine, tu seras là, avec moi.

— Même si j'ai tendance à m'en faire pour rien ? Même si je t'impose parfois mes « petits énervements à la con, bordel de merde » ?

Ivan se mit à rire, démontrant de la sorte qu'en dépit de sa beuverie, il se rappelait parfaitement les mots ayant choqué sa bien-aimée et provoqué leur dispute. Le beau sourire illuminant son visage à travers l'écran conforta Marjolaine dans sa décision de pardonner.

— Ivan, laisse-moi te demander une faveur. Si on réclame des rappels à la fin de ton concert, promets-moi d'interpréter toutes tes versions de *Jésus, que ma joie demeure* en pensant à moi, tu veux bien ? Ou plutôt joue-les pour nous deux, comme une prière… afin que tout tourne pour le mieux dans notre vie.

Elle se garda d'ajouter « pour nous trois », en songeant à Samiha. Après tout, à chaque jour suffisait sa peine, n'est-ce pas ? Le nom de Samiha se retrouverait sur leurs lèvres assez vite au cours des prochains jours.

— Reviens-moi en vidéoconférence après le concert, d'accord, Ivan ?

— Il sera quatre ou cinq heures du matin pour toi, mon amour, quand je serai en mesure de t'appeler.

— M'en fiche, pas d'importance !

Marjolaine réussit à peine à fermer l'œil. À trois heures du matin, elle sauta hors du lit pour coiffer sa chevelure et revêtir la plus jolie de ses deux nouvelles robes d'intérieur, la bleue, la préférée d'Ivan. Il s'apercevrait à quel point elle se réjouissait de le voir de nouveau et, cette fois, elle ressemblerait à la femme dont il rêvait. Elle finit par s'assoupir légèrement, son ordinateur ouvert à quelques pas du lit.

Le soleil s'était déjà levé quand la sonnerie de *Skype* la fit enfin sursauter.

— Marjolaine ? Tu m'attendais, à ce que je vois. Tu es magnifique ! Tout s'est très bien passé, et les gens semblent avoir apprécié mes deux concertos, surtout celui de Rachmaninov. Comme promis, j'ai suivi ta suggestion pour le premier rappel. Écoute, j'ai une surprise pour toi. Devine qui se trouve à mes côtés en ce moment.

— Comment pourrais-je le savoir ? Je ne connais personne en Belgique. Le chef d'orchestre, peut-être ? Ou le premier violon ?

— Non, non, il s'agit d'une très jolie dame, une Belge que tu connais bien.

— L'unique Belge de ma connaissance s'appelle Agnès Lacasse.

— Voilà, tu as deviné. Approche-toi, Agnès. À ton tour de te montrer à la caméra.

À travers le portable d'Ivan, dans un décor ressemblant à celui d'un bar, Agnès apparut alors, vêtue d'une longue robe de soirée noire au décolleté plongeant et audacieux, recouverte de paillettes. Sa tignasse rougeâtre coiffée savamment dégageait la peau laiteuse et satinée de son cou et de ses épaules, et elle tenait dans sa main ornée de multiples bagues étincelantes une coupe de champagne qu'elle souleva en saluant Marjolaine.

— À ta santé, ma chère ! Comment vas-tu, ma choute ? Quel bonheur de m'être laissé conduire, ce soir, jusqu'à l'apothéose par ton chéri ! Ah ! cette musique... fantastique ! Et son interprétation... divine ! Cette touche délicate sur le piano, cette musicalité, cette sensibilité à fleur de peau, cette âme qu'il possède... Quel homme !

— Agnès ! Quel bon vent t'a menée jusqu'à Ivan ?

— C'est simple, quand j'ai vu l'annonce de son concert dans les journaux, je me suis vite procuré un billet. Je croyais t'y rencontrer aussi.

— Bien à regret, je n'ai pu l'accompagner pour ce voyage. Et toi, ça va ? Tu me sembles en pleine forme. Ta pièce de théâtre présentée à Sherbrooke, avant les Fêtes, a remporté un bon succès, si je ne me trompe pas. Ivan et moi n'avons pas pu y assister, malheureusement.

Marjolaine se racla la gorge. Elle ne pouvait tout de même pas lui avouer n'avoir jamais songé à y aller, pas plus que de rechercher les critiques dans les journaux ou sur Internet. À vrai dire, elle s'y était complètement désintéressée et ne savait absolument rien sur le compte rendu de cette pièce. Agnès souleva le menton en affichant un air hautain.

— Cette représentation n'a pas fait salle comble, je l'admets, mais on peut parler d'une réussite, en dépit de certains articles de presse plutôt, euh... je dirais tièdes. Au fait, Ivan m'a affirmé prendre l'avion pour la France, demain matin, à cause d'un rendez-vous important. Je lui ai offert de le conduire moi-même en voiture, car cela prendra moins de temps que par la voie des airs alors qu'il devra débarquer à Paris, puis faire la route jusqu'à Fontainebleau en train ou en autocar, ou encore en voiture de location. Ça adonne bien, ma sœur habite dans cette région. Je vais en profiter pour lui rendre visite.

— Et Ivan a accepté ?

— Évidemment !

— Ah, bon ?

Si Marjolaine connaissait bien son propre tempérament anxieux avant même que son amoureux le lui reproche, elle avait toujours ignoré sa capacité de devenir jalouse à ce point et de façon aussi impromptue.

— Dans ce cas, bon voyage ! Soyez prudents.

# CHAPITRE 16

— Une biopsie?

— Ne vous en faites pas, madame, il s'agit seulement d'éliminer formellement le diagnostic de cancer.

— De cancer? Oh, mon Dieu!

— Beaucoup de gens présentent des kystes ou des nodules à la thyroïde, et très peu s'avèrent malins. Dans votre cas, je ne m'inquiète pas du tout, mais je préfère confirmer par une biopsie. Ce n'est pas la fin du monde, vous verrez! Ma secrétaire va prendre un rendez-vous pour vous avec un spécialiste, et elle vous avisera d'ici peu.

Marjolaine s'effondra, incapable d'émettre le moindre son. Il ne manquait plus que ça! Ainsi, le résultat de l'échographie passée deux semaines auparavant ne l'avait pas tracassée sans raison! Le médecin posa une main sur son épaule et lui dit d'un ton qu'il voulait convaincant :

— Ne vous énervez pas inutilement, madame. Je vous le répète : l'examen n'a pas révélé grand-chose d'alarmant pour le moment. Il s'agit seulement d'une vérification.

« Tiens, tiens, un autre Ivan ! », songea-t-elle. Et si ces deux hommes avaient raison ? Si elle était vraiment du genre à capoter pour tout et pour rien ? Elle décida d'observer la consigne et de cesser de se faire du mauvais sang. De retour à la maison, elle ouvrit immédiatement son ordinateur. Vite, plonger dans un autre univers, celui de son roman, afin de s'occuper l'esprit et de tout oublier.

Elle réussit à s'évader avec un certain apaisement, grâce à l'aumônier de son manuscrit, penché sur un Théodore en larmes, ses béquilles appuyées sur le grabat de sa cellule, anéanti et paniqué à l'idée de ne pas savoir où aller, au moment de sa première permission de libération conditionnelle, prévue pour la fin de semaine suivante.

*La voix de l'homme se faisait douce et rassurante.*

*— Ne pleure pas comme ça, mon ti-gars, on trouvera bien une solution.*

*— Pas de place où aller, personne à qui parler, et même pas de jambes ! Ça vous amuse, vous ? Elle réside où, votre solution ? Je vais faire quoi, moi, dehors ? M'asseoir devant la porte de la prison et attendre que la fin de semaine finisse ?*

*— Tu as raison. Cela n'a aucun sens. Laisse-moi aller avec ça, je vais y voir dès maintenant.*

*— Pour faire quoi ? Pour me prêter un parapluie si jamais il mouille à siaux sur le perron ?*

*— Ne sois pas cynique, Théodore. Fais-moi plutôt confiance.*

*Le prêtre revint quelques heures plus tard, une bonne nouvelle illuminant son visage de barbu.*

*— Prépare tes affaires pour vendredi, cinq heures, mon ti-gars. Tu t'en viens avec moi en fin de semaine. Pis je t'en promets une mémorable !*

*— Comment ça ?*

*— Tout d'abord, j'ai obtenu pour toi la permission d'occuper une des chambres libres du presbytère de ma paroisse. Logé, nourri, mon cher ! Et ce n'est pas tout ! Samedi soir, on s'en va voir jouer le Canadien. Mon frère a un abonnement de saison et il a accepté de me refiler sa paire de billets pour ce soir-là. Qu'est-ce que tu en penses ?*

*Cette annonce dépassait les rêves les plus fous de Théodore. Assister à une partie de hockey de la Ligue nationale, il n'aurait jamais cru vivre cela un jour. Mais, plus encore, de réaliser que quelqu'un se faisait du souci pour lui suscita un tel saisissement qu'il se sentit dérouté et ne sut quoi répondre. Bien sûr, quand il se rendait à la clinique de réadaptation, trois fois par semaine, les physiothérapeutes se montraient tout aussi patients et gentils, mais ils adoptaient inconsidérément la même attitude envers toute la clientèle. Cette fois, quelqu'un, une personne appréciée de tous, non seulement le prenait en charge, mais cherchait à lui faire particulièrement plaisir. Et encore mieux, cet homme allait partager ce plaisir avec lui. Génial !*

*— Et je n'ai pas fini ! Dimanche, après avoir célébré ma messe, je vais t'emmener bruncher dans le Nord, quelque part sur le bord d'une rivière. Tu vas voir comme c'est beau, les Laurentides en automne.*

*Un peu plus et Théodore, s'il avait pu se déplacer facilement, se serait jeté dans les bras de cet homme d'au moins vingt ans son aîné. Pour la première fois de sa vie, un être grand, solide et fort, un être qu'il admirait secrètement, se préoccupait de lui. Et il pouvait s'appuyer sur lui en toute confiance. Pour la première fois de sa vie, surtout, il comprenait la signification du mot «père» et il se dit que le révérend père Nicolas portait bien son nom.*

Emportée et manipulée par ses personnages, Marjolaine se sentait remuée par cette scène qu'elle venait d'écrire, tout à fait issue de son imagination. Si seulement Alain pouvait rendosser son rôle de père, lui aussi… Puisque son ex-mari lirait probablement ces pages, elle avait maintenant le sentiment de lui envoyer, bien malgré elle, des messages subliminaux entre les lignes.

Elle se reprochait cette façon de faire. L'intention d'influencer Alain constituait certainement une erreur. Une auteure de romans devait se dissocier, non seulement de ses sources d'inspiration et de ses recherches, mais également d'elle-même, de ses propres opinions et aspirations profondes. S'en servir, évidemment, mais aussi prendre du recul afin de travailler en pleine liberté. Créer signifiait concevoir, imaginer, improviser, innover, inventer, trouver, selon le dictionnaire. Créer à partir de ce que l'on est, de ce que l'on vit, de ce que l'on sait, de ce que l'on apprend, de ce que l'on croit ou désire, certes, mais, avant tout, créer *ad libitum*… Hélas, la création absolue n'appartenait qu'à Dieu seul.

Malgré cela, en bâtissant cette œuvre inspirée d'une histoire vraie, Marjolaine avait parfois l'impression d'écrire une biographie plutôt qu'un roman. C'est pourquoi elle prenait l'initiative de créer de toutes pièces des scènes et des éléments inusités n'ayant pas eu lieu dans l'existence de Jean-Claude Normandeau. Elle avait même conçu des personnages dont il ne lui avait jamais parlé. Cela procurait à la romancière un sentiment de puissance et de libre arbitre, celui de pouvoir gérer elle-même la trame de son roman, contrairement au biographe dont le devoir consiste à se confiner dans la réalité. Le pouvoir du créateur…

Devant son ordinateur, Marjolaine ne vit pas le temps passer. Si la pensée de Rémi et d'Alain n'avait cessé de l'effleurer pendant tout l'après-midi, elle avait non seulement oublié Ivan et Agnès, se trouvant actuellement, selon ses probabilités, en route vers la France, mais aussi sa visite du matin à la clinique. Après tout, que le diable emporte sa thyroïde ! Le médecin n'avait-il pas recommandé de ne pas s'inquiéter ? Quant à Ivan…

Elle n'avait pas prévu de vidéoconférence, ce jour-là, sachant le couple en train de franchir les trois cent soixante-dix kilomètres entre Bruxelles et Fontainebleau. Le couple ? D'où lui venait cette idée saugrenue ? Ivan et Agnès Lacasse ne formaient pas un couple, allons donc ! Loin de là ! À peine s'étaient-ils vus durant quelques heures, un soir après le Salon du livre de Montréal, et la veille, en Belgique, à la fin du concert d'Ivan. D'un autre côté, connaissant les talents d'aguicheuse de la Belge, rien ne semblait impossible. Déjà, sur l'écran de son ordinateur, Marjolaine n'avait pas été sans remarquer l'attitude langoureuse et le décolleté plongeant de la donzelle.

L'écrivaine sentit de nouveau la méfiance l'envahir. Ah non, non et non ! Si jamais une aventure aussi odieuse se produisait entre Ivan Solveye et Agnès Lacasse, fût-elle superficielle et passagère, elle ne saurait la tolérer. Et cela changerait tous ses projets d'avenir. Alain l'avait trompée durant des mois avant l'éclatement de leur couple, elle n'allait pas s'embarquer encore une fois dans la même galère avec un autre coureur de jupons. Non merci ! Elle en avait ras le bol de l'infidélité et du mensonge. Ivan n'avait qu'à bien se comporter, qu'il se le tienne pour dit !

Quand elle entendit sa voix, à l'autre bout du fil, quelques minutes plus tard, elle demeura sur la défensive.

— Allo, Marjolaine, comment vas-tu ? Je t'appelle d'une région de Flandre que tu adorerais : villages aux rues étroites, maisons ancestrales, vieilles pierres, églises majestueuses, routes de campagne bordées de champs et de boisés aux arbres géants. Tout pour te plaire, quoi !

— Tu te trouves toujours en Belgique ? Je te croyais parti pour la France dès aujourd'hui, moi !

— Comme mon rendez-vous n'a lieu que lundi matin, nous avons décidé de prendre notre temps et de faire un peu de tourisme, surtout qu'on s'est couchés tard, hier soir. Tu sais comme je dors mal après un concert, incapable d'éliminer l'adrénaline secrétée pendant l'exécution. Agnès m'a fait visiter sa très jolie piaule de Bruxelles, en début d'après-midi, puis nous sommes partis sans trop nous presser. Il est passé minuit ici, et nous logeons dans une adorable petite auberge non connectée à Internet. Le croirais-tu ? Ça existe encore de nos jours. Et toi, as-tu eu une bonne journée ?

— Oui, pas mal. J'ai écrit tout l'après-midi, et ça m'a changé les idées.

— Je te souhaite une bonne nuit. Demain, nous devrions avoir traversé la frontière. J'espère être en mesure de te voir sur *Skype*, sur ton heure de dîner. Allez, je t'embrasse !

— Bonne nuit, Ivan !

Il l'embrassait, mais pas une seule fois il ne l'avait appelée « mon amour », contrairement à son habitude. Pas une seule fois, non plus, il ne lui avait dit « je t'aime », comme à l'accoutumée. Et Marjolaine s'était retenue de lui demander s'il avait réservé une ou deux chambres dans l'« adorable petite auberge non connectée à Internet ». De plus, avant son départ pour l'Europe, elle lui avait maintes fois parlé de sa rencontre de ce matin avec le médecin et confié ses appréhensions concernant le résultat de son échographie. Ivan aurait pu s'en informer, non ? De toute évidence, il avait oublié la date de ce rendez-vous. Elle-même, pourtant, s'était souvenue du jour de son concert, et encore davantage de la date prévue pour sa visite chez l'avocat Latourelle.

De rage, elle vida sa tasse de café dans l'évier. S'il pensait la voir demain midi en vidéoconférence, elle avait des petites nouvelles pour lui : pas question ! Elle ne serait pas la seule à s'inquiéter et à niaiser, oh non ! Depuis quelque temps, elle avait l'intention de situer une partie de son roman dans la ville de Québec, endroit où Théo habiterait au moment d'accomplir ses deux années d'études au cégep après sa libération. Elle avait même décidé de se rendre sur place à un moment donné pour s'imprégner des lieux et mieux les décrire. Qu'à cela ne tienne ! Elle entreprendrait dès demain son exploration de la ville afin de trouver le nom d'un collège et celui des rues environnantes, ainsi que de fouiner dans le quartier à la recherche de boutiques, de bistros et de parcs des alentours.

Elle se félicita de sa bonne idée. Rien de mieux que de changer d'air pour dissiper les soucis et les frustrations. Elle enfouit ses effets personnels et quelques disques de ses chansonniers préférés dans un petit sac. Demain matin, à la première heure, elle partirait dans sa voiture vers Québec en toute liberté. Et tant pis pour les Croates convertis en Français et les Belges s'en allant en visite chez les Français en compagnie des Croates !

Il approchait trois heures de l'après-midi quand Marjolaine, une fois son exploration terminée, arriva sur la terrasse Dufferin surplombant le fleuve. Elle se tourna vers la fenêtre du Château Frontenac d'où, l'année dernière, Ivan et elle avaient regardé tomber la neige en s'embrassant, entre deux coupes de champagne. C'est à ce moment précis que le rêve de vivre un grand amour avec lui avait commencé à prendre réellement forme.

Une année complète avait égrené ses jours depuis ce temps. Un an déjà... Un an de bonheur, en vérité, et un bilan positif de bonne entente, de partage et de compréhension mutuelle. Que s'était-il donc passé dernièrement pour que s'installent la colère et la jalousie dans le cœur de Marjolaine ? À deux reprises, ces derniers jours, elle avait failli raccrocher au nez d'Ivan et, aujourd'hui, elle venait de s'enfuir au loin afin de se rendre inatteignable pour lui. L'apparition de Samiha, même fort éloignée pour le moment, avait certes bousculé les plans d'avenir. Et, maintenant, cette Agnès... Sans oublier la biopsie ! Tout cela suffisait-il pour lui gâcher l'existence à ce point ?

Appuyée au garde-fou de la terrasse, Marjolaine regardait distraitement les plaques de glace glisser sur l'eau, aux abords des rives. D'instinct, elle cherchait les raisons de son mal-être et se demandait désespérément comment y remédier. Depuis son séjour en Suisse, tant d'imprévus étaient survenus dans sa vie, tant de questions à régler, de décisions à prendre, tant de changements à opérer : coup de foudre déchaîné avec le Croate, séparation et départ d'Alain, condamnation de Rémi à la prison, mariage de François et, quelques mois plus tard, grossesse de Caroline, installation d'Ivan avec elle à Montréal, dans une autre demeure et un autre quartier, sans oublier sa nouvelle amitié avec Jean-Claude. Sans oublier non plus la série d'inquiétants tests à passer dernièrement pour vérifier son était de santé. Ouf !

Pourtant, le pianiste, avec sa tendresse, son empressement, son véritable amour, avait contribué à ensoleiller tout cela. Véritable amour ? S'il s'agissait d'un véritable amour, que faisait-elle là, alors, au milieu de la ville de Québec où elle s'était enfuie expressément pour l'empêcher de la joindre sur les réseaux sociaux ? Pourquoi éprouver de la jalousie si les sentiments de cet homme s'avéraient réels et authentiques ? À l'instar de Mustapha et de Paolo, au château de Manuello, Ivan passerait facilement l'« épreuve de la Belge » s'il l'aimait véritablement, aucun doute là-dessus. La confiance mutuelle faisait partie intégrante de l'amour véritable et, aujourd'hui, la bien-aimée l'avait pitoyablement oublié. Après-demain, Ivan aurait de graves décisions à prendre les concernant tous les deux et, au lieu de l'encourager et de l'épauler même à distance, elle se dandinait, inaccessible, libre et indifférente, dans un lieu éloigné de chez elle. Indifférente ? Oh ! que non ! Plutôt verte de jalousie. Pouah !

Aux prises avec un terrible sentiment de culpabilité, Marjolaine s'en fut chercher sa voiture et s'engagea en toute hâte sur l'autoroute en direction de Montréal.

Au milieu de la soirée, Ivan apparut enfin sur l'écran, tout souriant. Il semblait ne s'être nullement inquiété de l'absence de l'objet de ses amours au cours de la journée. De toute évidence, il n'avait certainement pas « niaisé sur *Skype* », comme elle l'avait prévu et souhaité.

— Ivan, il approche deux heures du matin pour toi. Que se passe-t-il donc ? Tu m'appelles durant la nuit, à présent ?

— Je n'ai pu te joindre plus tôt, aujourd'hui, faute de pouvoir me connecter. Nous sommes actuellement dans la campagne française, à une cinquantaine de kilomètres de Fontainebleau. Tout se passe à merveille, ne t'en fais pas pour nous.

Il avait bien précisé : pour nous ? S'imaginait-il qu'elle se tracassait pour Agnès Lacasse ? Hum ! Il en avait de bonnes, celui-là ! Marjolaine faillit lui affirmer ne s'en faire nullement pour lui, et encore moins pour eux. Elle s'en faisait maintenant pour elle-même, uniquement pour elle-même. Cependant, elle préféra ne pas s'engager sur ce terrain. Un court moment de silence s'installa entre eux, brisé par un Ivan quelque peu décontenancé.

— Et toi, ma chérie, as-tu des choses à me raconter ? Tu me sembles un peu fatiguée.

— Non, je n'ai pas grand-chose à dire.

Elle décida subitement de plonger en eau trouble de façon détournée et lança la question qui l'étouffait depuis cinq minutes.

— Et Agnès, comment va-t-elle ?

— Agnès ? Euh... elle va bien. Elle dort présentement, du moins, je le suppose. Quelle étrange femme, tu ne trouves pas ? Elle affirme posséder un ange intérieur qui pourrait m'aider à libérer mon karma. Elle pousse l'audace jusqu'à me prédire l'avenir et à me faire des recommandations souvent farfelues sur des sujets qui ne la regardent pas.

— Tu as raison, Ivan. En dépit de sa grande beauté, Agnès m'apparaît déconcertante et mystérieuse. Troublante, même. Moi, je ne crois à aucune de ses ridicules affirmations. Des inepties...

— Pas mon genre non plus ! La plus belle, la plus troublante, c'est toi, mon amour. Tu me manques tellement... Je donnerais n'importe quoi pour t'avoir à mes côtés en ce moment même.

— J'y suis, à tes côtés, Ivan, tu n'as pas idée à quel point. La distance n'existe pas pour les fibres du cœur s'étirant entre deux êtres qui s'aiment, tu le sais bien.

— Tu as raison, tu es dans ma tête tout le temps. Dis donc, j'ai oublié de t'en parler, hier. As-tu reçu les résultats de ton échographie de la thyroïde ?

— Selon le médecin, je ne souffre d'absolument rien de grave, même s'il a prescrit une biopsie pour confirmer le tout. Tu n'es pas près de te débarrasser de moi, Ivan Solveye !

— Parfait ! Je vais continuer de t'aimer jusqu'à la fin du monde.

Après avoir refermé son ordinateur, Marjolaine se sentit sur le point d'éclater. D'éclater de joie, de soulagement, de bonheur. Bien consciente de ne pouvoir dormir avec de tels bourdonnements dans la tête et une énergie aussi formidable se déployant soudain, elle décida d'aller marcher quelques minutes dans le Carré Saint-Louis pour tenter de retrouver son calme. Cette fois, elle irait !

En ce samedi soir glacial, peu de piétons déambulaient dans les allées. Elle s'attarda longuement devant le banc à côté duquel Jean-Claude venait mendier durant les beaux jours de l'été et de l'automne derniers. Une envie folle de dire merci la tenaillait. Mais dire merci à qui ? À la vie ? À Dieu ? Au destin ? Au bon sort ? À la pleine lune qui brillait au fond du parc ?

Elle se rendit sous le lampadaire où Ivan et elle s'étaient passionnément embrassés, un soir de neige. Elle ferma alors les yeux en prononçant à voix haute ces simples mots traduisant si bien à quel point elle chérissait les trésors les plus précieux dans sa vie.

— Merci Ivan, merci Rémi, merci François et Caroline, merci Jean-Claude d'être là… Merci, mon Dieu.

Marjolaine Danserot venait de renaître.

# CHAPITRE 17

— Ah ! maman, c'est super bon, ton livre ! Pauvre Théo... J'ai hâte de voir comment ça va finir.

— Moi aussi.

— Toi aussi ? Mais... tu m'avais dit raconter la vie de quelqu'un de ta connaissance. Tu dois bien savoir où tu t'en vas avec ça !

— Oui, je le connais intimement, cet homme, et pour le moment il s'agit réellement de son histoire. Romancée, naturellement. Mais, dans la dernière partie, j'aurais envie de lui faire prendre une autre tangente, moi, à ce récit. Après tout, c'est un roman, pas une biographie.

— Il existe réellement, ce Théo, avec les jambes coupées ? Il a quel âge ?

— Oui, oui, il existe. Il s'agit d'un bel homme dans la jeune cinquantaine. Par contre, le prêtre qui l'a aidé et a joué le rôle de père auprès de lui est décédé depuis plusieurs années. Je ne l'ai pas connu.

— Et tu prétends que ce Théo s'en est vraiment tiré, à sa sortie de prison ? Vite, maman, dépêche-toi de finir d'écrire ce livre, je veux savoir ce qu'il est advenu de lui !

— Cet homme, le vrai, s'appelle Jean-Claude Normandeau, et il brûle d'envie de te rencontrer, figure-toi donc ! Il me l'a répété à plusieurs reprises : il rêve de te raconter lui-même la suite de son histoire, si tu le veux, naturellement.

— Certain que je le veux !

Rémi, ne se rendant pas compte qu'il venait de tomber dans le piège, ne cessa de poser des questions sur Jean-Claude pendant les deux heures que dura la visite. De toute évidence, le garçon s'était laissé conquérir par la lecture du manuscrit et attaché au personnage principal, au grand bonheur de Marjolaine. Déjà, le handicapé prenait la figure d'un héros aux yeux du jeune homme. Le prisonnier aux jambes coupées, obligé d'affronter des problèmes dix fois pires que les siens, en avait réchappé et, selon les affirmations de Marjolaine, il menait, depuis ce temps, une vie stable et heureuse. Le garçon n'en demandait pas autant comme idole !

— Que dirais-tu d'établir une correspondance avec lui, Rémi ?

— Je préférerais le rencontrer en chair et en os. Il pourrait venir avec toi aux visites, non ?

— Hum… J'ignore si un règlement interdit ou non aux personnes possédant un dossier judiciaire de se présenter au parloir. Cela exigerait possiblement une enquête à n'en plus finir. Écoute, écris-lui un petit mot, et on verra bien ce que ça donnera. Il pourra t'en dire davantage à ce sujet. Tiens, voici son adresse. Il te répondra avec plaisir, aucun doute là-dessus.

— Tu penses ? Je vais m'y mettre dès aujourd'hui. Envoyer une lettre à un personnage de roman, c'est quand même quelque chose !

— Dis donc, parle-moi de ton père.

— Papa ? Rien de spécial. Il va bien et dévore comme moi toutes les pages de ton manuscrit. Il est venu, hier.

— Vous parlez-vous parfois des « vraies affaires » ? Je veux dire de ta situation ici, de tes craintes, de tes états d'âme, de tes projets ? Discutez-vous ensemble de ton avenir ? Te fait-il des propositions concrètes quant à ta libération ? Elle finira bien par venir tôt ou tard, cette fameuse remise en liberté !

— Je la veux plus tôt que tard, moi, cette maudite libération ! Quoique plus le temps passe, plus ça me fait peur… Non, papa et moi, on n'aborde jamais ce genre de sujets. Il doit bientôt retourner en Chine pour un long séjour, paraît-il. Cette fois, sa blonde sera du voyage. Les Chinois ont besoin de son expertise pour l'organisation et la gestion de certaines de leurs entreprises d'exportation en Amérique. Ghislaine va l'assister dans son travail.

Marjolaine se disait qu'une chambre de jeune homme, aménagée chez son père, ou mieux, un petit appartement payé par papa et situé pas très loin de chez maman, représenterait la solution idéale, à sa libération. Mais il va sans dire qu'elle n'osait pas l'exprimer tout haut, du moins, pas encore !

— Rien d'autre d'important, mon fils ?

— Non, pas vraiment. Et puis oui, j'y pense tout à coup ! Parlant de bonnes nouvelles, j'ai oublié de te dire, m'man, que je recommence l'école la semaine prochaine. Je vais enfin terminer ma formation générale au collégial et, cette fois, tiens-toi bien : je vais y mettre le paquet et en finir avec les cours obligatoires. Pour les cours optionnels, on verra par la suite. Les sciences sociales m'intéresseraient peut-être. Je me verrais gagner ma vie comme travailleur de rue ou quelque chose du genre. Malheureusement, on n'offre pas ce genre de cours ici. Il faudrait me transférer dans un autre établissement ou, pourquoi pas, me remettre en liberté.

— Ah ! espèce de coquin de Rémi Legendre, tu as mis deux heures avant de m'annoncer ce beau projet-là ? Tu mériterais la fessée du siècle, tiens !

Folle de joie, Marjolaine se leva d'un bloc pour prendre son fils dans ses bras et l'embrasser fougueusement en lui tapotant le dos.

— Je vais plutôt t'attaquer avec une volée de becs, ça vaudra mieux qu'une raclée au derrière ! Pas envie de me faire envoyer en prison par le gardien pour maltraitance maternelle, moi ! Quelle bonne nouvelle, Rémi ! Tu n'as pas idée comme je suis contente. Enfin, tu sembles vouloir te relever et te tenir droit. Enfin, la tournure des choses s'engage du bon côté. Enfin, tu as des projets, des rêves, des plans pour l'avenir. Ah ! mon petit garçon, mon tout-petit, mon Rémi d'amour...

— Braille pas comme ça, m'man. Je suis d'accord, il est plus que temps de me prendre en main. Ça va aller mieux, tu vas voir !

Elle le pressa contre elle comme si elle étreignait sa principale raison de vivre. Sans le manifester, elle remercia le ciel et jura intérieurement à son fils de ne jamais l'abandonner. Cette visite perpétuait, confirmait son regain d'espoir jailli au cours de la soirée de la veille, sous un lampadaire du Carré Saint-Louis, à la suite de l'appel téléphonique somme toute chaleureux et rassurant d'Ivan. Le vent venait de tourner, il était temps !

En quittant le pénitencier, Marjolaine eut la nette impression d'avoir réellement trouvé un second père pour son fils en la personne de Jean-Claude Normandeau, à tout le moins un excellent modèle et un conseiller plus compréhensif et bienveillant qu'Alain. Le faux ou pseudo-père saurait parfaitement jouer son rôle. Mieux que le vrai, elle n'en doutait pas ! Bien sûr, la suite restait à venir, mais l'étincelle qui allait allumer le feu entre les deux brillait déjà, et Marjolaine savoura sa réussite.

Elle se rappela également que le lendemain, dans exactement douze heures, Ivan se trouverait à Fontainebleau, assis en face d'un certain avocat, représentant d'une petite fille de quatre ans ayant, elle aussi, besoin d'un père… et d'une mère !

Ce soir-là, sans doute pour réagir à un trop-plein d'émotion après sa visite à Rémi et pour oublier ses appréhensions au sujet de Samiha et de son père, Marjolaine se lança tête baissée dans l'écriture de la suite de son roman, toujours sans titre.

Petit à petit, un nouveau personnage se dessina, celui d'une femme célibataire dans la quarantaine, directrice d'un département au centre où monsieur Théodore enseignait quatre jours par semaine.

*La femme vouait à l'homme une admiration sans bornes pour son courage et sa détermination. Chaque fois qu'il se présentait à son bureau dans son fauteuil roulant électrique pour lui porter le montant d'argent recueilli par mendicité afin d'améliorer le sort de la clientèle, elle le retenait pour un café. À la longue, les conversations devinrent plus intimes et les confidences plus personnelles. Les regards s'intensifièrent et le plaisir d'être ensemble dépassa le stade de l'agréable rencontre professionnelle et même de la simple amitié.*

*Un jour, Henriette posa spontanément une main chaude sur celle de Théodore, sans prononcer un mot. Surpris, il ne broncha pas, mais des larmes apparurent au coin de ses yeux. Pour la première fois depuis sa prime enfance, quelqu'un d'autre que le père Nicolas le touchait dans un réel élan d'affection et non seulement pour l'aider à se lever de son fauteuil. Il se mit à trembler, incapable de réagir à ce geste. Henriette se pencha alors au-dessus de lui et posa doucement ses lèvres sur les siennes pour le plus ardent des baisers d'amour.*

En décrivant cette scène, Marjolaine avait l'impression de la jouer elle-même, tant elle en ressentait l'intensité. Tant elle en souhaitait la concrétisation dans la réalité de son ami, surtout. Après tout, à son âge, Jean-Claude Normandeau avait bien le droit de vivre une telle expérience d'amour avec une femme et de connaître le bonheur qui l'accompagnait. À part son handicap, qui ne devrait pas vraisemblablement présenter d'obstacle aux relations sexuelles, cet homme n'était-il pas l'un des êtres les plus aimables de la terre ? Bon, généreux, courageux, profond et joyeux en dépit de tout…

L'écrivaine s'endormit au petit matin, fière de la conclusion vers laquelle s'orientait son roman et ne cessant d'en imaginer la suite heureuse. Conclusion probablement déroutante pour le lecteur Rémi, qui allait bientôt rencontrer un homme vivant toujours en célibataire, seul au monde et sans amour avec un grand A dans sa vie.

En se mettant au lit, obnubilée par le chapitre qu'elle venait d'écrire, elle n'eut même pas une pensée pour son rendez-vous fixé dans un hôpital de la Rive-Nord de Montréal, deux jours plus tard, pour une biopsie de la thyroïde.

# CHAPITRE 18

Le lendemain, dès six heures du matin, Marjolaine sortit rapidement acheter un litre de lait au dépanneur avec l'intention de ne plus bouger de la maison, car Ivan avait promis de lui faire signe aussitôt terminé son fameux rendez-vous avec maître Latourelle. Hélas, à son retour, un curieux message prononcé sur un ton alarmiste de la part du pianiste, qui avait tenté de la joindre une heure plus tôt que prévu, l'attendait déjà dans la boîte vocale.

— Bonjour, mon amour. Dommage de devoir m'adresser à une boîte vocale au lieu de te parler directement. Sans doute dors-tu encore. Ma rencontre avec l'homme de loi, dont je viens tout juste de quitter le bureau, s'est avérée courte et ne s'est pas passée sans une énorme surprise. Je me languis de t'en faire part. Je ne pourrai pas te rappeler avant un certain temps, car l'avocat m'attend présentement dans sa voiture pour un autre rendez-vous de la plus haute importance. Je t'embrasse. À plus tard. Oh ! j'oubliais : t'informerais-tu, entre-temps, de la disponibilité d'un billet Montréal-Paris ? J'aimerais bien que tu puisses me rejoindre en France au plus vite.

Pas un mot de plus, aucun détail, aucune précision pour la tranquilliser. Après s'être assurée de la possibilité d'obtenir facilement un billet d'avion à la dernière minute, Marjolaine poussa un soupir de soulagement. Toutefois, Ivan ferait mieux de lui fournir une raison majeure pour lui imposer un tel voyage, car sa biopsie avait lieu sous peu à l'hôpital, et elle préférait demeurer chez elle pour attendre les résultats avec fébrilité. De plus, une rencontre d'auteure était prévue dans une bibliothèque régionale dans deux jours, et cela mettrait assurément des bâtons dans les roues à un départ aussi précipité.

Elle se mit à tourner en rond dans la maison, incapable de s'atteler à une occupation requérant son attention. L'attente d'un message plus explicatif ne cessait de l'obséder et elle ne pouvait résister à garder ses yeux rivés sur le téléphone qui persistait à demeurer muet. Dieu du ciel ! Elle allait devenir folle avec toutes ces histoires ! Pendant des heures, nulle tâche ménagère, nulle activité d'écriture ou de lecture, encore moins un exercice pianistique ne réussit à la distraire de l'« énorme surprise » annoncée par Ivan, qui l'attendait d'un instant à l'autre.

Que se passait-il donc ? Samiha possédait-elle un frère jumeau ? Ou peut-être bien n'avait-elle jamais existé, et Ivan avait fait l'objet d'une escroquerie pour lui soutirer de l'argent. Le test d'ADN, pourtant réel, s'avérait-il un coup monté ? Et si Latourelle n'était pas un homme de loi mais un arnaqueur ? Ou encore si, en véritable avocat, il lui avait imposé le choix entre l'adoption obligée et immédiate de l'enfant ou la prison pour refus de prendre en charge ses responsabilités civiles ? Ou bien, qui sait si les grands-parents, en pleine forme, ne voulaient tout simplement pas se débarrasser de la petite ? Et si, d'un autre côté, la mère de la fillette vivait toujours et réclamait d'Ivan qu'il l'épouse ou lui paye un montant faramineux en guise de pension alimentaire ?

Et pour quelle raison elle-même, Marjolaine Danserot, devrait-elle aller retrouver Ivan là-bas immédiatement ? Des papiers à signer ? Une enquête sur la personnalité, le passé et les motivations d'une mère adoptive éventuelle ? Et si on les obligeait à s'épouser afin d'assurer la constance de leur couple ? Peut-être Ivan avait-il simplement besoin de la femme de sa vie auprès de lui en ces temps difficiles. Et la belle Agnès, dans tout ça, où donc se trouvait-elle ? Évidemment, le pianiste se gardait d'en parler. Quelle affaire, grands dieux, quelle affaire ! Mille fois Marjolaine se répétait qu'elle s'en faisait pour rien et s'énervait « à la con », comme on le lui avait si bien démontré dernièrement, et mille fois les frissons la reprenaient de plus belle, en dépit de ses efforts.

La première sonnerie du téléphone n'avait pas fini de retentir, à deux heures de l'après-midi, que, surexcitée outre mesure, elle s'emparait déjà de l'appareil. Hélas, Caroline, téléphonant simplement pour s'enquérir des détails compliqués d'une recette de poulet à la bière, dut essuyer une rebuffade à peine polie.

— Désolée, Caro, je ne peux pas te parler maintenant, je veux laisser la ligne libre. Ivan doit me joindre de France et ça semble d'une extrême importance. Je te rappelle tantôt, salut !

Elle accueillit aussi froidement Jean-Claude lui annonçant, quelques minutes plus tard, avoir discuté avec la direction de son offre de bénévolat au centre Les Papillons de la Liberté.

— Désolée, j'attends un coup de fil important d'Europe. Je communique avec toi par la suite, d'accord ?

Au bout d'une demi-heure, ce ne fut pas une autre sonnerie du téléphone qui brisa enfin le silence, mais l'appel pour une vidéoconférence sur l'ordinateur. Autant Marjolaine avait bondi sur le combiné quelques minutes plus tôt, autant elle ouvrit le programme avec une certaine retenue et d'une main tout à coup hésitante. Cette fois, elle avait peur de ce qu'elle allait apprendre.

Dieu merci, la vue plein écran d'Ivan, bien vivant, même s'il affichait un air visiblement préoccupé, la rassura quelque peu.

— Mon amour, mon amour, tu es là, enfin ! Vite, dis-moi ce qui se passe !

Avant de lui répondre, Ivan se racla la gorge et posa longuement un regard triste et découragé qui la rejoignit, à l'autre bout du monde, jusqu'au fond du cœur.

— Je reviens tout juste de l'hôpital pour enfants, Marjolaine. Samiha ne va pas bien du tout. Depuis plusieurs mois, elle souffre d'une insuffisance rénale chronique et, comme son état a empiré récemment, on commence à songer à lui administrer des traitements de dialyse sur une base régulière. Cette enfant-là est hypothéquée pour la vie, je le crains. Ma pauvre, pauvre petite fille…

Ivan se prit la tête entre les mains et devint silencieux, comme s'il avait oublié la présence de la caméra. Marjolaine tenta doucement de le ramener à la réalité.

— Mon chéri, je suis près de toi et je t'aime. Tu n'es pas seul. Explique-moi la signification du mot « dialyse », s'il te plaît. Ça veut dire quoi, au juste ?

— La dialyse permet de purifier le sang de l'enfant de ses déchets par filtration à travers la membrane d'un appareil, car ses reins ne fonctionnent plus normalement.

— Et… il existe des espoirs de guérison ?

— De véritable guérison, non, sauf s'il se produit un miracle. Une fois les reins ayant atteint la phase terminale de la maladie, c'est-à-dire fonctionnant à moins de dix pour cent, deux solutions se présenteront : soit la dialyse, soit la transplantation d'un nouveau rein. Samiha n'en est pas encore là, mais les médecins ne débordent pas d'optimisme au sujet du fameux miracle. Si tu la voyais, elle me fait tellement pitié. Une frêle poupée souffrante tassée au fond d'un grand lit. Une poupée fragile et inerte, gonflée par l'œdème, mais tellement adorable. Si tu la voyais…

— Te ressemble-t-elle ? Reconnais-tu un peu tes traits sur sa figure ?

— Peut-être bien, je ne le sais pas. Je n'ai vu qu'un visage boursouflé d'une pâleur effrayante, une chevelure clairsemée et de grands yeux bruns. Des yeux implorants… Le croirais-tu, elle a réussi à me sourire quand je lui ai présenté l'ourson de peluche acheté à la boutique de cadeaux de l'hôpital ? C'est à peine si je peux comprendre les rares mots qu'elle arrive à prononcer. De plus, cette enfant-là se trouve totalement seule au monde, car sa grand-mère invalide, incapable de lui rendre visite et encore moins de la soigner, végète, malgré son âge, dans un centre pour personnes en perte d'autonomie, à la suite d'un accident de voiture. Tiens, regarde, j'ai pris une photo de la petite.

Marjolaine vit apparaître sur l'écran le portrait flou d'une enfant blême aux longs cheveux bouclés et, malgré l'enflure, fort peu développée pour ses quatre ans. Elle tenait dans ses bras un nounours rose tout souriant, presque aussi gros qu'elle.

— Sais-tu quoi ? Je viens de tomber amoureux. Cette enfant-là est MA fille. Jamais je n'arriverai à l'abandonner, Marjolaine. Peux-tu comprendre cela ?

— Oui, je peux le comprendre, Ivan. Et maintenant, je pense que tu peux comprendre que, moi non plus, je n'arriverai jamais à abandonner MON fils Rémi, peut-être bien aussi fragile et malade que ta Samiha, mais d'une autre manière. Le mal de vivre... Quant à ta petite fille, à notre petite fille, je me permets de le dire, je possède un cœur assez grand pour l'accueillir dans mon existence, je te l'ai déjà mentionné à maintes reprises. Au risque de me répéter, je ne t'impose qu'une seule condition, Ivan : pourvu que nous vivions au Québec, auprès de mes autres enfants. Encore faudrait-il que Samiha prenne suffisamment de mieux pour entreprendre un voyage en avion au-dessus de l'Atlantique. Ah, mon Dieu, là, je le vois, le problème ! Et le coût de ses soins, ici, qui les assumera ?

— Tu as tout compris. Pour le moment, il n'est pas question de la déplacer. Elle requiert des soins à toute heure du jour et de la nuit. Et au Québec, comme citoyenne française, elle n'aura pas droit au régime d'assurance-maladie, j'en ai bien peur.

— À vrai dire, je n'en sais rien. Il faudra se renseigner là-dessus. Dois-je conclure que tu ne reviendras pas de sitôt, Ivan ? Est-ce la raison pour laquelle tu me demandes d'aller te rejoindre en France ?

— Pour le moment, je n'ai pas le choix de rentrer au Québec, en raison de mon contrat avec McGill. Les autorités de l'université pourraient toujours prolonger mon congé de quelques jours, mais certainement pas davantage, je présume. Des élèves m'attendent et dépendent de moi pour leurs examens de fin de session, j'avais pris des engagements pour des concerts, des classes de maître ont été organisées. Non, je me demandais seulement si tu pouvais me remplacer durant quelques jours ou quelques semaines en France auprès de notre fille, le temps de...

— Le temps de quoi, Ivan ? Qu'elle guérisse ? Mais si cela prend des mois, j'ai un fils qui a besoin de moi, ici. Rémi souffre d'une insuffisance affective chronique et, malheureusement, il n'existe pas de traitement de dialyse pour cela. Pendant des années, à mon insu, il a voulu se libérer de son mal de vivre par la drogue et, tout récemment, par une tentative de suicide. Je ne peux ni ne veux l'abandonner pendant plus de quelques jours à la fois. Je n'irai pas m'installer en Europe pendant des mois, Ivan, malgré tout mon amour pour toi et ta… Et pour notre petite fille.

— Dans ce cas-là, il me faudra résilier mon contrat avec McGill pour force majeure. Une enfant malade à l'autre bout du monde représente sûrement une raison suffisante, non ? Qu'allons-nous devenir, Marjolaine, toi à Montréal avec ton fils et moi à Fontainebleau avec ma fille ?

— …

Marjolaine prit le parti de se taire. Elle avait beau imaginer toutes sortes de scénarios, rien n'y faisait. Nulle solution miracle n'existait, à moins que la fillette ne guérisse promptement, ce qui paraissait improbable, selon Ivan. Ils se trouvaient dans une impasse. Seul leur amour tenait bon, et elle s'y accrochait désespérément, silencieusement.

— Écoute, Marjolaine, je dois rencontrer les médecins, demain matin. Je vais leur décrire clairement notre situation et leur demander de me donner franchement leur pronostic. Sans doute pourront-ils me conseiller. Quant au sieur Latourelle, il a préparé les papiers officiels de tutorat, tu sais, dans le genre « réapparition et réintégration du père biologique auprès de l'enfant ». Je vais les signer si tu consens toujours à la venue d'une enfant dans notre vie commune.

— À ma condition, oui, je suis d'accord. Tu peux les signer, ces papiers, et même y inscrire mon nom comme mère adoptive, si tu le veux.

— Je n'avais pas prévu cette tournure, Marjolaine, mais je ne t'en aime que davantage. Je te rappelle demain.

Un sanglot fut la seule réponse de Marjolaine. À quarante-quatre ans, elle devenait la mère d'une petite fille étrangère qu'elle n'avait jamais rencontrée, malade de surcroît. Fallait-il qu'elle aime cet homme…

À huit heures, le lendemain matin, elle se retrouva dans la salle d'attente du département des chirurgies d'un jour, attendant stoïquement l'appel de son nom au micro. Tous ces gens autour d'elle paraissaient en bonne santé. Elle se demanda lesquels parmi eux, en plus de se tracasser à cause d'une opération qu'ils allaient subir aujourd'hui, avaient de lourdes préoccupations telles que les siennes. Elle aurait eu envie d'exploser, de crier, de hurler pour désamorcer les tensions qui l'étouffaient, mais elle demeura imperturbable. Brave même ! Les énervements à la con qu'Ivan lui avait reprochés, un certain soir de bamboche, faisaient partie de l'histoire ancienne. Ils ne lui paraissaient plus cons du tout…

Ivan ne prolongea pas son séjour en France de plus de deux jours et il se dirigea vers l'aéroport en même temps que Samiha prenait momentanément un léger mieux. Le retour de la fillette à son foyer d'accueil ne s'effectuerait pas avant quelques semaines, par contre. Après de sérieux pourparlers avec les néphrologues de l'unité de pédiatrie, on en était venu à la conclusion que, pour le moment, mieux valait pour le pianiste de rentrer au Québec afin d'y poursuivre ses obligations professionnelles, tout en surveillant, à distance, l'évolution de la maladie, toujours en phase de prédialyse. On promit de le tenir assidûment au courant.

Advenant le cas où les médicaments et le régime alimentaire contraignant imposés à la fillette ne donneraient pas l'effet escompté, on passerait à l'étape suivante, celle de la dialyse, c'est-à-dire qu'on la brancherait trois ou quatre fois par semaine à un rein artificiel, appareil servant à filtrer le sang et à le débarrasser de ses déchets. Là, sans doute, la présence d'un proche parent serait recommandée pour accompagner l'enfant, la rassurer et l'aider à écouler le temps pendant les séances d'une durée de trois à cinq heures.

À peine si Ivan prit le temps de saluer Marjolaine à l'aéroport, qu'il se mit aussitôt à lui décrire les multiples données du dossier de la fillette.

— Sais-tu ce que l'on fait à la troisième étape du traitement de cette affreuse maladie, Marjolaine ?

— L'hospitalisation à plein temps, je suppose ?

— Pire que cela. La seule autre option consiste en une transplantation. L'ultime alternative, devrais-je préciser.

— Tu veux dire une greffe du rein ? Oh là là ! Je vois d'ici la longueur des listes d'attente. Mais, mon amour, nous n'en sommes pas encore là, n'est-ce pas ? On traversera le pont une fois rendus à la rivière. L'été prochain, je viendrai te chercher ici, dans cet aéroport, et, tout souriants, nous franchirons ensemble cette porte en tenant par la main une adorable gamine en pleine forme, je gagerais ma chemise ! Et elle t'appellera papa ! Qui sait si je n'arriverai pas moi-même avec vous deux…

— Elle m'appelle déjà papa, tu sais ! Hier, je lui expliqué qu'elle aura désormais un papa et une maman qui habitent au loin, au Canada. Je lui ai promis de revenir la chercher quand elle sera guérie, pour l'emmener dans cet autre pays où l'attend sa nouvelle maman.

Elle n'a pas eu l'air de comprendre grand-chose, mais elle m'a souri en disant « papa » d'une voix faible. Je n'oublierai jamais ce moment-là, Marjolaine. Tiens, regarde comme elle est mignonne, malgré la maladie.

Ivan déposa spontanément ses valises au beau milieu de la foule et sortit son appareil électronique sur lequel une fillette en chemise d'hôpital souriait de toutes ses dents. Marjolaine y jeta un coup d'œil rapide et l'entraîna vers la sortie en le tirant par le bras.

— Viens-t'en, mon amour, on bloque le passage. On regardera ça plus tard dans notre appartement. Je nous ai préparé un bon petit souper d'amoureux qui n'est pas piqué des vers.

Ivan se retourna d'un bloc, comme s'il venait tout juste de s'apercevoir que la femme de sa vie se trouvait soudain à ses côtés. Une fois de plus, il lâcha ses valises et la saisit à bras-le-corps au milieu de la porte.

— Toi, ma belle, je ne pourrai plus jamais me passer de toi, même si je devais vivre douze mois par année dans un igloo chez les Esquimaux. Mais je préfère les petits châteaux chauds et douillets du Carré Saint-Louis.

Marjolaine se mit à rire, convaincue qu'aucun homme sur la terre ne possédait une nature plus intense et authentique qu'Ivan Solveye, le pianiste adulé par ses fans et adoré de sa femme. Elle fit intérieurement une grimace à Agnès Lacasse, rassurée d'avoir définitivement gagné la partie. Si jamais partie il y eut…

Cependant, tant d'autres choses restaient en suspens. Trop d'autres choses ! Ils allaient s'en sortir, un problème à la fois. Elle frémit, l'espace d'une seconde, puis emboîta le pas à l'homme de sa vie.

# CHAPITRE 19

Les semaines s'étirèrent, une à une, au sablier de l'espoir. Espoir de guérison pour Samiha, espoir de renouveau pour Rémi et assurance d'une bonne santé pour Marjolaine. Compte tenu de l'état de stress majeur de sa patiente au moment de la biopsie – prostration extrême, tremblements, pression artérielle dans un registre frôlant l'inacceptable –, le chirurgien avait eu la bienveillance d'entrer en rapport avec elle trois jours plus tard, pour l'informer de vive voix des résultats satisfaisants reçus du laboratoire de pathologie.

— Tout est beau, madame. Vous pouvez cesser de vous morfondre, rien de malin n'a été détecté lors de l'analyse de votre kyste thyroïdien.

— Oh ! merci, docteur ! Mille fois merci ! Un million de fois merci !

— Ne me remerciez pas, ma chère dame, remerciez plutôt votre bonne étoile. Allez, dormez en paix et profitez de la vie.

Si elle avait pu, Marjolaine aurait crié sa joie et son soulagement à l'humanité tout entière. Un peu plus et elle aurait loué un avion pour sillonner le ciel de Montréal en traînant, sur une large banderole, ces mots écrits en énormes lettres blanches sur fond noir : *Je n'ai rien de grave, je peux encore jouir de la vie !*

Par ailleurs, si la petite Française mettait du temps à recouvrer la santé, le jeune prisonnier semblait en pleine évolution positive. Était-ce dû à la thérapie avec le nouveau psychologue du pénitencier, aux visites pourtant rares de son père, ou encore à ses lettres de plus en plus longues et fréquentes échangées avec Jean-Claude Normandeau ? Marjolaine ne reconnaissait plus son fils. D'une conversation téléphonique à l'autre, d'une rencontre à l'autre, elle le sentait plus déterminé que jamais à s'en sortir. Enfin, il affichait une vision moins dramatique des choses. Enfin, elle le voyait prendre son mal en patience et accorder davantage d'intérêt à ses études. Enfin, il élaborait des projets, rêvait d'effectuer un travail intéressant et de s'établir dans un petit coin bien à lui avec sa blonde. « La plus belle et la plus fine du monde », se permettait-il d'ajouter, avec des lumières dans les yeux. Enfin, enfin, enfin !

Ivan, quant à lui, était redevenu l'homme empathique et à la vie intérieure profonde que Marjolaine avait adoré avant l'épisode « Fontainebleau », en dépit des incertitudes qu'il partageait avec elle au sujet de leur avenir. Plus loquace et plus ouvert, il manifestait maintenant clairement et avec précision son intention de s'établir définitivement au Québec avec femme et enfant, compte tenu de la généreuse mais conditionnelle acceptation de Marjolaine de recommencer à élever une petite famille. Sans conteste, l'obligation s'imposait pour le pianiste de se dénicher un emploi stable et à long terme, en plus de ses concerts donnés un peu partout dans le monde et de l'enregistrement sporadique de disques en France. Même si son contrat avec McGill prévoyait une prolongation, il préférait travailler en français, langue qu'il maîtrisait parfaitement, en comparaison avec l'anglais appris au cours de ses trois années de perfectionnement à la Juilliard School de New York.

C'est pourquoi il avait postulé pour un emploi de conseiller artistique auprès de différents orchestres de la ville, en plus de faire parvenir une requête précise à l'Université de Montréal. Mais avant tout, il avait rempli les formulaires gouvernementaux de demande de prolongation de son permis de séjour et de travail dans le but d'acquérir un jour ou l'autre la citoyenneté canadienne. Il se déclara légalement père d'une enfant de quatre ans vivant actuellement en France et manifesta son intention de la faire venir ici une fois ses papiers obtenus.

Comme Marjolaine l'avait appris dans une certaine lettre, un soir où, contre tous ses principes, elle n'avait pu résister à un élan de curiosité, l'Université de Montréal avait été la première à le convoquer pour lui offrir officiellement un poste de professeur à la Faculté de musique pour les saisons d'automne et d'hiver à venir, avec possibilité de prolonger le contrat sur une base permanente comme enseignant à la maîtrise et au doctorat. Avant d'apposer sa signature, Ivan avait toutefois imposé des conditions personnelles qui lui furent accordées au bout du compte : début du contrat à la fin d'août seulement, ce qui lui permettrait de prendre quelques mois pour s'occuper de sa fille en Europe, son travail à McGill se terminant à la fin de mai, ainsi que des congés occasionnels selon les contrats offerts pour des concerts à l'extérieur du pays, des rencontres et entrevues avec les médias ou pour l'enregistrement éventuel d'autres disques.

Hélas, la santé chancelante de Samiha ternissait dangereusement ce beau tableau aux horizons ensoleillés. Tous les deux ou trois jours, en bon père, Ivan téléphonait au foyer d'accueil que la petite avait fini par réintégrer afin de s'informer de sa condition. Les nouvelles s'avéraient rarement rassurantes, et l'enfant demeurait toujours incapable de fonctionner normalement et de rattraper ses retards de croissance. À deux reprises, au cours de l'hiver, elle avait dû retourner à l'hôpital pour de longs séjours, et cela avait rendu ses futurs parents fous d'inquiétude. En réalité, les médecins persistaient à se montrer alarmistes et parlaient de plus en plus de « phase terminale », c'est-à-dire d'une condition nécessitant absolument des traitements d'hémodialyse.

Marjolaine, tout comme Ivan, se préoccupait de la situation et mesurait le temps avant leur départ prévu pour le congé de Pâques, d'abord pour la Pologne et ensuite à Fontainebleau, pour une dizaine de jours. Cette fois, la future mère adoptive allait accompagner le père et faire enfin connaissance avec l'enfant. Ils se rendraient en France le mercredi saint et, déjà, elle avait commencé à compter les jours.

Tout ce stress n'empêchait pas les amoureux, non seulement de fonctionner normalement dans leurs activités propres, mais de se retrouver, le soir et les fins de semaine, autour de plaisirs partagés avec grand bonheur : petits soupers bien arrosés avivant les états d'âme et suscitant les confidences et les longues discussions, balades en raquettes dans la nature enneigée, lecture, musique, poésie, sans parler des fous rires et, surtout, des délices à savourer au lit.

Certains soirs, Marjolaine aurait souhaité l'inexistence de Rémi et de Samiha, imaginé que la France se trouvait au Québec, rêvé de voir son roman terminé, publié et vendu au rythme d'un ouvrage à succès à travers le monde, aspiré à un contrat de vingt ans offert à Ivan par l'Université de Montréal et désiré ne plus posséder de thyroïde, même en santé ! Elle se disait alors que le paradis aurait pu ressembler à cela : Ivan entre ses bras, seulement, uniquement Ivan perdu avec elle dans un lieu connu d'eux seuls, Ivan brûlant d'amour, partout et toujours, d'un amour parfait, total et réalisable, d'un amour rempli de promesses d'éternité. D'un amour absolu.

Dans ces moments-là, pourtant, elle ne pouvait éliminer de sa conception du paradis une autre image tout aussi réjouissante : la pensée du ventre de Caroline devenant de plus en plus protubérant. Ce ventre contenait la preuve vivante du propre prolongement de Marjolaine, l'assurance de sa continuité, au-delà d'elle-même. L'assurance d'une nouvelle génération. En cela, elle pouvait comprendre Ivan, devenu amoureux fou d'une enfant qui, elle aussi, pourrait assurer sa descendance. Marjolaine n'arrivait pas à échapper à cette idée troublante de devenir à la fois grand-mère et mère de nouveau. Cette réalité pourtant paradisiaque la ramenait sur terre vers des entités plus concrètes. La perspective exaltée de tenir bientôt son petit-enfant dans ses bras faisait aussi partie de sa vision du bonheur parfait. Le septième ciel, quoi !

L'écriture allait bon train. À pleines pages de son manuscrit, l'écrivaine transférait, sans trop s'en rendre compte, sa joie de vivre et ses moments d'euphorie au personnage de Théodore et à celui de la directrice du centre pour les jeunes en difficulté où il travaillait. Avec quel plaisir la jolie dame du roman, inventée de toutes pièces, poussait le fauteuil roulant de l'homme sur les pistes cyclables de la province, avec quel empressement elle l'emmenait partout et soignait sa gourmandise de mille et une petites gâteries ! Même les scènes érotiques fort croustillantes et superbement présentées par l'auteure s'agrémentaient de soupirs d'extase et de cris de joie en dépit des conditions particulières dues au handicap du fameux Théo.

Une seule chose dérangeait l'écrivaine et la réfrénait dans ses écrits : Jean-Claude lirait assurément le roman après sa publication, peut-être même avant. Marjolaine se sentirait alors fort mal à l'aise d'avoir élaboré de tels fantasmes charnels et prêté à son héros des fantaisies aussi lubriques. Compte tenu de son handicap, il devait certainement s'agir de performances assez osées, quoique… Marjolaine s'était souvent demandé si, dans la réalité, Jean-Claude pouvait avoir des relations sexuelles. Comme il n'avait jamais été question entre eux de ce sujet épineux, sans doute par pudeur, elle se trouvait audacieuse d'avoir imaginé de tels ébats.

Certains jours, elle avait envie de déchirer ces pages incendiaires, et puis non ! Cette belle intrigue amoureuse mettait du piquant et de la couleur dans le roman, et plairait assurément aux lecteurs. Alors, elle approfondissait de plus belle les scènes d'amour et les initiatives de la dame auxquelles répondait l'homme avec une ardeur insoupçonnée et une habileté qu'il n'aurait probablement jamais entrevue lui-même. Le lendemain, le doute s'emparait de nouveau de l'écrivaine et elle réfrénait les élans de son imagination.

Un bon matin, n'y tenant plus, elle décida d'inviter son ami à dîner et proposa d'aller le chercher à sa résidence. Mine de rien, elle allait s'enquérir de la vérité : Jean-Claude Normandeau pouvait-il aimer physiquement une femme ?

Tout content de cette invitation, une fois confortablement installé devant un apéritif, il s'informa poliment de la santé de sa copine. Marjolaine en profita pour manifester bien haut sa joie de se sentir renaître à la suite des appréhensions lui ayant empoisonné la vie pendant un certain temps, dans l'attente des résultats de sa biopsie.

— Dis donc, ma chère, je voulais justement te parler de quelque chose. L'autre jour, tu avais laissé entendre qu'il te ferait plaisir d'offrir des heures comme bénévole au centre où je travaille. J'en ai parlé à la directrice, et elle a proposé de t'inviter tout d'abord comme auteure auprès de mes étudiants en français de cinquième secondaire. Il ne reste plus qu'à fixer une date. On organisera plus tard ton bénévolat sur une base régulière, si cela te convient.

— Parfait ! J'irai après le congé de Pâques, si tu es d'accord, car je dois accompagner Ivan en France, auprès de sa fille malade. Euh… elle se porte bien, la directrice du centre ?

— Mais oui, pourquoi me demandes-tu ça ? Tu la connais ? Parle-moi plutôt de Samiha. Ah ! la pauvre petite, j'espère qu'elle prend du mieux.

— Euh… pas vraiment. Et toi, Jean-Claude, parle-moi de toi. Que deviens-tu ? À part ta présence au centre, tu demeures toujours aussi solitaire ? Le beau temps va revenir bientôt, les petites dames du quartier seront certainement ravies de te retrouver sur le coin de la rue.

— Tu crois ? Je n'ai jamais pensé à ça.

Marjolaine avait l'impression de tourner en rond, ne sachant trop comment aborder le sujet qui la préoccupait et l'intimidait énormément. Sa voix devint hésitante, chevrotante même. Tout à coup, elle regretta son audace et sentit des sueurs froides lui piquer la nuque. Elle allait renoncer à la finale de son manuscrit et effacer cette ridicule histoire d'amour entre Théo et la directrice. Mieux valait se contenter de décrire une simple amitié entre l'infirme et sa charmante patronne. Malheureusement, en ce moment précis, il était trop tard, car Jean-Claude lui-même, sans le savoir, lui ouvrit une porte.

— Que se passe-t-il donc, mon amie ? On jurerait que tu te retiens de me dire quelque chose. Cela concerne-t-il ma correspondance avec Rémi ? Sache que je l'aime bien, moi, ce petit gars-là. Si tu voyais ses longues et bouleversantes lettres, tu n'en reviendrais pas. Il se vide enfin le cœur.

— Ah oui ? Et il te raconte quoi, au juste ?

— Je préférerais garder cela pour moi, Marjolaine. Je ne veux pas risquer de perdre sa confiance, tu comprends ?

— Tu as raison. Non, je voulais te questionner sur un tout autre sujet en rapport avec mon manuscrit. Il se passe que… que, dans cette histoire inspirée de la tienne, j'ai eu envie de prendre certaines initiatives et de rendre le personnage de Théo amoureux vers la fin du livre.

— Wow ! Quelle bonne idée ! Je n'ai aucune objection à ça, moi ! De toute façon, Marjolaine, tu n'écris pas ma biographie mais seulement un roman relatant des épisodes de ma vie, après tout. Une romancière peut et doit disposer de toute liberté, non ?

— Pourvu que cette liberté demeure conforme à la réalité que l'auteur veut décrire. Comme les paraplégiques ne grimpent pas les montagnes, les aveugles ne peignent pas de tableaux, les muets ne chantent pas l'opéra, les sourds ne composent pas de musique, les écrivains ne doivent pas insérer des événements tout aussi illogiques dans leurs livres qui se veulent réalistes et crédibles.

— Erreur, ma chère ! Beethoven a commencé à perdre l'ouïe à vingt-six ans, et sa surdité n'a cessé de progresser et est devenue totale plusieurs années avant sa mort. Il a composé jusqu'à la fin de sa vie, à cinquante-sept ans !

— D'accord, tu gagnes, mais…

— Mais quoi ? Ma mobilité réduite n'a rien à voir avec mon système reproducteur, Marjolaine. Le désir a toujours normalement existé en moi, et rien ne m'empêche d'avoir des relations sexuelles. Tout est question de gymnastique, hé, hé ! Et d'occasion !

— Tu ne m'avais jamais parlé de cela. Je… je n'osais pas trop te questionner à ce sujet. Cela me rend très mal à l'aise, tu n'as pas idée !

— Si tu veux savoir si j'ai déjà aimé une femme après mon accident, c'est oui. J'avais vingt-huit ans, toutes mes dents et pas de jambes. Cet ange occupait un emploi de chocolatière dans une boutique maintenant fermée, sur la rue Saint-Denis tout près du Carré Saint-Louis, exactement à l'endroit où je vais souvent tendre la main aux passants. À l'époque, j'habitais dans une résidence pour handicapés et, crois-moi, quand je quêtais, c'était vraiment pour moi ! J'étais le roi des démunis avec, en plus de mon infirmité, un puissant dossier judiciaire dans mon CV et un inutile diplôme en littérature enfoui au fond de mon tiroir. À mon insu, Murielle m'observait de derrière la vitrine de la chocolaterie. Un jour, elle vint me porter des chocolats au lait expressément fabriqués pour moi, et ce fut le début d'une merveilleuse histoire d'amour.

Marjolaine buvait les paroles de l'homme comme une assoiffée avalerait une eau de source pure et fraîche. Ou comme une affamée avalerait des chocolats au lait, tiens ! Elle n'avait qu'à baisser les yeux pour imaginer la scène, plutôt semblable à celle où elle-même avait apporté un muffin et un café à l'infirme, quêtant dans son fauteuil roulant sur ce coin précis du Carré Saint-Louis. Ainsi, elle n'était pas la seule à avoir eu envie de dorloter un peu cet homme.

Emporté par ses souvenirs, Jean-Claude ne pouvait plus s'arrêter.

— Quelques mois plus tard, j'allais m'installer avec Murielle dans son petit logement attenant à sa boutique, heureusement situé au rez-de-chaussée. L'ange acceptait de s'encombrer du boulet que je représentais. En femme généreuse et extraordinaire, elle m'imposa une seule condition : plus question pour moi d'aller quêter sur la rue. Son salaire et ma pension d'invalide nous suffiraient.

— Quelle belle histoire, Jean-Claude !

— Nous vivions en harmonie parfaite malgré ma dépendance désespérante lors de nos déplacements et… au lit ! Murielle ne s'en plaignit jamais et sut prendre les initiatives et poser les gestes tendres qu'il fallait. Nous avons alors partagé un grand amour à tous les niveaux. C'est à ce moment-là que, grâce à son beau-frère alors directeur du centre Les Papillons de la Liberté, j'ai pu occuper le poste de professeur de français à raison de quatre matins par semaine, après avoir obtenu mon pardon national du Canada, pardon définitif avec élimination de mon casier judiciaire. Je travaille toujours à cet endroit depuis plus de vingt ans, savais-tu ça ?

— Et cette Murielle, tu la fréquentes encore ?

— Je l'ai perdue quatre ans plus tard. Un vol à main armée dans la chocolaterie a mal tourné et elle a été tuée d'une balle dans la poitrine tirée à bout portant par un jeune complètement drogué. Elle m'a quitté pour le grand voyage précisément à l'endroit où j'installe mon fauteuil roulant pour quêter. Quand je me trouve à ce coin de rue, je la sens près de moi, elle est là, toujours belle, toujours aimante. Grâce à la pensée de Murielle, j'arrive à poursuivre mon œuvre auprès des jeunes avec l'objectif de prévenir, d'éviter de telles écœuranteries. Elle me regarde, elle m'accompagne et me donne le courage d'aller de l'avant et de tenir bon dans cette vie pas toujours facile dont le destin m'a gratifié. C'est un peu ma façon à moi de prendre ma revanche sur ce maudit destin.

— Oh ! Jean-Claude, tu vas me faire pleurer…

— Quand tu m'as raconté les mésaventures de Rémi, un autre stupide hold-up qui a failli emporter une étudiante en médecine et a valu des années de prison à ton fils et à son comparse, tu penses bien que je n'ai pas hésité à essayer d'aider ton gars afin que ce genre de tragédie ne se reproduise plus. Je me suis tellement attaché à ton garçon… C'est vrai que je l'aime comme un père.

— Jean-Claude, tu es un homme extraordinaire.

— Je n'ai pas tant de mérite, tu sais. C'est en souvenir de Murielle et pour trouver la force de ne pas lâcher que je vais mendier à cet endroit précis. En plus de l'enseignement, mon autre façon à moi de me rendre utile à la société consiste à ramasser des sous pour adoucir, à mon humble manière, l'existence de certains jeunes mal-aimés. Des jeunes handicapés, non pas physiquement, mais intellectuellement ou affectivement, à qui on n'a pas coupé les deux jambes, mais leur estime de soi, leur joie de vivre, leur confiance dans la vie et leurs raisons de croire en l'avenir.

— Je pense exactement comme toi, Jean-Claude. Ces jeunes sont remplis de potentiel et d'énergie qu'ils pourraient consacrer ailleurs.

— La générosité de Murielle, je veux la continuer, la prolonger comme s'il s'agissait du fruit de notre amour. Comme notre enfant, quoi ! Comme l'enfant que nous n'avons pas eu…

— Et tu n'as plus aimé d'autres femmes ?

— Non. Je ne me suis jamais consolé de la perte de Murielle et je préfère demeurer fidèle à son souvenir.

Marjolaine frissonna et, ne pouvant retenir un élan du cœur, se leva spontanément pour aller déposer un baiser sur les deux joues de l'homme.

— Quelle merveilleuse histoire d'amour, Jean-Claude ! La plus émouvante que j'aie jamais entendue et la plus belle que j'écrirai de ma vie, dans la dernière partie de mon manuscrit. Si tu le permets, bien évidemment. Je changerai le nom du personnage d'Henriette, et elle deviendra Murielle. Tant pis pour son rôle de directrice. Fabricante de chocolat m'apparaît tellement plus romantique, de toute manière.

— Pas de problème, tu peux écrire ce que tu veux, Marjolaine, je t'ai donné ma bénédiction depuis longtemps.

— Sais-tu quoi, Jean-Claude ? Plus j'y pense, plus je me sens privilégiée, en constatant que tu m'as tout de même gardé une place d'amie dans un coin de ton cœur.

— Ah, ça oui, Marjolaine ! Si l'amour de ma vie a commencé au Carré Saint-Louis, il y a plus de vingt ans, avec l'offrande d'une boîte de chocolats, l'amitié de ma vie s'est aussi amorcée sur le même coin, il y aura bientôt un an, par la dégustation d'un muffin et d'un café offerts par la plus charmante des femmes. Et je vais rester votre ami, à toi et à Ivan, jusqu'à la fin de mes jours, sois-en assurée. Quant à Rémi, le petit vlimeux, il est en train de m'avoir, lui aussi !

La sonnerie du téléphone vint interrompre ce moment d'émotion extrême. L'évocation du petit vlimeux chatouilla-t-elle ses oreilles, à l'autre bout de la ville ? Rémi choisit cette minute bien précise pour appeler sa mère.

— Maman, maman, tu sais pas quoi ? On vient tout juste de m'avertir que j'aurai droit à deux jours de libération conditionnelle très bientôt, possiblement la fin de semaine prochaine ou la suivante.

— Rémi… est-ce que je rêve ?

# CHAPITRE 20

Elle avait beau poser les mains sur ses oreilles, serrer les dents et plisser les yeux en se contractant le visage, rien n'y faisait. Marjolaine ne réussissait pas à se concentrer sur son travail d'écriture. Les airs de Frédéric Chopin émanant de la salle de musique de leur logement exigu l'emportaient à des kilomètres. Depuis qu'Ivan préparait son récital prévu dans une dizaine de jours, le matin de Pâques, dans la banlieue de Varsovie, en commémoration du cent soixante-cinquième anniversaire de la mort du compositeur, elle n'arrivait plus à travailler à son manuscrit durant les heures où le pianiste s'exerçait à la maison.

Elle atteignait pourtant avec satisfaction les dernières lignes de son roman et elle aurait bien voulu les terminer avant son départ imminent pour l'Europe. Ce voyage, même court, lui permettrait de laisser provisoirement toutes ces pages dans l'oubli. Au retour, et après ce laps de temps, elle deviendrait sa propre lectrice et pourrait alors jeter sur son manuscrit un regard neuf, sévère et exigeant, en adoptant la curiosité, les attentes et surtout le jugement critique parfois rigoureux et rude d'un lectorat impartial. Quelques relectures pour des retouches et dernières corrections, et c'en serait fait. Elle remettrait cette nouvelle œuvre à sa maison d'édition avec fierté et contentement. Et puis non ! Au fond, Marjolaine se mentait à elle-même. C'est morte de peur et habitée d'une satisfaction mitigée et entachée par le souvenir encore récent d'une mauvaise critique qu'elle apporterait son manuscrit à l'éditeur. S'il fallait que, dans la presse littéraire, un autre éreinteur ne l'apprécie pas et le manifeste haut et fort dans toute la province, elle ne s'en sortirait pas, cette fois, et mettrait un terme définitif à sa carrière d'écrivaine.

Envoûtée par la morosité du nocturne♪ exécuté par Ivan sur le piano, elle ignorait quelle douleur indéfinissable avait habité le grand compositeur pour qu'il en arrive à la traduire avec autant de justesse dans des sonorités d'une telle langueur. Si la tristesse n'avait pas existé, Chopin l'aurait inventée… Ou peut-être bien Ivan Solveye. À l'entendre interpréter si bien une musique aussi mélancolique, Marjolaine s'interrogeait sur la grisaille assombrissant à ce point l'âme de son homme. Quelle amertume, quelles souffrances ou pensées noires exprimait-il donc sur le clavier ? Nostalgie d'un passé vécu dans un lieu devenu maintenant pour lui un pays étranger ? Ennui des siens perdus et des restes d'une famille éclatée à l'autre bout du monde ? Inquiétude au sujet du foyer qu'il s'apprêtait justement à fonder dans un nouvel ailleurs ? Tourments à cause d'une petite fille malade qu'ils allaient bientôt visiter dans un hôpital de France ?

Ce jour-là, malgré tout, Marjolaine avait le cœur à la fête. La veille, avec l'aide d'Ivan, elle avait transformé son bureau en une chambre accueillante pour Rémi, sans toutefois déplacer sa table de travail. Dans quelques heures, elle irait chercher son fils à la prison pour deux jours et demi de congé. On lui avait offert de sortir pour

---

♪ Pour entendre ce morceau, visitez le www.quebec-amerique.com/coupsurcoup et sélectionnez l'extrait musical nº 13 : *Nocturne, Op. 9 nº 2*, de Frédéric Chopin.

Pâques, mais, compte tenu du départ de sa mère pour l'Europe et de l'absence de son père, on avait accepté de devancer sa permission. Comment ne pas s'enthousiasmer de ce premier pas vers la liberté, vers la normalité enfin ? Si tout se passait bien pour les deux ou trois prochaines libérations conditionnelles, avait-on promis à Rémi, il deviendrait admissible, dans quelques mois, donc dès l'automne, à des sorties quotidiennes vers un cégep pour entreprendre des cours spécialisés en travail social. Peut-être même éviterait-il l'hébergement en maison de transition pour reprendre sa place dans son milieu familial. Wow ! Quoi de plus réjouissant pour sa mère !

Au son d'une polonaise endiablée et tout de même plus joyeuse que le nocturne et les préludes du matin, Marjolaine se leva d'un bloc et se dirigea vers la cuisine. Rémi adorait la lasagne et la tarte au sucre. Ce soir, il serait bien servi : cuisine maison agrémentée d'une salade César et d'une entrée de saucisson à l'ail. Comble de bonheur, en plus de François et de sa femme, Jean-Claude avait accepté avec plaisir son invitation à souper pour une première rencontre avec le jeune homme. Quant à Alain, Rémi ne pourrait pas le rencontrer cette fin de semaine à cause de son voyage d'affaires qui s'éternisait en Chine. Tout compte fait, l'horizon paraissait lumineux, et l'écrivaine dut se retenir pour ne pas esquisser une grimace au trop triste Chopin.

Bon prince, Ivan avait offert de transporter Jean-Claude dans sa nouvelle voiture pendant que Marjolaine s'occuperait d'aller chercher Rémi au pénitencier.

Ce vendredi soir-là, l'atmosphère s'avérait plus que chaleureuse et conviviale dans un certain logement du Carré Saint-Louis. L'arrivée de l'infirme, de Caroline et de François devança celle du prisonnier.

Quelques instants plus tard, en pénétrant dans le salon du Château des Sons et des Mots, Rémi se jeta spontanément, comme un petit garçon, dans les bras de celui qui le dévorait des yeux au fond de son fauteuil roulant, placé expressément devant la porte d'entrée dans le but de l'accueillir.

— Salut, jeune homme ! Bien content de te rencontrer ! Tu me parais plus jeune qu'en réalité.

— Ben quoi ? Bientôt vingt ans, vous trouvez ça vieux ? Très content moi-même de vous connaître en personne, monsieur Théo… euh… monsieur Normandeau. Je ne sais plus comment vous appeler, moi !

— Hum… Théo ne me déplaît pas du tout, principalement agrémenté d'une série de « tu-te-toi » !

— OK, alors, je vais continuer de t'appeler Théo comme dans mes lettres, pourvu que tu restes fidèle, non seulement au personnage du livre de ma mère, mais à celui qui m'écrit si souvent.

— Fidèle au roman, je veux bien, sauf pour la finale un peu osée que tu n'as pas encore lue, j'imagine. Bref, ce manuscrit doit te faire réaliser de quoi ta mère me croit capable, la coquine ! Je gagerais cher qu'à la toute fin elle va décrire une rencontre de Théo avec un certain gars de près de vingt ans. Un flo rempli de ressources que le mendiant du Carré Saint-Louis s'acharnera, avec force et torture, à ramener dans le droit chemin.

— Avec force et torture, hein ? Là, Théo, tu me fais peur !

Tous deux éclatèrent de rire en lançant un regard amusé vers Marjolaine sur le bord de verser une larme de joie. Son plan avait réussi ! Grâce à son manuscrit et à leur correspondance, Jean-Claude et Rémi semblaient devenus de bons amis. Avec son expérience et son grand cœur, l'homme saurait parrainer son fils et le sortir de son marasme, elle n'en doutait pas un instant.

Et cette idée d'ajouter à son manuscrit quelques chapitres sur une histoire de réhabilitation d'un jeune homme ne parut pas si banale à l'écrivaine. Dire qu'elle croyait avoir terminé son livre... Avec un tel ajout, elle pourrait intituler son roman : *Le Miracle*. Ah oui, quel titre admirable et approprié ! Elle se promit d'y songer sérieusement au cours du voyage, le départ étant fixé dans moins de cinq jours.

Quand il aperçut, de l'autre côté du salon, Ivan, Caroline et François, témoins de la scène avec Jean-Claude, Rémi ne se contenta pas d'une simple poignée de main à chacun et d'un baiser sur la joue de la future maman. De façon tout à fait inattendue, il sauta littéralement au cou de chacun pour l'étreindre affectueusement. Puis il se mit à sangloter.

— Merci, merci d'être là, à chacun de vous... J'ai tellement honte, vous n'avez pas idée. C'est mon premier et dernier séjour en prison, vous avez ma parole.

Aussi émus que le garçon, tous y allèrent d'un mot d'encouragement et l'assurèrent de leur confiance en lui. Ivan tenta de réduire les tensions en ajoutant une pointe d'humour.

— Tu vois, Jean-Claude, malgré son grand âge, notre Rémi sait pleurer comme un bébé ! Allons, allons, un petit apéro serait le bienvenu, il me semble ! Que puis-je vous servir, messieurs, dames ?

Rémi répondit le premier en relevant la tête.

— Je prendrai un jus d'orange sur glace. On nous interdit de consommer de l'alcool pendant une permission conditionnelle, et j'ai bien l'intention de m'y conformer. Tant pis pour la bière !

— Même chose pour moi, s'empressa de renchérir Caroline, les deux mains appuyées à plat sur sa bedaine. Mon bébé préfère le jus d'orange, lui aussi.

Tous les yeux se tournèrent vers la jeune femme, resplendissante, son ventre s'arrondissant de plus en plus comme un ballon enserré dans un chandail blanc. Marjolaine sentit une émotion lui étreindre la poitrine. Dans ce ventre-là dormait un tout petit, pur et innocent et neuf et intact et beau et parfait et adorable et… Elle comprit qu'elle aimerait cet enfant-là autant que ses deux fils. D'un commun accord, les parents avaient décidé de ne pas s'enquérir de son sexe lors des échographies, préférant vivre la surprise au moment de la naissance. Secrètement, la future grand-mère souhaitait la venue d'une fille pour faire office de copine à Samiha. Après tout, pourquoi pas?

On dégusta avec avidité chacun des plats disposés sur la table par Marjolaine et Ivan. La bonne humeur était au menu, et Rémi semblait prendre de plus en plus d'aise parmi les siens. À la fin du repas, Ivan lança à brûle-pourpoint :

— Tu ne sais pas quoi, Rémi? Non seulement ton frère et sa femme chantent merveilleusement bien, mais notre Jean-Claude national aussi. Que dirais-tu d'entendre ça, exécuté juste pour toi?

François commença à protester pour la forme.

— T'es pas sérieux, Ivan, tu ne vas pas nous faire chanter? En camping, ça pouvait toujours aller, mais là, devant un auditoire et toi au piano à queue… Parce que j'imagine que tu vas te joindre à nous, toi, le pianiste? Tu devrais nous jouer plutôt du Beethoven, ça serait certainement moins terrible!

Jean-Claude s'empressa de renchérir.

— Moi, je suis bon dans les cantiques de Noël, mais pas de Pâques. Tiens, je sais ce qu'on devrait chanter.

L'infirme se dressa dans son fauteuil roulant, leva la tête et plongea son regard dans celui du jeune homme trop sidéré pour réagir, puis il se mit à entonner d'une voix tonitruante, suivi par tous :

*Mon cher Rémi, c'est à ton tour, de te laisser parler d'amour...*

Sans hésiter, Ivan accompagna le chœur tout en chantant lui aussi avec son accent bien particulier.

Trop émue pour se joindre aux autres, Marjolaine s'en fut chercher son appareil photo en se disant que certaines scènes méritaient de durer pour l'éternité.

# CHAPITRE 21

Une fois de plus, le pianiste et sa dulcinée se retrouvèrent en voyage dans les vieux pays. La Pologne, romantique à souhait et abondamment fleurie, emballa immédiatement les tourtereaux. On découvrit avec bonheur les beautés champêtres du pays, ses champs vallonneux et verdoyants, ses villages paisibles dont les demeures ancestrales aux fenêtres joliment décorées étaient gardées par des grands-mères vêtues de noir, assises devant la porte.

Dès le premier jour, Marjolaine et Ivan redevinrent les amoureux médusés partis à la découverte de la Suisse, il y avait près de deux ans, en quête d'absolu, libres comme le vent et à des lieux des soucis quotidiens. N'eût été l'ombre d'une enfant malade qui éteignait le sourire d'Ivan de temps à autre, ils auraient connu un bonheur parfait. Même des papillons vinrent parfois batifoler joyeusement autour d'eux, au grand plaisir de Marjolaine.

L'euphorie fut, hélas, de courte durée, et les obligations, tant professionnelles que familiales, ne tardèrent pas à y mettre un terme. Après une rapide visite de Varsovie, ils se dirigèrent à la hâte à une cinquantaine de kilomètres vers l'ouest, à Zelazowa Wola, petit village natal de Chopin où se déroulait le Festiwal Chopinowski. Marjolaine trouvait étrange que l'on commémorât la mort du compositeur sur les lieux de sa naissance, mais elle en comprit la raison en découvrant les charmes de l'endroit. Une jolie maison blanche à la haute toiture de bardeaux et meublée dans le style de l'époque s'élevait parmi les fleurs. Maintenant convertie en musée, elle trônait au milieu d'un magnifique parc boisé traversé de sentiers et où un ruisseau roulait ses eaux claires au rythme de la musique de Chopin diffusée à travers quelques haut-parleurs dissimulés dans les branches des grands arbres. Un véritable jardin de délices ! « Un éden ! », ne cessait de s'exclamer Ivan, ravi d'avoir été sollicité pour représenter le divin Chopin.

Le récital eut lieu le dimanche matin de Pâques, sous un soleil resplendissant. Marjolaine, assise au milieu du public très nombreux prenant place sur la terrasse extérieure, soupira en écoutant Ivan se produire dans le salon servant de scène, le grand piano tout rutilant installé devant les larges portes béantes. Le pianiste fut chaudement applaudi par l'auditoire à chacune de ses performances et offrit volontiers plusieurs rappels à la fin du concert.

Après son interprétation de la *Valse de l'adieu*♪, elle seule décela, sur le beau visage du pianiste pourtant souriant en saluant la foule, la tristesse profonde et réelle qui l'habitait. Avec quelle émotion et quel déchirement il avait rendu, sur le clavier, le murmure de ces voix amoureuses se lamentant sur les martèlements de l'horloge marquant la fuite du temps dans le registre grave. La petite histoire racontait que Chopin avait composé cette valse après avoir quitté sa bien-aimée qu'il ne put épouser ultérieurement, les parents de la jeune fille refusant de lui donner sa main à cause des problèmes de

---

♪ Pour entendre ce morceau, visitez le www.quebec-amerique.com/coupsurcoup et sélectionnez l'extrait musical n° 14 : *Valse de l'adieu, Op. 69 n° 1*, de Frédéric Chopin.

santé qui lui empoisonnaient déjà l'existence. En effet, le musicien polonais souffrait d'une maladie pulmonaire chronique qui finit par l'emporter, une quinzaine d'années plus tard, à l'âge de trente-neuf ans.

En regardant l'homme de sa vie disparaître d'un pas lent derrière les portes après une dernière salutation, Marjolaine comprit que le grand Ivan Solveye avait joué cette valse pour sa propre fille, elle-même atteinte d'un mal chronique.

Il le lui confirma le soir même lorsque, attablés à une terrasse du Rynek Starego Miasta[7], ils dégustaient, yeux dans les yeux, un *barszcz*[8] et un *bigos*[9].

— J'ai peur, Marjolaine, j'ai tellement peur de la perdre, maintenant que je la connais. Je l'aime, cette enfant-là. Elle est ma fille, ma fille à moi !

— Cher petit papa, il faut faire confiance à la médecine d'aujourd'hui, voyons ! Chaque jour, on découvre de nouveaux médicaments et on met au point de nouvelles techniques. De toute manière, nous allons en savoir plus long après-demain, à Fontainebleau. Malheureusement, on ne peut pas se leurrer, le destin aura toujours le dernier mot, quoi que l'on fasse.

— Justement ! Le destin de Samiha consiste-t-il à mourir en bas âge ou bien à vivre une vie heureuse et normale au Canada, entre un papa et une maman l'adorant ? Je me sens tellement impuissant face à ce satané destin, tu n'as pas idée.

---

7. Place de la vieille ville.
8. Soupe de betteraves.
9. Choucroute et viande.

— Ne dis pas cela, Ivan. Oui, j'en ai une bonne idée et je partage ta peine, d'ailleurs. Sois certain qu'en lui ouvrant tes bras et ta porte, tu lui offres des perspectives qui n'existaient pas lors de sa naissance.

— Et ces perspectives serviront à quelque chose, espérons-le, n'est-ce pas, Marjolaine ?

— Oui, mon amour.

— Tu n'as pas idée comme je t'aime, toi !

— Dis donc, quand vas-tu cesser de croire que je n'ai pas d'idées ?

Le couple traversa le grand corridor de l'hôpital sur la pointe des pieds, comme si le bruit de leurs pas sur le parquet ciré marquait la mesure d'une échéance qu'ils appréhendaient autant qu'ils désiraient voir arriver. Par les portes entrebâillées des chambres, ils pouvaient apercevoir les enfants alités, immobiles et silencieux pour la plupart. Mais au loin, les cris d'un enfant – était-ce de douleur ou de frayeur ? – les agressaient jusqu'à la pointe du cœur.

Encore une fois, Samiha se retrouvait à l'hôpital à cause d'une détérioration de son état général : nausées et vomissements, douleurs articulaires, œdème et pression artérielle élevée. Visiblement, son insuffisance rénale devenait de moins en moins contrôlable.

La simple vue du corps inerte et démesurément enflé, recroquevillé dans le lit et branché à une multitude de tubes reliés à des machines, justifia les pires appréhensions des parents. De toute évidence, Samiha ne pourrait pas vivre longtemps dans un état aussi morbide. En apercevant les deux adultes pénétrer dans sa chambre et l'homme s'approcher de son lit, la fillette souleva légèrement la tête et tenta d'ébaucher un maigre sourire.

— Samiha, tu me reconnais ? C'est moi, ton papa, ton petit papa d'amour !

Une vague lueur s'alluma dans le regard de l'enfant.

— Papa…

— Marjolaine, elle m'a reconnu, tu te rends compte ? Elle m'a reconnu ! Ah ! est-ce possible ?

Marjolaine restait en retrait, paralysée par l'attendrissement et incapable de prononcer une parole. Jamais elle n'aurait cru vivre un tel moment, pas plus qu'elle n'avait imaginé se retrouver, un jour, dans le parloir d'une prison. Tout cela dépassait les scènes les plus impressionnantes qu'elle avait écrites et écrirait jamais. Un peu plus et elle se serait mise à genoux en sanglotant au pied du lit, la tête enfouie dans les draps. Elle prit silencieusement une longue inspiration et tenta de se ressaisir et de recouvrer son sang-froid. Une mère doit se montrer forte et solide en tout temps. Lentement, elle s'approcha de l'enfant et posa une main légère sur l'épaule de la fillette.

— Samiha ? Si Ivan est ton papa, moi, je suis ta nouvelle maman. Tu veux bien de moi comme maman ?

— Maman…

Impulsivement, dans le but de le presser contre elle, Marjolaine essaya en vain de soulever le petit corps d'une lourdeur surprenante à cause de l'œdème et de l'enchevêtrement de tubes branchés sur son abdomen et l'un de ses bras. Ivan dut intervenir et, avec l'aide de l'infirmière, ils déposèrent la fillette sur les genoux de la nouvelle maman afin qu'elle la berce sur la chaise assignée à cet effet, à côté du lit. Samiha ne prononça plus un mot, mais plongea de grands yeux bruns interrogateurs dans ceux de sa mère adoptive. Des yeux dans lesquels Marjolaine décela toute la souffrance du monde, mais aussi tout l'espoir du monde. Elle fit un effort inouï pour oublier que la chaleur du petit corps pressé contre elle était due à la fièvre.

— À moins que vous ne vous y opposiez, mon cher monsieur, nous avons pris la décision de traiter définitivement et assidûment l'enfant en hémodialyse dès maintenant, compte tenu de la dégradation fonctionnelle majeure et probablement irréversible de ses reins. Les résultats des analyses de laboratoire et des multiples tests en imagerie diagnostique nous le confirment avec précision.

— Vous voulez dire, docteur, que vous allez filtrer le sang de Samiha à travers une machine ?

— Exactement. Nous n'avons plus le choix d'intervenir de toute urgence, son système est rempli de substances toxiques menaçantes, et elle n'arrive plus à se défendre contre l'infection. Il s'agit d'une question de vie ou de mort. Vous me voyez désolé de vous apprendre une telle nouvelle.

Un rayon de soleil s'éclatait sur le bureau du médecin, mais laissait les deux parents dans l'ombre, enfoncés dans leur fauteuil de cuirette, assommés, déroutés, impuissants. Le néphrologue, un homme dans la cinquantaine, se montrait plutôt froid et distant, trop réservé. De toute évidence, il n'en était pas à sa première rencontre avec les parents d'un enfant pour leur annoncer une horrible nouvelle. Il se mit à farfouiller dans ses multiples paperasses sans rien ajouter, comme s'il voulait laisser à ses interlocuteurs ébranlés le temps de digérer ses allégations. Un silence pesant s'installa dans le bureau, rapidement brisé par Marjolaine qui posa, sans lever les yeux, la première question qui lui passa par la tête.

— Et… c'est douloureux, ce traitement-là ?

— C'est plus long que douloureux. Le processus dure plusieurs heures et est répété trois ou quatre fois par semaine, ici, à l'hôpital.

Ce fut au tour d'Ivan de réclamer, sur un ton un peu plus agressif, davantage de lumière sur le pronostic.

— Et il y a des chances de guérison, au moins ?

— Hélas, dans de tels cas, il n'existe pas de guérison définitive. L'unique façon de retrouver une existence normale ou quasi normale consiste en la transplantation d'un nouveau rein. Encore là, la durée de vie d'un greffon s'étale entre dix et vingt ans, et tout est à recommencer. Le patient retourne alors en dialyse jusqu'à l'obtention d'un nouveau rein à lui greffer. Sans oublier qu'après la transplantation, il doit recevoir un traitement immunosuppresseur pour le reste de ses jours.

— Ça signifie quoi, un traitement immunosuppresseur ?

— L'enfant devra prendre des médicaments qui inhibent l'activité de son système immunitaire. Le but d'une telle procédure est d'éviter un rejet de la greffe par son organisme. Malheureusement, il en résulte un risque réel d'infection virale ou bactérienne. Cela exige donc une surveillance médicale postopératoire étroite et un régime alimentaire très sévère.

Ivan se leva, incapable de garder son calme.

— Une greffe, une greffe… Où allez-vous trouver un donneur ? Les enfants ne meurent pas au même rythme que les adultes, que diable ! Samiha a le temps de mourir dix fois avant qu'on lui trouve un rein, allons donc !

Le médecin acquiesça d'un signe de tête.

— Vous avez raison, l'attente peut s'étaler jusqu'à quelques années. Et encore faut-il s'assurer d'une compatibilité optimale de la part du donneur. Et quand on obtient le rein d'un cadavre, le temps ne doit pas dépasser trente-six heures entre le prélèvement et la greffe. L'idéal serait de trouver un membre de la famille, vivant et compatible. Et consentant, évidemment! D'après le dossier, Samiha n'a ni frère, ni sœur, ni même de mère, à ce que je vois.

— On peut vivre normalement avec un seul rein?

— Oui, monsieur.

— Par malheur, l'enfant ne possède pas d'autre famille que sa grand-mère devenue invalide à la suite d'un accident. Ses grands-parents tunisiens ont immigré en France avec leur fille unique, il y a à peine quelques années. La mère de Samiha s'est suicidée deux ans après la naissance de la petite sans avoir connu d'autres grossesses. Alors…

— Je vois. Il va falloir s'armer de patience.

— Dommage que je ne puisse lui donner un de mes reins.

— Cela pourrait s'avérer fort réalisable, monsieur. Il faudrait d'abord prescrire des tests de compatibilité.

— Vous parlez du don d'un adulte à un enfant? Ça existe?

— Bien sûr! On réalise maintenant des transplantations intra-péritonéales avec des anastomoses sur l'aorte et la veine cave qui permettent de placer un rein d'adulte dans le corps d'un très jeune enfant.

— Ça alors! Je pourrais donc donner un de mes reins à Samiha? Je ne comprends rien à toutes vos histoires de technique chirurgicale, docteur, mais s'il vous plaît, faites-moi passer toutes les analyses possibles afin de vérifier ma compatibilité. Vous avez devant vous le plus volontaire des donneurs.

— Dans ce cas, je dois vous aviser que les greffes ne s'effectuent pas ici, mais dans un institut hospitalier de Paris. Notre petit hôpital ne possède pas l'équipement nécessaire pour ce genre d'opérations.

— Aucun problème.

— Parfait, monsieur, j'y vois dès maintenant. Croyez-vous pouvoir vous rendre à Paris immédiatement?

— Certainement! Par contre, je dois absolument quitter la France dans quelques jours et retourner à mes obligations professionnelles pour les trois prochaines semaines, mais ensuite, je serai libre pour le reste de l'été. Si jamais je peux lui offrir un de mes reins, je le ferai avec un grand bonheur.

— Il s'agit d'une pratique assez rare, mais c'est réalisable. Cette période d'attente nous permettra de préparer l'enfant, pourvu que l'on vous trouve compatible. Je vous envoie directement chez l'urologue, chirurgien du rein, pour un examen sérieux. Vous allez également passer par le laboratoire où l'on déterminera votre état de santé général et prélèvera des échantillons qui seront envoyés à Paris. Nous communiquerons avec vous par la suite. J'inscris tout de même le nom de Samiha sur la liste d'attente pour un donneur compatible.

— Vous n'aurez qu'à me téléphoner au Québec, et je reviendrai dès que possible. Dans moins d'un mois, au plus tard.

Au tour de Marjolaine de se lever promptement de sa chaise. Elle savait qu'Ivan possédait un cœur d'or, mais à ce point... Et s'il risquait sa vie à cause de cette ablation? S'il ruinait sa carrière? S'il devenait non fonctionnel? Et s'il ne s'en remettait pas et devait vivre amoindri physiquement ? Et puis non ! Même s'il ne l'avait pas consultée, elle se devait d'endosser son courage, sa magnanimité, sa force.

Puisqu'elle l'aimait, ils prirent, le soir même, le chemin de Paris en se tenant par la main.

# CHAPITRE 22

Calée dans l'un des fauteuils du petit salon d'attente, situé au bout du long corridor des salles de chirurgie et de réveil de l'unité pédiatrique, Marjolaine restait plongée dans un mutisme obstiné. Habituellement sociable, elle n'éprouvait, ce matin-là, nulle envie de lier conversation avec les personnes assises à ses côtés, préférant mesurer le temps, les yeux rivés sur la grande aiguille des secondes tournant sur le cadran de l'horloge fixée au mur d'en face. Une seconde, deux secondes... trente-quatre secondes... cinquante-huit secondes, cinquante-neuf, une minute! Et encore une seconde, deux secondes... une autre minute! Elle en était rendue à deux heures quarante-six minutes, vingt-neuf secondes, et toujours pas de nouvelles d'Ivan ni de Samiha. Le médecin avait prévu que l'opération durerait de deux à quatre heures. Plus les minutes s'écoulaient, plus elle devait s'armer de patience en essayant de se convaincre qu'un temps maximal ne constituait pas nécessairement un synonyme de problème.

Un à un, elle voyait les autres chirurgiens de l'Institut hospitalier de la Souillère de Paris, vêtus d'habits verts et le masque descendu sous le menton, revenir aviser certaines personnes installées à ses côtés que tout s'était bien passé et que le membre de leur famille se trouvait maintenant en salle de réveil. Dans quelques heures, ils pourraient le ou la retrouver dans sa chambre, à l'étage. Marjolaine les enviait de s'être tracassés, main dans la main, pour une simple ablation des amygdales, un bras cassé ou une vulgaire appendicite, alors qu'elle... Elle voyait avec envie les hommes et les femmes se relever en soupirant, soulagés et souriants, et quitter les lieux d'un pas léger vers l'ascenseur qui les mènerait à la cafétéria ou au petit jardin situé derrière l'hôpital.

En d'autres temps, elle se serait apporté du travail pour écouler cette interminable attente, sa tablette à écrire, quelques pages à relire, ou encore un bon roman à dévorer, mais elle n'avait nullement la tête à se distraire, en ce jour fatidique où son bien-aimé et sa petite fille se trouvaient dans deux salles d'opération différentes mais adjacentes, en train de livrer, chacun à leur manière, une lutte sans merci contre la mort.

Si la greffe d'un rein d'Ivan dans le corps de Samiha réussissait, l'enfant allait survivre. Elle se devait de survivre, les statistiques le prouvaient à un très fort pourcentage, et Ivan et elle ne supporteraient jamais un échec. Mais seul le temps le démontrerait. Aujourd'hui ne représentait que le début de la bataille que l'organisme de la fillette devait gagner, non seulement contre l'ennemi mortel appelé le rejet, mais aussi contre toutes sortes de dangereuses infections virales et bactériennes, monstres tentaculaires microscopiques qui chercheraient à s'emparer de sa fragile vie.

Marjolaine ferma les yeux et appuya sa tête contre le mur. À vrai dire, elle se remettait difficilement des tracas du dernier mois. Tant de changements, de chambardements, de décisions à prendre... Tout d'abord, déjà stressé par son travail de fin de session avec ses étudiants, Ivan n'avait pas tenu en place deux minutes dans l'expectative des résultats du laboratoire de génétique de Paris, au sujet de sa candidature pour un don d'organe à sa fille. Même ses performances pianistiques avaient souffert de sa nervosité, et son dernier récital dans la salle de concert de l'École de musique Schulich lui avait valu une critique fort moyenne dans le journal local de l'université.

Puis, un bon matin, la réponse était enfin venue, favorable et positive. Un appel du chirurgien avait aussitôt suivi dans le but de fixer une date, la plus rapprochée possible, pour l'opération chirurgicale. Le donneur devait se présenter au moins deux semaines avant cette date. S'il avait poussé un grand « ouf ! » quant à la tournure des événements, Ivan avait alors commencé à s'énerver pour mille autres raisons. Samiha saurait-elle tenir bon jusqu'à ce jour de juin ? On avait informé le père, au moment des examens préalables en France, qu'il se trouvait à la limite supérieure de l'âge acceptable pour faire un don d'organe à une aussi jeune enfant. Son rein tiendrait-il le coup dans le corps de sa fille ? Et si elle le rejetait parce que trop vieux et usé ? Existait-il des consignes pour améliorer sa santé déjà excellente jusqu'au jour de l'opération ? Meilleure alimentation ? Encore plus d'exercice ? Et le vin, ne valait-il pas mieux cesser d'en consommer ?

Son départ vers l'Europe, deux semaines avant celui de Marjolaine, avait en quelque sorte réduit le climat de tension et produit un certain apaisement dans le Château des Sons et des Mots, comme s'il s'agissait d'un lendemain de tempête. Mais la situation demeurait temporaire. Dans peu de temps, elle irait rejoindre son homme et se replongerait dans une atmosphère encore plus lourde et crispante.

De plus, avant le départ du pianiste, ils avaient dû prendre des décisions d'ordre plus pragmatique. Allaient-ils passer une autre année dans leur trop étroit logement du Carré Saint-Louis ? Bien sûr, la salle de travail de Marjolaine pourrait toujours se convertir en chambre d'enfant, mais elle devrait alors installer son ordinateur au milieu du salon, ce qui ne lui convenait guère. Et puis, la possibilité d'une libération conditionnelle à long terme pour Rémi avait ressurgi depuis qu'il avait radicalement changé d'attitude. Selon les autorités carcérales, si le jeune homme maintenait fidèlement son comportement exemplaire, il pourrait même envisager pour septembre prochain la possibilité d'habiter chez l'un de ses parents, selon des conditions bien précises et relativement sévères, afin de poursuivre les études de son choix dans un cégep. Marjolaine ne doutait pas un instant que le « un des parents » la concernait à coup sûr, le cher Alain étant redevenu un homme invisible depuis un certain temps.

Pour Ivan et elle, la solution idéale consistait donc à se procurer une maison vaste et confortable, mais cela entraînerait d'énormes dépenses. À bien y songer, elle-même possédait déjà une résidence au nord de la ville, rue Durham. Pourquoi ne pas s'y installer, d'autant plus que le bail de location se terminait le premier juillet ? Quel bonheur cela représenterait pour Rémi de retourner vivre dans la demeure où il avait grandi et d'y retrouver sa chambre au sous-sol, la seule qu'il eut jamais connue, à part sa cellule de prison. Qu'en pensait Ivan ? Il importait de se décider au plus vite. En attendant la date de reprise de possession de la maison, le premier juillet, ils pourraient toujours garder le meublé du Carré Saint-Louis, loué au mois.

Puis, il avait aussi fallu fixer le jour du départ de Marjolaine vers l'Europe. Allait-elle se dépêcher de terminer son manuscrit avant de partir ou bien accompagner Ivan durant les préparatifs de la chirurgie ? Elle avait remis son échéancier d'écriture à plus tard avec l'intention d'ajouter quelques chapitres sur l'adoption d'un jeune détenu, à la suite de sa correspondance suivie avec le handicapé ayant développé des sentiments paternels à son égard, tel que Jean-Claude lui en avait dernièrement donné l'idée. Tant pis, l'éditeur n'aurait pas le choix d'attendre encore quelques mois. Le bon vieux Théo était rendu, à la fin du manuscrit, à l'âge de la retraite et éprouvait toujours un grand amour envers la fantomatique Murielle. Marjolaine avait finalement décidé de ne pas la faire mourir dans les circonstances réelles qui l'avaient emportée, préférant une conclusion plus agréable et satisfaisante. Murielle connaîtrait donc des années de vieillesse heureuse en compagnie de son Théo. Après tout, le roman ne portait-il pas le titre *Le Miracle*?

D'ailleurs, le principal miracle évoqué dans cette histoire continuait justement de se réaliser dans le concret et sous les yeux ébahis de Marjolaine. À l'instar du père Nicolas prenant en charge l'hébergement de son protégé, Jean-Claude avait obtenu du système carcéral la permission exceptionnelle de louer pour Rémi une chambre pour deux jours au centre Les Papillons de la Liberté, pour sa prochaine fin de semaine de liberté conditionnelle, prévue durant le voyage de Marjolaine à Paris.

— Ne t'en fais pas, Marjo, je m'occuperai de ton fils quand il aura une permission. Et si le Canadien accède à la demi-finale des séries éliminatoires, je vais l'emmener voir la partie de hockey au Centre Bell. Quelqu'un pourra sûrement me refiler deux billets.

— Exactement comme dans mon roman! Jean-Claude Normandeau, tu es un amour! Tu n'as pas idée comme j'apprécie ton geste. Quel bon dépanneur tu fais! Samiha n'est pas encore arrivée ici, et je me retrouve déjà écartelée entre deux de mes enfants, l'un en congé au Canada et l'autre opérée outre-mer... Dis donc, j'y pense : je vais laisser ma voiture à Rémi pour cette fin de semaine-là, vous pourrez sortir ensemble.

— Parfait! On ira faire un tour dans le nord! Dans ton livre, à quel restaurant, déjà, le père Nicolas et Théo avaient-ils déjeuné?

Marjolaine s'était mise à rire.

— Aucune importance. Je n'ai pas écrit un livre de recettes pour te dire quoi faire, mais un roman, mon cher ! Vous irez bien où vous voudrez !

Après ces multiples corvées et décisions à prendre, Marjolaine se retrouvait donc en France, les mains vides et tellement seule, en ce matin ensoleillé de juin, dans cette salle d'attente d'un hôpital parisien, assise devant cette maudite horloge qui ne cessait de tourner en rond. Trois heures quarante-trois minutes qu'elle attendait sur ce fauteuil, après avoir embrassé le père et l'enfant comme s'il s'agissait de la dernière fois, au moment de leur départ vers la salle d'opération, lui aussi souriant que s'il partait pour un voyage orbital autour de la Terre, et la petite ne comprenant rien de rien de ce qui lui arrivait. Marjolaine la voyait encore, minuscule malgré l'œdème et perdue sur la longue civière. Déjà branchée à une multitude de sérums, elle l'avait saluée de sa petite main en lui disant d'une voix fébrile :

— Au revoir, maman !

Bientôt quatre heures d'attente. Grands dieux, que se passait-il donc ? Elle n'en pouvait plus. Elle allait se lever et entreprendre de faire les cent pas dans le corridor quand elle vit l'un des deux chirurgiens sortir d'une salle et se diriger vers elle d'un pas allègre. L'homme, un géant affublé d'une large paire de lunettes cerclées de noir, l'invita à pénétrer dans un petit bureau.

— Venez, nous serons mieux ici pour discuter.

Cela eut pour effet d'énerver encore davantage Marjolaine, et c'est une femme sur le bord de la crise d'hystérie qui s'installa en face de l'urologue. La vue des doigts énormes du chirurgien ne fut pas pour la rassurer. De tels doigts avaient-ils pu farfouiller dans le corps de Samiha ? Incroyable, des plans pour la tuer !

— Ah, dites-moi que tout s'est bien passé, docteur !

— Mais oui, mais oui, ma chère dame ! Nous avons réussi, je crois. Évidemment, le rein de votre mari s'est avéré fort volumineux pour la fosse iliaque de Samiha, mais à la longue, avec la croissance de Samiha et l'atrophie de ses deux reins malades, ça devrait aller.

— Et Ivan, il va bien ?

— Oui, oui, ne vous inquiétez pas. Nous allons le garder sous observation pendant quelques heures dans la salle de réveil, et vous pourrez le retrouver ensuite dans sa chambre. Quant à l'enfant, on la laissera aux soins intensifs pour plus longtemps. Il peut arriver que le nouveau rein ne fonctionne pas immédiatement et que le patient ait besoin encore de dialyse. On vous a sans doute avisée que Samiha devra prendre des médicaments immunosuppresseurs pour le reste de ses jours afin de lui éviter de fabriquer des anticorps contre le greffon.

— Elle sera guérie définitivement, alors ?

L'homme jeta un regard outré à Marjolaine. Il l'avait pourtant mise au courant, mais elle n'avait probablement rien écouté à cause de l'énervement, à l'instar de bien d'autres parents s'obstinant à voir en cette greffe la fin irrévocable et irréversible de leur cauchemar.

— Hélas, non. Je vous l'ai déjà clairement expliqué, d'ailleurs.

— Je sais, je sais, mais je voudrais tant voir Samiha définitivement guérie.

— Bon, je recommence : normalement, la durée moyenne du rein de son père devrait s'étendre au moins jusqu'à dix ou douze ans, mais elle pourrait s'allonger jusqu'à vingt ans, comme dans certains cas. En temps et lieu, on envisagera une autre transplantation. Mais nous n'en sommes pas là pour l'instant, n'est-ce pas ? Alors, ne vous en faites pas, madame. Le danger de décès de l'enfant reste vraiment minime.

— Et Ivan, risque-t-il beaucoup en ayant donné l'un de ses reins ? C'est fou, on me l'a déjà dit à maintes reprises, mais de vous l'entendre me le répéter, en ce moment même, me ferait tellement de bien.

— En général, les donneurs s'en sortent facilement sans véritables séquelles. Ne vous tourmentez pas avec ça.

— Euh… dites-moi docteur, avez-vous une idée du temps que Samiha prendra avant de pouvoir se déplacer au Canada ?

— Voilà une bonne question ! Je ne peux vraiment pas y répondre maintenant. Chose certaine, elle nécessitera un suivi médical très étroit, surtout au cours des prochaines semaines et même de la première année. Mais je ne m'inquiète pas, tout devrait bien se passer.

Marjolaine s'en retourna dans la salle d'attente avec le sentiment que cette journée précise signait concrètement pour elle le début d'un long contrat, un contrat à vie : non seulement celui de conjointe, mais tout autant ceux de mère et d'infirmière.

Quelques heures plus tard, elle retrouva un Ivan larmoyant mais heureux sur son lit d'hôpital, malgré les effets encore palpables de l'anesthésie. En mal de confidences, il accueillit sa bien-aimée d'une manière fort chaleureuse, et elle reconnut l'homme tendre et si près de ses émotions qu'elle adorait.

— Tu ne sais pas quoi, Marjolaine ? J'ai l'étrange sentiment d'avoir mis moi-même mon enfant au monde, aujourd'hui, comme une mère qui vient d'accoucher. Samiha vient de renaître grâce à moi, uniquement grâce à moi. J'ai sauvé sa vie, je n'arrive pas à y croire. Quel bonheur, ma femme, quel bonheur ! Nous allons dorénavant l'appeler Samiha Solveye, n'est-ce pas ?

Qui mieux qu'une mère pouvait comprendre la joie suprême d'accomplir le miracle de donner la vie ? Marjolaine se mit à pleurer d'émotion avec lui.

Un certain après-midi, les amoureux sursautèrent en se présentant, comme ils le faisaient chaque jour, au chevet de la fillette. Déjà, Samiha prenait du mieux et retrouvait un peu de vitalité et de couleurs, le rein d'Ivan s'étant mis à fonctionner efficacement, à la grande satisfaction des médecins. À leur arrivée, ils virent une femme inconnue, installée dans un fauteuil roulant à côté du lit, en train de faire des minauderies à l'enfant qui les lui rendait bien. Ils comprirent immédiatement qu'il s'agissait d'Amal Shebel, la grand-mère tunisienne arrivée de Fontainebleau avec l'aide d'un bénévole, sans doute informée de la situation par monsieur Latourelle.

Méfiant, Ivan se dressa aussitôt, prêt à ruer dans les brancards.

— Bonjour, madame. Que peut-on faire pour vous ?

— Je suis venue vérifier comment va ma petite-fille, monsieur, avant que vous ne me l'enleviez, espère de voleur !

— La question n'est pas de vous l'enlever. Comme vous ne pouvez plus vous en occuper vous-même, il m'incombe d'exercer mon rôle de père et de l'élever normalement, avec l'aide de ma femme. Vous devriez comprendre cela.

— Si vous l'emmenez au Canada, je ne la verrai plus. Y avez-vous pensé, au moins ?

— Désolé. J'ai choisi d'habiter là-bas dorénavant et je n'ai pas l'intention de changer d'idée. Mais rien ne nous empêchera de garder le contact avec vous et même d'organiser parfois certaines rencontres.

— Vous me croyez millionnaire ? Comment pourrai-je m'offrir des voyages au Canada pour aller visiter ma petite-fille, surtout dans mon état ?

— Ne vous en faites pas avec les problèmes d'argent, on s'arrangera avec ça en temps et lieu.

— Vous décidez seulement maintenant de prendre vos responsabilités de père, alors que moi…

— Seulement maintenant ? Pardon, madame ! J'ai charitablement fait parvenir à votre fille un montant d'argent chaque mois depuis la naissance de Samiha, sans même avoir la certitude de ma paternité. Après sa mort, vous avez vous-même encaissé les chèques, alors…

— …

La femme, les mains crispées sur les bras de son fauteuil, pinça les lèvres et se contenta de jeter un regard meurtrier au pianiste. À l'évidence, Ivan semblait trop offensé pour deviner, derrière l'agressivité de cette femme, sa frustration et son chagrin de voir s'éloigner à jamais sa petite-fille.

— Et là, madame, je viens de lui offrir un de mes reins, alors vous feriez mieux de vous taire au sujet de mes responsabilités. Vous me bassinez, vous me faites tartir, madame. Je n'en ai rien à cirer, de vos stupides allégations !

— Il suffirait de continuer de m'envoyer de l'argent afin de pourvoir à ses besoins, et la pauvre petite pourrait demeurer en France, son vrai pays.

— Demeurer en France dans un orphelinat, vous voulez dire ! Non merci ! Et Samiha n'est plus une « pauvre petite », vous saurez ! Surtout pas avec la santé que je viens de lui redonner. De toute façon, il s'agit de mon enfant, madame, les tests de génétique l'ont prouvé hors de tout doute. Je possède donc tous les droits et son « vrai pays » sera désormais le Canada. Après tout, votre satanée fille et vous n'aviez qu'à ne pas me harceler et me réclamer de l'argent sous la menace depuis quatre ans, si vous ne vouliez pas me voir apparaître dans le décor. Je me demande d'ailleurs si c'est Samiha qui en a le plus profité, de cet argent… Aujourd'hui, si je comprends bien, vous quémandez encore des chèques au lieu de me dire merci et de vous réjouir de sa nouvelle famille, n'est-ce pas ? Même si je n'ai pas désiré la naissance de Samiha, je l'aime maintenant comme un véritable père, tenez-vous-le pour dit, madame Shebel.

— Il suffisait de ne pas violer ma fille, monsieur, si vous ne vouliez pas d'enfant, voilà tout !

— Quoi ! Vous osez utiliser le mot « violer » ! Excusez-vous, madame ! Je n'ai jamais, au grand jamais, violé qui que ce soit, surtout pas votre fille. Une vraie putasse ! Elle s'est montrée non seulement consentante mais fort entreprenante avec moi, si vous voulez savoir ! Avec moi et avec d'autres, ça, je peux vous le jurer ! Je peux même affirmer qu'une multitude d'autres hommes auraient pu devenir le père de votre petite-fille, sachez-le, madame !

Marjolaine, demeurée silencieuse jusqu'à maintenant, se mit à trembler. Quelle chipie que cette femme ! Et profiteuse en plus ! Et puis non, il fallait lui donner le bénéfice du doute. En deux ans, Amal Shebel, quarante-sept ans, avait perdu sa fille Sarah, suicidée par surdose, perdu son mari au cours d'un accident et perdu sa propre autonomie, réduite à vivre en fauteuil roulant dans un centre d'hébergement. Qui sait si sa relation avec Samiha ne représentait pas le seul élément lumineux de son existence ? Maintenant, la malheureuse grand-mère allait se retrouver seule et se défendait sans doute comme elle le pouvait, avec maladresse et démesure.

Tout en se rapprochant d'Ivan, mine de rien, Marjolaine essaya de se ressaisir et de se montrer aimable. Mieux valait tenter de calmer les esprits.

— Ne vous en faites pas, madame Shebel. Votre petite-fille mènera une vie heureuse au sein de notre famille. Mes deux fils vont adorer leur nouvelle petite sœur et mon premier petit-enfant naîtra très bientôt. Nous entretiendrons en Samiha le souvenir de sa grand-mère Amal vivant à Fontainebleau, je vous le promets. Et aussi souvent que les circonstances le permettront, nous vous l'amènerons. Ivan possède encore de nombreuses racines en France et il continuera d'y venir fréquemment pour son travail. Entretemps, nous communiquerons avec vous par vidéoconférence, si cela vous convient. Vous ne la perdrez pas vraiment, nous vous en faisons le serment.

La Tunisienne se retourna d'un bloc, étonnée de la gentillesse manifestée par celle qui se prétendait la future mère adoptive de sa petite-fille. De toute évidence, elle ne s'attendait pas à un tel revirement.

— C'est bon, je vais vous faire confiance, madame. À vous uniquement. De toute manière, je n'ai pas vraiment le choix, n'est-ce pas ?

Ivan préféra se réfugier dans le silence, mais il s'empara de la main de Marjolaine et la serra fort. Il ne broncha pas en voyant la femme actionner son fauteuil électrique pour sortir de la chambre sans rien ajouter, après avoir jeté un regard rapide mais désespéré sur l'enfant.

C'est à ce moment-là seulement qu'on remarqua que Samiha s'était endormie sur son oreiller. De toute évidence, elle n'avait pas entendu un seul mot de la conversation des grands, et Marjolaine en remercia le ciel. Elle regretta, par contre, que la dame n'ait pas daigné se pencher sur la fillette pour l'embrasser.

# CHAPITRE 23

À cause des risques de rejet plus importants au cours du premier mois postopératoire, le médecin exigea, dès la sortie de l'hôpital de Samiha, de la revoir trois fois par semaine pour un examen clinique et des analyses de laboratoire, et cela, durant un certain temps.

À son arrivée en France avant la chirurgie, Ivan avait décidé de louer temporairement un petit meublé pas très loin de l'hôpital parisien, son ancien appartement ayant déjà trouvé preneur au premier jour de sa mise en vente. Marjolaine s'y installa donc pendant quelques semaines en sa compagnie et celle de la fillette, qui se montra une enfant docile, retrouvant petit à petit ses énergies et sa joie de vivre.

La mère adoptive s'attacha de plus en plus à cette adorable enfant qui lui rendait bien ses caresses par des mots d'amour bafouillés avec un accent d'une saveur qui faisait sourire la nouvelle maman. Évidemment, on prônait un mode de vie paisible. Une alimentation saine et sans sel s'avérait primordiale. Cela posa quelques problèmes à Ivan à qui incomberait la tâche de s'occuper d'elle pendant encore quelque temps après le départ de Marjolaine vers le Québec. Elle prépara donc de nombreux plats qu'elle mit au congélateur afin de dépanner l'ancien célibataire ne possédant aucun talent ni expérience, pas même un intérêt en art culinaire à part celui de se délecter sans retenue.

— Ça ne devrait pas durer longtemps.

— C'est incroyable comme mon piano me manque. J'ai beau, grâce à toi, aller m'exercer à mon studio d'enregistrement de temps en temps, je me sens rouiller de plus en plus. Quand tu seras partie, je vais devenir fou.

— Ne t'en fais pas, Ivan, Samiha récupère tellement bien que son néphrologue n'aura pas le choix, d'ici peu, de lui donner son congé afin de la remettre entre les mains des médecins québécois.

Marjolaine rentra à Montréal au début de juillet, ne voulant pas manquer la naissance de son premier petit-enfant. De plus, elle avait pour mission de déménager dans la maison de la rue Durham, naturellement avec l'aide de François, toutes ses affaires et celles d'Ivan, y compris les deux ordinateurs et l'énorme piano à queue d'abord en location et qu'il avait finalement décidé d'acheter. À vrai dire, elle quittait le Carré Saint-Louis non sans regret. Dans le Château des Sons et des Mots, elle avait connu des événements de toutes sortes, tous d'une grande intensité. Elle voulait ne retenir que les plus heureux, car ils lui avaient servi de tremplin pour une vie future remplie de promesses de bonheur. Vie future déjà sur le point de commencer, en réalité.

Au Carré Saint-Louis, non seulement elle s'était rapprochée d'Ivan auprès duquel elle avait maintenant décidé d'écouler le reste de ses jours, mais elle avait appris, à cet endroit, ses nouvelles conditions de grand-mère et de mère adoptive. Elle y avait aussi écrit, à ses yeux, l'un de ses meilleurs romans. Elle le reprendrait, d'ailleurs, dès que le temps le lui permettrait. Même Alain, à son retour de Chine, avait réclamé de lire la fin du manuscrit, ce qui n'avait pas manqué de flatter l'auteure, en dépit du fait que l'ex-mari se montrait avare de commentaires.

Au cours de la dernière année, Marjolaine avait aussi connu Jean-Claude Normandeau, devenu son plus fervent ami. Même convaincue de voir perdurer leur belle relation d'amitié, elle savait qu'elle ne le verrait plus dans son fauteuil roulant, installé près d'un banc du Carré Saint-Louis, en train de tendre la main aux passants dans le but d'aider les jeunes en difficulté.

Des jeunes en difficulté comme son Rémi, de moins en moins en difficulté, semblait-il, en majeure partie grâce à ce cher Jean-Claude. Le garçon s'était remis à compter les jours et les heures jusqu'à sa libération à long terme, prévue officiellement pour le mois d'août. Comme il le souhaitait, on l'avait accepté pour la session d'automne en études sociales au Cégep du Vieux-Montréal, où il pourrait facilement se rendre en métro à partir de la maison familiale. Évidemment, pour ces premiers mois de liberté conditionnelle, il devrait observer des consignes très strictes. Un inspecteur viendrait d'ailleurs tâter le terrain et le rencontrer chaque semaine. S'il se conformait parfaitement aux règles, après un certain temps, sa peine de prison deviendrait une histoire du passé pourvu qu'il ne brise pas les nouvelles conditions de moins en moins sévères imposées jusqu'à l'échéance complète de ses quatre ans de condamnation. Évidemment, l'existence d'un casier judiciaire marquerait à jamais un point noir dans son curriculum vitæ, mais il saurait se tirer d'affaire, sa mère en devenait de plus en plus convaincue.

Au grand espoir de Marjolaine, Rémi ne reproduirait plus jamais ses anciennes gaffes. Il avait un bon moral, il se sentait bien entouré de ses proches, et sa mère pouvait enfin respirer. Elle aurait souhaité voir son ex-mari prendre davantage d'importance auprès de son fils, mais déjà, avant même sa remise en liberté, Alain avait recommencé à espacer ses visites et à manifester un désintérêt évident envers l'évolution du garçon.

Bien entendu, en retournant vivre dans son ancienne demeure, Marjolaine devrait s'efforcer de chasser certains souvenirs dont, en primeur, les folies de Rémi et la froideur de son ancien compagnon de vie pour ne conserver que les meilleures évocations. Y arriverait-elle ? Bah ! L'essentiel consistait à se recréer une nouvelle existence, car elle souhaitait retrouver là le bonheur et une certaine sérénité, et mener dorénavant une vie heureuse de mère, de grand-mère et, bien sûr, de conjointe au cœur rempli de joie.

Ce jour-là, François et sa mère venaient à peine de déposer les dernières boîtes dans la maison quand le téléphone portable de l'aîné se mit à sonner. Marjolaine sentit son cœur s'arrêter de battre. La grossesse de sa bru excédait déjà de cinq jours la date prévue pour la naissance du bébé.

— Oui, Caro. Ne bouge pas, j'arrive dans cinq minutes !

Sans s'en rendre compte, François sautillait sur ses pieds comme un gamin.

— Maman, maman ! Caroline a commencé à avoir des contractions. Elle doit partir au plus vite pour l'hôpital.

— Ah, mon Dieu ! Comme je suis contente ! Tout va bien aller, ne t'inquiète pas. Dans quelques heures, tu pourras prendre ton petit trésor dans tes bras. Surtout, tu ne t'énerves pas, hein, mon grand ? Il ne faut pas que tu t'énerves. Tu ne t'énerveras pas, hein ? C'est promis ?

Marjolaine réalisa soudain que la consigne, répétée *ad nauseam* sur tous les tons, s'adressait autant à elle-même, tellement elle se sentait fébrile et excitée.

— Et... n'oublie pas de m'appeler, je ne bougerai pas d'ici et me tiendrai prête à partir en attendant ton coup de fil. Et pas d'énervement, n'oublie pas !

François n'entendit pas la dernière recommandation, déjà rendu à l'extérieur et sur le point de démarrer sa voiture. Ainsi, Marjolaine allait devenir grand-mère le jour même où elle réintégrait son ancienne demeure. Quelle coïncidence ! Elle qui songeait précisément à ajouter des souvenirs heureux par-dessus les anciens !

Elle se mit à s'affairer dans la maison, replaçant des objets sortis de l'entrepôt, rangeant les affaires de Rémi dans les tiroirs de sa chambre, jetant à la poubelle un bibelot, en réinstallant un autre, découvrant avec joie certains souvenirs oubliés, époussetant le piano à queue livré la veille, remettant son ordinateur en marche dans son bureau à l'étage, déterminant des espaces de rangement pour Ivan dans la chambre des maîtres.

C'est en retrouvant, au fond d'une boîte, le petit tableau du vieux Dubrovnik offert à Ivan au cours des premiers jours vécus avec lui qu'elle se mit à sangloter. Tant d'effervescence, de trépidations, de remue-ménage depuis ce temps... Il lui avait fallu des nerfs d'acier pour passer à travers toute cette agitation ! Mais l'amour avait tout sauvé.

Restait la décoration de la chambre de Samiha, une initiative qu'elle avait l'intention de prendre dès le lendemain, puisque Ivan projetait de rentrer avec l'enfant dans le courant de la semaine suivante. L'ancien ameublement de François pourrait toujours servir, mais pour le décor... Ces murs vert olive, ces vignettes et ces affiches sportives, ce couvre-lit avec l'emblème du club de hockey Canadien, pouah ! Pour sûr qu'elle recouvrirait le tout de couleurs pastel et qu'elle rendrait cette chambre féminine, elle qui n'avait pas connu le bonheur d'élever une fille. Justement, elle avait découvert une boutique de décoration sur la rue Saint-Denis.

Au bout de quelques heures, elle se retrouva sur le divan, à bout de souffle et le cœur serré, les yeux rivés sur le téléphone toujours muet. Que se passait-il donc ? Elle allait essayer de joindre François sur son portable quand elle entendit l'appel de *Skype* sur son ordinateur à l'étage. Ivan ! C'était lui, son amour, l'homme de sa vie. Elle avait complètement oublié le rendez-vous qu'ils s'étaient donné cet après-midi-là. Elle grimpa les marches deux par deux pour apercevoir, quelques minutes plus tard, la face rondelette et souriante de Samiha, assise sur les genoux de son père et lui envoyant de joyeux bécots du bout des doigts.

— Ah ! c'est vous, mes deux amours ! Coucou, ma pouliche, moi aussi, je t'embrasse ! Tu n'as pas idée, Ivan, comme tu arrives au bon moment. J'attends justement un appel de François d'une minute à l'autre. Caroline est partie à l'hôpital au milieu de la matinée. Si tout se passe bien, le bébé devrait naître très bientôt, si ce n'est déjà fait. Et vous deux, comment allez-vous ?

— Tout se déroule pour le mieux, mon amour. Samiha se comporte comme une grande et mon rein aussi. Mes deux reins, à vrai dire, le mien et le sien. Nous devons revoir le médecin demain matin. Il va probablement nous donner la permission de quitter la France la semaine prochaine, je crois. Je te tiendrai au…

— Oups ! Ne bouge pas, Ivan, le téléphone sonne ! Je suis à toi dans une minute ou deux.

Marjolaine s'empara du combiné portatif oublié dans la cuisine, non sans avoir appuyé sur le bouton « mains libres » de l'appareil. Elle revint s'asseoir directement devant l'écran de son ordinateur, ce qui allait permettre à Ivan d'entendre la conversation. Puis elle répondit au téléphone.

— Allo, maman ? C'est François. Tout est fini, enfin !

— Et alors ?

— Tu es grand-mère d'une petite-fille, maman. Une mignonne poupée de trois kilos en parfaite santé. Tu vas l'adorer !

— Une fille ? Ah ! comme je suis contente, comme je suis heureuse ! Me voilà avec deux grands fils et deux petites filles, maintenant, oh là là ! Qui aurait pu prévoir ça ? L'impossible vient de se produire… L'accouchement s'est bien passé ?

— Oui, oui. Caroline en a arraché un peu, mais je pense qu'elle a déjà tout oublié. On peut dire que la mère et l'enfant se portent à merveille. Même le père est en train de se remettre, ha ! ha !

— Embrasse-les pour moi. Je suis contente, si contente…

— Ouvre ton ordinateur, maman, je t'envoie une photo de la mère et de l'enfant, prise avec mon iPhone.

— Je ne peux pas, Ivan et Samiha sont en vidéoconférence sur *Skype*. Mais peut-être pourriez-vous essayer de vous parler tous les deux ?

Marjolaine approcha le combiné du téléphone près de l'écran à travers lequel Ivan, muet d'émotion, pouvait assister à la conversation entre la mère et le fils.

— Ivan, as-tu entendu ? Te voilà grand-père adoptif ! Si tu parles fort, François t'entendra peut-être à l'autre bout du fil.

— Bonjour, François ! Comme ça, mon vieux, tu viens d'hériter d'une fille tout comme moi ! Je vous félicite tous les deux, Caroline et toi, et je souhaite longue vie au bébé que je pourrai probablement admirer la semaine prochaine.

— Merci, Ivan. Bonne chance à toi aussi avec ta petite Samiha. Je trouve ton geste envers elle admirable et je suis impatient de la rencontrer.

La conversation s'avérant quelque peu difficile entre les deux hommes à cause des interférences, Marjolaine reprit le combiné.

— Dis-moi, François, comment allez-vous l'appeler ?

— Justine.

— Oh, comme c'est joli ! J'ai tellement hâte de lui dire : je t'aime, ma petite Justine… Écoute, je termine ma communication avec mes deux amours d'outre-mer et je me rends immédiatement à l'hôpital pour prendre ma petite Justine dans mes bras. À tantôt.

Elle raccrocha et s'adressa alors à Samiha à l'écran.

— Tu ne sais pas quoi, ma chouette ? Tu as maintenant une petite sœur. Ou plutôt une demi-nièce. Ou est-ce une cousine ? Je ne sais plus, mais un bébé t'attend ici, à Montréal. Viens-t'en vite ! Et toi, grand-papa Ivan, viens-t'en vite aussi. Ton piano t'attend et… moi aussi ! Tu n'as pas idée comme tu es tombé pile pour me parler aujourd'hui.

— Que veux-tu, l'intuition masculine…

— Comme je le disais tantôt, il n'y a rien d'impossible ! Ivan ? Je t'aime, merci d'être là !

En cet après-midi ensoleillé de juillet, le bonheur venait de sonner à la porte du 26, rue Durham.

# CHAPITRE 24

— Levez la main ceux qui aiment la lecture.

Quatre élèves sur quinze levèrent la main, dont trois filles et un garçon. Un cinquième hésita et finit par se joindre aux autres.

Marjolaine jeta un coup d'œil sur Jean-Claude assis dans un coin, à l'avant de la classe. Il secoua la tête et haussa les épaules d'un air découragé devant ce scénario sempiternellement répétitif. Il tentait depuis des années de faire comprendre à ces gnochons à quel point les livres pouvaient devenir de précieux amis. Combien de fois ne le leur avait-il pas expliqué, démontré, prouvé, justifié, radoté, rabâché, chanté sur tous les tons ? Malheureusement, ces grands flos se trouvaient maintenant en cinquième secondaire et ils n'avaient pas encore envie de fouiller dans les livres... Même les bandes dessinées les plus populaires ne les intéressaient pas.

Pourtant, ces jeunes à problèmes, tenus par la loi, à cause de leurs nombreux délits et récidives, de résider à temps plein dans la prison dorée que représentait le centre Les Papillons de la Liberté, auraient tout avantage à découvrir le plaisir de la lecture. Obligés d'aller à l'école, la plupart provenaient de milieux défavorisés et ne possédaient aucune des dispendieuses « bébelles » électroniques susceptibles de les éloigner des livres. Et les ordinateurs mis à leur disposition au centre devaient servir exclusivement aux devoirs et recherches scientifiques et, encore, sous étroite surveillance et à des heures fixes et prédéterminées.

Aussi, Marjolaine avait accepté de venir rencontrer bénévolement les élèves de Jean-Claude, à titre d'auteure. Elle ne se laissa pas décourager par le peu d'intérêt suscité par l'activité dont elle voulait faire la promotion et, avec l'air de compiler des statistiques, elle posa à la classe une deuxième question.

— Levez la main ceux qui aiment écrire.

Elle ne fut pas étonnée devant la réponse : seulement un garçon et une fille se manifestèrent en jetant des regards inquisiteurs autour d'eux.

— Dites-moi, vous deux, pour quelle raison vous prenez plaisir à l'écriture ?

Le premier, un petit maigre au visage constellé de taches de rousseur, ne se fit pas prier pour répondre.

— J'adore inventer des histoires. Je le faisais déjà quand j'étais jeune et ça n'a jamais arrêté. Maintenant, j'ai entrepris la rédaction d'un roman policier.

Le jeune assis derrière lui, l'un de ceux qui avaient prétendu aimer la lecture, ne se gêna pas pour répliquer, en déclenchant le rire général.

— Tu veux dire un roman de cochonneries pis d'affaires de violence et de porno où cé qu'la police perd toujours la *game* ! Une bonne manière de se défouler, on dirait, hein, Jonathan ?

Marjolaine, ne sachant trop comment réagir pour ramener le calme, s'empressa de questionner l'autre élève ayant levé la main, une grande brunette plutôt renfrognée qui haussa d'abord les épaules avant de rétorquer, d'une voix mal assurée :

— Moé, j'écris pour moé tu seule… J'écris c'que j'pense, cé toute.

— Je gage que ça te fait du bien et te soulage de te vider le cœur sur le papier, est-ce que je me trompe ?

L'adolescente se contenta d'acquiescer d'un simple signe de tête. Marjolaine n'insista pas et relança une autre question.

— Et les autres ? Pourquoi n'aimez-vous pas l'écriture ?

Cette fois, les réponses fusèrent de partout.

— Trop dur !

— On n'a pas d'idées, on sé pas quoi dire.

— On fait trop de fautes.

— On n'a pas d'talent.

— C't'une perte de temps, on met ça aux vidanges tu suite après !

L'écrivaine ne se laissa pas abattre par toutes ces dérobades et échappatoires, et se lança sans hésiter.

— Bon, bon, nous allons vérifier immédiatement si c'est vraiment aussi difficile que ça, et si vous avez ou non des idées et du talent. Prenez vos crayons, on va d'abord faire une dictée.

— Ah non ! Pas une dictée ! On haït ça, madame !

— Allons, allons, pas de chiâlage ! Alors, je commence : *On entendit sonner à l'entrée. Nicole ouvrit la porte et tomba à la renverse en apercevant…* Vous avez quinze minutes pour m'écrire la suite.

— Hein ? Quoi ? Il faut écrire la suite ?

— Quessé ça veut dire, « à la renverse » ?

— Ça signifie qu'elle tombe par terre tellement elle est surprise.

On n'entendit plus un mot dans la classe. Pendant un court moment, plusieurs têtes restèrent en l'air, le regard vide braqué sur Marjolaine. Puis, une à une, elles commencèrent à se baisser au-dessus de la page blanche. Déjà, certains élèves n'étaient plus là, rendus ailleurs, à imaginer la suite de l'événement. Quelques secondes plus tard, tous sans exception étaient plongés dans l'écriture, au grand étonnement de Jean-Claude. Il leva ostensiblement ses deux pouces à la verticale devant Marjolaine dans un geste de satisfaction.

De son côté, l'auteure regarda silencieusement les élèves travailler, touchée par l'impressionnante vision d'humains en processus de création. Et cela lui rappela un moment bien précis, plus de deux ans auparavant, alors qu'elle écrivait dans les jardins du château de Manuello, en Suisse. Emportée par l'inspiration et émue par la même considération sur le génie inventif des humains conçus à l'image de Dieu, elle avait interprété l'apparition d'un papillon blanc, un seul, se posant sur les fleurs de la roseraie, comme un symbole d'absolu. Beauté absolue de la nature, créativité absolue par sa propre intelligence humaine, élévation absolue de son âme… Dieu était là. Et l'absolu se trouvait encore là, en ce matin lumineux, dans cette classe de jeunes égarés en passe de reprendre le droit chemin.

Quinze minutes plus tard, Marjolaine brisa volontairement le silence pour le moins éloquent : ces adolescents en difficulté avaient quelque chose à dire et ils possédaient le potentiel nécessaire pour le mettre sur papier.

— Il ne vous reste que deux minutes.

— Non, non, laissez-nous encore un peu de temps. S'il vous plaît, madame, on n'a pas tout à fait fini.

Au bout de cinq autres minutes, elle donna l'ordre d'arrêter et demanda à la classe si des braves accepteraient de lire leur rédaction à voix haute. Plus de la moitié se porta volontaire. On fut ébahi des résultats, fruits d'une imagination débordante trop souvent mise en quarantaine. Si de rares textes s'avérèrent drôles ou au contraire pathétiques, la plupart présentaient un sujet dramatique dont certains comportaient des scènes d'une violence incroyable. Il n'était toutefois pas du ressort de Marjolaine d'en faire l'analyse psychologique et elle n'osa y revenir elle-même, préférant laisser ce soin à son ami Jean-Claude ou au spécialiste du centre. Néanmoins, on ne pouvait nier l'évidence : ces jeunes pouvaient s'exprimer par l'écriture. Ils avaient des choses à dire, peut-être même avaient-ils des secrets à révéler et, surtout, à évacuer grâce à cette activité.

Elle se contenta donc de commenter l'aspect littéraire des compositions.

— Super ! C'est vivant, réaliste, poignant... Vous m'impressionnez, les amis ! J'inscris mon adresse de courriel au tableau. Si vous avez envie d'écrire encore et de m'envoyer vos textes ou vos messages, ne vous gênez pas. De plus, j'adore recevoir des lettres et j'y réponds toujours. Et si vous manquez d'idées, ce qui me surprendrait, je vous laisse tout de même sur un autre bout de dictée : *Après avoir donné un coup de fil, André sortit de la maison en courant.*

Tous s'empressèrent de noter la phrase, à la grande satisfaction de l'instigatrice. Comme de juste, le prof de français se montra fort satisfait des rencontres de Marjolaine avec ses trois classes d'élèves venant d'entreprendre leur cinquième secondaire depuis quelques semaines seulement, en cette fin d'été. L'auteure fut chaudement applaudie au moment de son départ.

Quelques minutes plus tard, assis derrière son bureau et sirotant un café en compagnie de Marjolaine, Jean-Claude ne tarissait pas d'éloges.

— Bravo, ma chère! Les jeunes t'ont trouvée formidable. Comme je l'ai fait l'an dernier, je vais les obliger à lire et à analyser le premier tome des *Exilés*. Il avait remporté un vif succès auprès de mes finissants du secondaire, l'année passée, et certains avaient même réclamé les deuxième et troisième tomes à la bibliothèque du centre.

Marjolaine faillit l'aviser de ne pas recommander le troisième, les critiques s'étant avérées mauvaises, mais elle jugea plus sage de garder le silence, comme si elle voulait chasser, du revers de la main, sa conviction profonde de voir cette critique demeurer à jamais une épine dans sa carrière d'écrivaine.

Jean-Claude enchaîna, sans soupçonner les sombres pensées de son amie.

— Quand *Le Miracle* sera publié, je ne doute pas une seconde de sa popularité auprès de la population d'ici, compte tenu du sujet. Je le ferai lire dès la troisième secondaire, je crois bien.

Elle faillit lui répliquer qu'il ferait mieux de parcourir le manuscrit avant d'élaborer des projets, mais une fois de plus elle préféra se taire.

— Tu sais, Marjolaine, tes livres font peut-être des miracles en donnant la piqûre de la lecture à ces coquins inconsciemment pleins de ressources.

Marjolaine n'avait pas remarqué, par la porte grande ouverte derrière elle, l'arrivée d'une femme, la quarantaine un peu rondelette mais fort charmante, approuvant les dires de Jean-Claude avec de grands signes de tête affirmatifs.

— Souhaitons-le, mon cher ! Bonjour, madame Danserot. Je suis Monique Dusablier, directrice du centre. J'adore vos livres et je vous félicite. Jean-Claude me parle souvent de vous. Déjà ce matin, depuis la fin de votre atelier, des jeunes sont venus m'entretenir de votre visite. Tous l'ont beaucoup appréciée, semble-t-il.

— Eh bien, c'est tant mieux ! J'en ai retiré beaucoup de plaisir, moi aussi.

— Notre ami m'a fait part de votre projet d'offrir régulièrement quelques heures de bénévolat au centre. J'aimerais bien connaître vos disponibilités.

— Hum… Vous tombez mal, un imprévu s'est produit depuis ce temps. Mon conjoint revient justement d'Europe demain avec sa fille, ou plutôt notre fille, devrais-je dire, qui vient de subir une greffe de rein. Tout dépendra des possibilités pour me libérer, car j'ignore à quel point l'enfant aura besoin de moi. Mais si je le peux, je serai ravie de venir rencontrer ces jeunes fort attachants, sinon pour les amener à l'écriture, à tout le moins pour jouer aux cartes de temps à autre.

— Nous vous accueillerons avec grand plaisir, madame.

Le lendemain, les beaux projets de bénévolat de Marjolaine furent réduits à néant et ils allaient certainement y rester pendant un bon bout de temps. Dès la première minute de rencontre à l'aéroport, l'écrivaine remarqua aussitôt la pâleur et la maigreur cadavériques de Samiha. De toute évidence, la convalescence de l'enfant n'en était pas à son dernier stade. Il faut dire que le décalage et la fatigue du voyage n'arrangeaient pas les choses. Même Ivan lui parut blême et mal en point, lui aussi.

— Allons ! Je vais devoir vous renipper tous les deux !

— Nous renipper ? Que veux-tu dire, mon amour ?

— Je vais vous remettre sur le piton.

— Sur le piton ?

— Oui, mon cher, je vais vous remettre d'aplomb, vous aider à retrouver la forme !

— Ah ! je comprends, tu vas nous recharger les accus, quoi !

— Euh... C'est à peu près cela, je suppose.

Les deux amoureux éclatèrent de rire. Là, au beau milieu de la salle des arrivées, Marjolaine avait autant envie de prendre son homme dans ses bras que de presser contre elle la fillette qu'il tenait par la main. Mais l'enfant se montrait quelque peu timide et enfouissait son nez dans le pantalon de son père.

Compréhensive, Marjolaine se dit que trop d'événements avaient bouleversé la vie de cette petite, dernièrement, et elle ne s'en formalisa pas.

Une fois sur la rue Durham, Ivan ne cessait de lancer des cris d'admiration.

— Enfin ensemble, mon amour ! Et pour toujours ! Oh ! j'adore notre chambre avec ce long divan pour y lire sous la lampe, faire la sieste ou… Et comme c'est joli, ce vivoir tout en fenêtres ! L'arrière-cour me plaît beaucoup, également. Nous allons y planter des fleurs, n'est-ce pas, mon amour ?

Samiha, elle, complètement épuisée, tomba endormie dans son lit sans remarquer les papillons blancs ornant sa chambre et dont quelques-uns, suspendus à des fils devant la fenêtre, se balançaient tout doucement. C'est Ivan qui s'exclama en les apercevant.

— Des papillons blancs ! Grâce à toi, ils sont venus dans notre maison, Marjolaine. Dans ma maison et, surtout, dans ma vie… Je ne te remercierai jamais assez et je te fais le serment solennel de te rendre heureuse, aussi longtemps que je vivrai.

# CHAPITRE 25

Se vautrant douillettement dans ses couvertures, « encore deux petites minutes seulement », Marjolaine regardait Ivan en train de s'habiller au sortir de la douche. Comme elle l'aimait ! Non seulement ce grand corps svelte capable de l'amener au nirvana la troublait sans bon sens, mais elle adorait toute sa personne, son intelligence, sa sensibilité, son âme généreuse. Son talent d'artiste aussi. Tout, en cet homme, lui plaisait. Elle avait l'impression de vivre une telle fusion, une telle symbiose avec lui que, si jamais elle le perdait, la moitié d'elle-même lui serait arrachée et qu'elle n'y survivrait pas.

— Je te souhaite une belle journée, ma chérie. Je ne crois pas pouvoir rentrer avant six heures, ce soir. Dis donc, prendrais-tu un petit café au lit ? Ne bouge pas, je te l'apporte avant de partir.

— Bien, si tu insistes…

— Profites-en donc pendant que notre petite demoiselle dort encore !

Six mois venaient de s'écouler depuis le retour de France du pianiste, accompagné de la fameuse petite demoiselle. Les choses n'étaient rentrées dans l'ordre que petit à petit, mais ces temps difficiles, au lieu de créer des dissensions et d'éloigner les amoureux l'un de l'autre, avaient contribué à les rapprocher davantage.

Ainsi, la convalescence de Samiha ne s'était pas révélée des plus aisées. À raison de deux, parfois même, trois fois par semaine, Marjolaine avait dû la conduire à la clinique de néphrologie de l'Hôpital Sainte-Justine pour enfants, afin que la fillette y subisse d'interminables examens, vérifications et analyses, dans le but de surveiller son état de santé et d'évaluer les doses de corticostéroïdes et de médicaments immunosuppresseurs à lui prescrire.

Devant l'angoisse et le harassement de la mère adoptive, le médecin ne cessait de se montrer rassurant.

— Ne vous inquiétez pas, madame, le rythme de ces visites diminuera progressivement d'ici peu. Les risques de rejet du greffon s'avèrent plus importants durant les premiers mois. Il suffira ensuite d'un simple bilan sur une base régulière, quelques fois par année, rien de plus.

— Et pour l'instant, Samiha va bien ?

— Nous sommes très satisfaits, tout se passe à merveille.

Il avait raison. La situation avait continué d'évoluer pour le mieux, et la courbe de croissance de Samiha s'était enfin mise à grimper en même temps que l'attachement s'intensifiait entre l'enfant et ses parents. Ivan adorait sa fille et ne tarissait pas d'éloges à son sujet. Elle représentait à ses yeux la plus mignonne, « la plus croquignolette, la plus balèze des mômes de la planète ». Pour Marjolaine, elle personnifiait la fille chérie dont le destin l'avait jadis privée, la poupée à cajoler, dorloter, câliner, l'enfant merveilleuse à élever pour la préparer à devenir une femme heureuse et épanouie dans le futur. Pour les deux grands frères, Samiha incarnait une charmante petite sœur tout à fait inattendue, apparue dans leur vie comme un bouquet de fleurs au milieu du désert. Un cadeau du ciel au même titre que l'adorable bébé Justine.

La fillette rattrapa rapidement le temps perdu au cours de ses premières années, d'abord comme l'enfant mal-aimée d'une toxicomane, puis gardée durant à peine quelques mois chez ses grands-parents, et finalement pensionnaire dans différentes maisons d'accueil, pour être soignée par la suite et pendant très longtemps en milieu hospitalier.

Chaque jour, Marjolaine lui jurait silencieusement que sa présence au Canada constituait son exil définitif et que son installation chez elle demeurerait à jamais son véritable foyer. Avec bonheur, le couple la voyait se développer à un rythme constant, tant au point de vue physique qu'au point de vue intellectuel, et devenir une enfant sage et peu exigeante. Bien entendu, le père avait tendance à se plier automatiquement à ses quatre volontés et même à les devancer, contrairement aux principes éducatifs de Marjolaine.

— Tu vas la rendre gâtée pourrie, Ivan Solveye !

— Je ne lui en donnerai jamais assez, tu sauras ! Et puis, ne viens pas me dire que je carpote, Marjolaine Danserot !

— Capote, Ivan, capote. Ou tu perds la boule, si tu aimes mieux !

— La boule, hein… Le caillou, tu veux dire ?

La dispute s'était terminée dans le fou rire. À vrai dire, tout continuait de bien aller entre eux en dépit des changements draconiens de leur contexte de vie. Changement de quartier, changement de lieu de travail pour le pianiste, augmentation des tâches ménagères pour Marjolaine, présence de Rémi et de Samiha dans la maison. Les soupers en tête-à-tête et à la chandelle avaient fait place aux repas rapidement expédiés où chacun bouffait à la hâte et à l'heure qui lui convenait. Sans conteste, une vie familiale intense avait de nouveau envahi le 26, rue Durham.

En général, Ivan travaillait rarement son piano à la maison et préparait plutôt son prochain concert dans son local de l'Université de Montréal. Compte tenu des circonstances, il avait également remis au printemps l'enregistrement d'un nouveau disque, dans son studio en France. Si Samiha continuait de bien aller, il en profiterait pour l'emmener, à ce moment-là, avec Marjolaine visiter la grand-mère et lui montrer les progrès de l'enfant. Malgré le peu de sympathie et les quelques réticences éprouvées envers Amal Shebel, Ivan, sous l'influence de Marjolaine, se refusait de lui en vouloir pour son attitude hostile lors de leur rencontre à l'hôpital. Après tout, il tenait le gros bout du bâton. Pourquoi ne pas apporter un peu de joie à cette infortunée grand-mère réduite à la solitude parce qu'il l'avait départie de sa petite-fille ?

Quant à Marjolaine, elle cherchait désespérément du temps pour écrire. Elle avait néanmoins réussi à mettre le point final à son roman, mais elle préférait le relire une dernière fois avant de le remettre à son éditeur. Il n'était pas question, cette fois, de récolter des critiques négatives. Oh ! que non ! Plus jamais !

Pour l'instant, elle donnait priorité à Samiha. La fillette devait s'alimenter de façon particulière et parfaitement saine, à des moments fixes et de très bonne heure, tandis qu'Ivan préférait les plats cuisinés et copieusement arrosés, mais avalés sur le tard, appréciant siroter longuement une bière bien fraîche ou un p'tit blanc sec à son retour de l'université. Rémi, lui, bouffait n'importe quoi, n'importe quand, n'importe où, selon son horaire variable du cégep.

Marjolaine se pliait de bonne grâce à toutes ces exigences et servitudes, mais de temps à autre, morte de fatigue, elle suppliait ses hommes de lui accorder un congé. Rémi s'occupait alors de l'enfant pour la soirée entière, et Ivan invitait sa conjointe au restaurant, histoire de lui procurer un moment de paix et d'entretenir sa bonne humeur.

À deux reprises, d'ailleurs, le pianiste lui avait demandé de l'accompagner à Québec et à Rivière-du-Loup, où on l'avait invité à donner des classes de maître. Après un massage relaxant, elle avait attendu son retour en sirotant une tisane sur le bord d'un spa ou encore en barbouillant, paisiblement et l'esprit tranquille, les premières pages d'un nouveau roman, affalée dans une chaise longue près de la piscine intérieure d'un grand hôtel. Caroline avait alors pris soin de Samiha pendant deux jours. La petite adorait aller chez « matante Caro et mononcle Franco », toujours excitée de côtoyer bébé Justine, débordante de vitalité, qu'elle appelait affectueusement sa « cousine-titine ». De ce côté-là également, Marjolaine prenait les bouchées doubles et savourait le plus souvent possible le bonheur de presser sa petite-fille sur son cœur.

Quant à Rémi, il menait sa barque vaille que vaille, malgré les dures consignes imposées par le système carcéral durant les premiers mois de sa libération conditionnelle et son autorisation à habiter rue Durham : interdiction de fréquenter des gens rencontrés en prison ou possédant un casier judiciaire, aucune absence non motivée aux cours du cégep et couvre-feu à huit heures du soir, incluant les fins de semaine. Le garçon poursuivait toujours sa relation amicale avec Jean-Claude Normandeau. Le handicapé lui servait à la fois d'ami, de guide et même de père, car Alain se montrait de moins en moins intéressé à ses fils, autant à Rémi qu'à François, ce dernier lui ayant pourtant donné une magnifique petite-fille.

Au bout du compte, Rémi avait réussi à terminer sa session d'automne haut la main, au grand bonheur de sa mère. Il entreprit donc hardiment la deuxième session, qui s'avéra plus difficile, même si les contraintes judiciaires lui laissaient davantage de liberté. *Psychologie du développement de la personne, Initiation à la recherche sociale, Techniques d'animation et d'intervention, Stages de sensibilisation*... La somme des heures de cours propres au travail social n'en finissait plus. Dieu merci, il avait complété en prison tous les cours obligatoires en formation générale, ce qui lui permettait de souffler un peu.

Un soir, autour d'un excellent repas où la famille au grand complet se trouvait, y compris François, Caroline, le bébé et Jean-Claude Normandeau, le sujet des problèmes sociaux chez les jeunes vint sur la table. Fort de ses expériences du passé et, tout autant, de ce qu'il avait appris à l'école, Rémi avait son mot à dire, mais le professeur de français auprès des délinquants semblait le mieux placé pour en parler.

— Si seulement, au centre, nous possédions un meilleur budget pour ouvrir des portes à ces ados, leur offrir plus de spécialistes et des programmes plus motivants, des activités davantage mobilisatrices, plus de sorties et de contacts humains avec le vrai monde et la vraie vie, la réadaptation et la réinsertion sociale deviendraient plus faciles pour plusieurs. Je fais de mon mieux avec mes quêtes sur le coin de la rue, mais ça ne rapporte pas le gros lot, hein ! Et les gouvernements se montrent trop souvent avares de subventions, comme s'ils oubliaient qu'il s'agit d'investissements pour l'avenir et non de dépenses folles et inutiles.

— Donne-nous des exemples, Jean-Claude, de ce que le centre ferait de plus avec une grosse somme d'argent.

— Des exemples ? Je peux vous en citer des tonnes ! Une prof de piano vient offrir des cours bénévolement à de nombreux jeunes, mais ceux-ci ne peuvent pas s'exercer ni faire leurs devoirs de musique, car l'unique piano du centre est situé dans la salle d'activités communautaires constamment occupée. L'achat de quelques petits claviers électroniques, même de piètre qualité, réglerait le problème. Il y a un gars qui écrit des chansons, mais nous n'avons pas d'équipement pour les enregistrer. On ne compte plus les filles qui rêvent de suivre des cours de danse, autrement dit d'apprendre d'autres sortes de figures que leurs déhanchements exécutés autrefois, nues et droguées, dans les bars, mais nous n'avons pas les moyens de leur payer un prof qualifié. La patinoire du centre est mal entretenue et on manque de patins, puis une demi-journée sur des pistes de ski ou de glissade à la campagne, ou bien, en été, une promenade en rabaska sur une rivière ou un pique-nique sur le haut d'une montagne, une fois dans leur vie, ce serait le fun pour ces jeunes-là, non ? Ça leur donnerait envie de connaître autre chose que leurs *trips* de drogue et la criminalité qui s'ensuit, vous ne pensez pas ?

Après l'avoir écouté religieusement, Ivan se leva soudain de table, tout d'un bloc.

— Je viens d'avoir une idée... Ah oui ! Une idée formide et gratinée !

— Une idée... comment ?

— Formide et gratinée. Pas piquée des hannetons, quoi ! Si on organisait un concert-bénéfice ? Notre étudiant en travail social ici présent pourrait même mettre la main à la pâte pour nous aider. « Travail d'équipe », « Entreprise d'animation », de quels cours parlais-tu, l'autre jour, Rémi ? On pourrait proposer un beau programme de concert pas trop compliqué. Comme je suis connu, mon nom suffirait à garantir le sérieux de l'affaire, obtenir des commanditaires et attirer les foules.

Jean-Claude bondit à son tour.

— Yessssssssss ! Quelle bonne idée !

Rémi n'osait s'avancer, jugeant l'entreprise mirobolante, sinon saugrenue. L'organisation d'un concert pour ramasser des fonds ne faisait certainement pas l'objet de l'un de ses cours. Chez les finissants, peut-être bien, mais pas maintenant durant la deuxième des six sessions en technique de travail social. À bien y penser, pourquoi s'embarquerait-il dans une telle galère ? Non, cela ne l'intéressait pas. Pas du tout. Pas pour le moment, du moins.

Cependant, une fois lancée autour de la table, la suggestion prit de l'ampleur et ne mit pas de temps à convaincre les autres convives. Marjolaine, quant à elle, commença à frissonner d'excitation, mais se garda bien de faire des commentaires, laissant l'initiative à Ivan.

Ce dernier, emballé par l'idée, continua d'insister auprès de l'étudiant.

— Je jouerais gratuitement et ne chargerais rien, Rémi. Absolument rien. Je ne sais pas si tu peux t'imaginer ce que ça représente. J'ai déjà rempli la Place des Arts, il y a quelques années, ne l'oublie pas, et les billets se vendaient à un prix exorbitant. S'il est bien organisé, ce récital aura encore lieu dans une salle comble, à coup sûr. J'ignore à quel endroit, par contre…

— Comptez sur Caroline et moi pour vous donner un coup de main, renchérit François.

Retenant à peine son excitation, Jean-Claude joua tout de même de prudence.

— Il faudrait tout d'abord en parler à ton professeur, Rémi, car il s'agit d'un projet d'envergure. Toute ta classe pourrait y apporter sa collaboration, si jamais ça marche.

— …

Estomaqué, dépassé, le souffle coupé par la réaction de chacun, Rémi ne savait plus comment réagir. Il ne possédait absolument pas la capacité de se lancer dans une telle entreprise. Tout le monde s'enflammait pour rien, il s'agissait d'un pari trop ambitieux pour lui. Le petit cours qu'il suivait en travail d'équipe n'en exigeait pas tant. Organiser un concert-bénéfice au profit du centre Les Papillons de la Liberté, non merci ! Il y arriverait peut-être un jour, mais pas maintenant. Pour l'instant, il se sentait trop peu expérimenté et encore sous la férule du système carcéral. Instinctivement, il se tourna vers sa mère.

Marjolaine posa une main chaude sur le bras frémissant de son fils, une main qu'elle voulait sans doute protectrice.

— Je comprends tes hésitations, mon garçon. Et tu as raison de te montrer prudent. Il s'agit d'une idée magistrale, peut-être même trop compliquée pour toi, trop jeune et sans expérience. N'empêche, je trouve ce défi extraordinaire. Et il concerne davantage messieurs Solveye et Normandeau que Rémi Legendre, crois-moi ! Si tu décides d'y participer, seul ou avec ta classe, c'est tant mieux. Sinon, ce n'est pas grave. Cependant, connaissant bien ces deux-là et leur incomparable détermination, j'ai l'impression que LEUR projet va se concrétiser de toute façon. Commence par consulter ton prof et lui demander son opinion, mon chéri, et tu prendras ta décision par la suite.

Le jeune homme poussa un soupir de soulagement et ses mains cessèrent de trembler, mais il préféra rester plongé dans son mutisme rassurant.

De son côté, toujours enthousiasmée, Marjolaine ne put résister à ajouter une nouvelle proposition toute personnelle.

— Pour ma part, je pourrais écrire et même lire des poèmes de ma composition entre les interprétations d'Ivan sur le piano, qu'en pensez-vous ?

— Super, mon amour! s'écria le pianiste. Et ta réputation d'auteure va attirer une autre sorte de public. Si nous obtenons une bonne publicité dans les médias, ça va marcher en trois coups de cuiller à pot.

Se tournant de nouveau vers Rémi et passant cette fois son bras autour de son épaule, Marjolaine lui fit une promesse.

— Si tu décides de collaborer, Rémi, j'irai avec toi rencontrer ton professeur et lui présenter le projet. Ça lui prouvera le sérieux de l'affaire. S'il accepte d'y faire participer des étudiants de ta classe, sur une base volontaire et pour une activité collective, ce sera tant mieux. S'il refuse, eh bien, ce sera tant pis ! Quant à toi, tu te joindras à nous à titre individuel, ou pas du tout, si tu préfères. Tout le monde peut comprendre que tu en as déjà par-dessus la tête, après tout ce que tu as vécu et vis encore depuis plusieurs années.

— Tu penses vraiment ce que tu dis, maman ?

— Bien sûr ! De toute façon, l'idée est lancée, le projet va se réaliser, j'en ai la conviction. Plein de tâches pourraient être assumées par les étudiants de ta classe s'ils acceptent de s'impliquer dans ce travail d'équipe : recherche de commanditaires, sollicitation auprès des médias, publicité sur Internet, impression du programme, préparation et vente des billets, réservation et aménagement de la salle, accueil des spectateurs, mise en place des montants d'argent, et j'en passe ! Sans oublier le ménage après le récital ! Et pourquoi ne pas organiser quelques visites au centre Les Papillons de la Liberté pour comprendre les besoins et suggérer des activités ? Les étudiants en travail social ont tout à apprendre et ils apprendraient beaucoup, je crois !

— Merci, maman, merci un million de fois !

L'écrivaine se retourna alors et s'adressa à tous les convives autour de la table.

— Mais avant de nous lancer dans ce projet, il faudrait d'abord nous assurer que le représentant du centre Les Papillons de la Liberté est un homme fiable et sérieux. On ne sait jamais, hein ?

Jean-Claude, ne saisissant pas la taquinerie du premier coup, pouffa finalement de rire, suivi des autres. Personne ne vit Marjolaine essuyer discrètement une larme de joie, avant de s'esclaffer à son tour. Les siens possédaient un grand cœur et elle eut envie d'en remercier le ciel.

# CHAPITRE 26

*DES SONS ET DES MOTS/DES DONS POUR DES MAUX*

*Concert-bénéfice au profit du centre*
*Les Papillons de la Liberté*
*avec*
*Marjolaine Danserot et Ivan Solveye*

*Jeudi 24 juin, 19 h 30*
*Salle Claude-Champagne*
*Université de Montréal*

Jean-Claude Normandeau s'avança lentement sur la scène dans son fauteuil roulant motorisé jusqu'en face du micro préalablement abaissé à sa hauteur et commença à s'adresser à l'auditoire d'une voix ferme et assurée.

— Mesdames et messieurs, bonsoir et bienvenue au concert des Sons et des Mots transformés ce soir, grâce à votre générosité, en des Dons pour des Maux. Des maux de toutes sortes et dans tous les sens du mot, permettez-moi de vous en glisser un mot. Ces maux, donc, affligent les jeunes gens condamnés à vivre sous les toits du centre Les Papillons de la Liberté et proviennent de malheurs, malédictions, maltraitance, malchance, mal de vivre, maladresses qui ont marqué leur court passé. À bien y penser, affirmer que la plupart de ces jeunes ont été des mal-aimés me paraîtrait un mot plus approprié en ce qui concerne les multiples maux de cette malheureuse clientèle.

Dans la salle remplie à pleine capacité, on aurait pu entendre une mouche voler. Toute l'assistance était suspendue aux lèvres de Jean-Claude Normandeau.

— Ce soir, parmi les mille trente sièges de cet auditorium, une soixantaine est occupée par des résidents du centre, ce lieu de réclusion pour adolescents et adolescentes de moins de dix-huit ans qui l'ont justement perdue, cette liberté. Il faut dire que nombre d'entre eux ne l'ont jamais eue… Ces jeunes ici présents comptent parmi les plus méritants du centre, et c'est sur eux que se fonde le plus grand espoir de rééducation et de réadaptation sociale. Merci, mesdames et messieurs, de vous joindre à nous et de leur tendre la main au lieu de leur jeter la pierre. Par l'achat de votre billet, vous avez contribué à améliorer leur sort et celui de leurs compagnons et compagnes, mais surtout vous les aidez à emprunter d'autres chemins que ceux de la délinquance où la vie les a fait échouer. Que vos Dons les libèrent de leurs Maux ! Puissent-ils apprécier les beautés de la vie dont les Sons de ce soir nous diront quelques Mots.

Spontanément, l'auditoire se mit à applaudir, ce qui n'empêcha pas Jean-Claude de poursuivre avec un brin d'émotion dans la voix.

— Je tiens à remercier la romancière Marjolaine Danserot et le musicien Ivan Solveye pour leur généreuse participation, ainsi que leurs deux fils, François et Rémi, qui se sont largement investis dans l'organisation de ce concert. Merci aussi à l'équipe de dix étudiants en technique de travail social du Cégep du Vieux-Montréal qui ont également mis la main à la pâte. Merci également à nos nombreux commanditaires dont vous verrez la liste sur votre programme, de même qu'aux plus grands quotidiens de la ville qui ont assumé la publicité de ce récital. Je ne voudrais pas non plus oublier de mentionner la contribution de l'Université de Montréal, établissement où enseigne monsieur Solveye et dont la haute direction a accepté de nous prêter gracieusement cette splendide salle de concert. Sans plus tarder, je vous présente nos deux principales vedettes. Accueillons bien chaleureusement, mesdames et messieurs, la populaire écrivaine Marjolaine Danserot et le pianiste de réputation internationale Ivan Solveye.

Avec une lenteur calculée, le couple entra sur la scène en se tenant par la main. Ivan salua d'un simple signe de tête et se dirigea rapidement vers le piano après avoir haussé le micro à la hauteur de Marjolaine, vêtue d'un sobre ensemble marine. Cette dernière, se sentant dans ses petits souliers, se demanda si elle n'allait pas s'écraser de nervosité, là, tout bêtement, au milieu de la scène. Mais, l'espace d'une seconde, une image lui monta à l'esprit, une image sombre et grise, celle de sa première visite à son fils, pleurant derrière un guichet vitré du parloir d'un pénitencier. Plus jamais cela ne devait se reproduire. Plus jamais ! Ni pour son fils ni pour ces autres jeunes enfermés au centre Les Papillons de la Liberté. La liberté, ce soir, elle allait la leur offrir, à son humble manière. Cette pensée la ragaillardit. Elle se racla la gorge, prit une longue inspiration et se lança dans la lecture de son premier poème intitulé : *Des sons et des mots.*

*Le Créateur se pencha*
*Au-dessus de l'Homme*
*Et songea que celui-ci*
*Aimerait sans doute*
*Célébrer sa liberté,*
*Louanger toutes les beautés,*
*Et puis chanter, et danser,*
*Et rire, et pleurer,*
*Et rêver…*

*Alors, il lui fit don de la musique.*
*Ainsi, les mots devinrent des sons*
*Qui livrèrent à l'humanité,*
*Sur leurs multiples portées,*
*Les grands mystères de l'être.*
*Mariage du présent et du passé,*
*Messages de continuité,*
*Et, peut-être bien,*
*D'éternité…*

Ivan entama alors l'*Impromptu*♪ de Franz Schubert en guise d'introduction. Après les applaudissements, Marjolaine poursuivit sa lecture d'une voix plus assurée en adressant son poème *C'est assez, mon ami* à tous les résidents des centres de réhabilitation de la jeunesse du monde entier.

*C'est assez, mon ami,*
*De te faire du mal ainsi.*
*Va voir la mer,*
*Va t'agenouiller*
*Devant sa grandeur,*

—

♪ Pour entendre ce morceau, visitez le www.quebec-amerique.com/coupsurcoup et sélectionnez l'extrait musical nº 15 : *Impromptu, Op. 90 nº 2,* de Franz Schubert.

*Devant sa majesté,*
*Devant sa force.*
*Et toi qui n'as jamais pleuré,*
*Tu pleureras…*

*C'est assez, mon ami,*
*De te punir ainsi.*
*Va marcher dans la tempête*
*Aussi loin que tu le voudras,*
*Aussi loin que tu le pourras.*
*Fonce dans la tourmente,*
*Cours et saute comme un enfant.*
*Et toi qui ignores la liberté,*
*Tu la découvriras…*

*C'est assez, mon ami,*
*De t'emmurer ainsi.*
*Grimpe les montagnes,*
*Va sur le bord des ruisseaux,*
*Pour pêcher et t'amuser,*
*Pour somnoler et rêvasser.*
*Laisse les flots te bercer,*
*Et toi qui ne connais pas la paix,*
*Tu la béniras…*

*C'est assez, mon ami,*
*De t'isoler ainsi.*
*Va regarder le monde*
*Avec les yeux de ton cœur.*
*Penche-toi sur les petits*
*Et admire les plus grands.*
*Invente des fugues nouvelles,*
*Préludes d'une vie plus belle.*

*Et, enfin, tu vivras…*

Le pianiste se mit alors à jouer *Prélude et fugue* ♪ de Jean-Sébastien Bach. Assise bien droite sur une chaise placée sur le côté de la scène, Marjolaine écouta la pièce religieusement, respirant à peine tant l'émotion l'étranglait. Puis elle se releva bravement, afin de poursuivre sa lecture d'un autre poème intitulé *Prière*, dédié à tous, cette fois.

*Pour le parent éploré*
*Devant son enfant décédé,*
*Pour l'autre qui s'aperçoit*
*Que son ami le fourvoie.*

*Pour le cœur qu'on balance*
*À force d'indifférence,*
*D'ignorance,*
*Et de silence.*

*Pour les amours avortés,*
*Les amants séparés,*
*Pour les familles éclatées,*
*Et les enfants partagés.*

*Pour le handicapé*
*Qui ne réussit pas à bouger,*
*Autant que pour l'aîné*
*Moins habile à fonctionner.*

*Pour celui qui s'acharne à espérer*
*Ce qui ne pourra jamais arriver*
*Et qui voit s'écrouler*
*Le rêve qu'il avait édifié.*

---

♪ Pour entendre ce morceau, visitez le www.quebec-amerique.com/coupsurcoup et sélectionnez l'extrait musical n° 16 : *Prélude et fugue en do mineur, BWV 847*, de Jean-Sébastien Bach.

*Pour les enfants violés sauvagement*
*Par de cruels tueurs d'innocents,*
*Ces briseurs de leur estime de soi,*
*De leur bonheur et de leur foi…*

*Pour les rendez-vous manqués,*
*Les chefs-d'œuvre ignorés,*
*Pour tous les cris perdus*
*Qu'on n'a pas entendus.*

*Pour les désirs non comblés,*
*Pour les rêves non réalisés,*
*Les erreurs inavouées*
*Et les échecs non mérités.*

*Pour l'œil crevé,*
*La main coupée,*
*Pour le sein mutilé,*
*Et le cancer redouté.*

*Pour les maisons incendiées,*
*Les églises fermées à clé,*
*Pour les murs des pénitenciers*
*Refermés sur des égarés.*

*Pour le petit chat écrasé,*
*Pour la fleur déjà fanée,*
*Pour les cœurs endeuillés*
*Et les guerres injustifiées.*

*Pour toutes ces horreurs*
*Et pour chacun de nos pleurs,*
*Prends pitié, Seigneur,*
*Afin, Jésus, que ma joie demeure…*

Ivan ne jeta qu'un regard furtif à Marjolaine avant d'entreprendre toutes les versions de son fameux *Jésus, que ma joie demeure*[10] de Bach, mais elle sut qu'il les jouerait, une fois de plus, comme si une prière s'élevait de son âme.

Quelques minutes plus tard, elle reprit sa lecture d'une voix tout aussi vibrante.

*L'humanité ne sut jamais*
*Que cette nuit-là*
*Beethoven s'en fut,*
*Triste et solitaire,*
*Vivre son adagio*
*Seul et en silence,*
*Sur le banc d'un parc*
*De Baden-Baden.*

*Sol, sol, sol,*
*Ô ma douce,*
*La, sol, fa, si, mi,*
*Ô ma bien-aimée.*
*Pourquoi refuses-tu*
*Ce que je mets à tes pieds :*
*Le maître que je suis*
*Se faisant tout petit ?*

*L'humanité ne sut jamais*
*Que cette nuit-là*
*Les arpèges s'écrivirent*
*Avec l'eau des larmes*
*Qui ruisselaient*

10. *Jesus bleibet meine Freude*, BWV 147 de Jean-Sébastian Bach, version cantate et version piano, extraits nos 1 et 2 du tome 1.

*Sur le beau visage*
*De l'un des grands artistes*
*De l'Histoire.*

*Seule la lune le vit*
*Et n'en parla jamais.*

C'est avec un air méditatif que le pianiste entraîna l'auditoire dans les mystères de la nuit avec le premier mouvement de la sonate *Au clair de lune*♪ de Beethoven.

Puis, Marjolaine enchaîna avec un autre poème intitulé *Arrêter le temps.*

*Je rêve parfois*
*De figer*
*Un instant de bonheur,*
*Comme l'hiver*
*Fixe la surface des lacs*
*En un immense désert*
*Où les eaux ne dansent plus*
*Au gré des intempéries.*

*Je rêve parfois*
*De cristalliser*
*La beauté d'un regard,*
*Comme le froid*
*Dessine sur ma vitre*
*Des jardins de fougères*
*Où, rêvassant,*
*Je m'attarde longuement.*

---

♪ Pour entendre ce morceau, visitez le www.quebec-amerique.com/coupsurcoup et sélectionnez l'extrait musical n° 17 : Adagio de la Sonate *Au clair de lune, n° 14, Op. 27 n° 2,* de Ludwig van Beethoven.

*Je rêve parfois*
*De prolonger*
*L'étreinte du bien-aimé*
*En une éternité*
*Sans cesse renouvelée,*
*Comme la caresse du vent*
*Me berce et m'emporte*
*Dans des tourbillons incessants.*

*Je rêve parfois*
*D'une chanson*
*En cascades de rires,*
*Ou pleurant comme un ruisseau*
*Qui m'habiterait*
*Comme l'air que je respire,*
*Mariant le rythme des flots*
*Aux battements de mon cœur.*

*Je rêve parfois*
*Qu'hier et demain*
*Se marient*
*Et que toujours et jamais*
*Se confondent*
*Éternellement,*
*Comme le fleuve et la mer,*
*En un seul maintenant.*

*Je rêve parfois*
*D'arrêter le temps*
*Et d'enfermer un moment*
*Dans une bulle*
*Poussée par le temps,*
*À l'abri des saisons.*

*Je rêve parfois*
*De ne vivre qu'au présent,*

*Comme le font les petits enfants*
*Et les si jolis papillons blancs !*

Au moment précis où Marjolaine prononça ces derniers mots, Rémi apparut en compagnie de Samiha tout de blanc vêtue. L'enfant tenait à bout de bras une mystérieuse boîte que son grand frère l'aida à ouvrir, une fois rendus au milieu de la scène. Des dizaines de papillons blancs en sortirent et s'élevèrent dans les airs. Sous les applaudissements et les hourras de la foule, Ivan entama aussitôt le célèbre *Ah ! vous dirai-je maman*♪, vieille chanson française transcrite pour le piano par Mozart.

Quand il eut terminé, le pianiste se leva et prit la fillette dans ses bras. Il l'installa gentiment à ses côtés sur le banc du piano, pendant que Marjolaine entreprenait la lecture de son dernier poème : *Je suis passée dans ta vie.*

*Entre l'ombre et la lumière,*
*Je suis passée dans ta vie,*
*Un jour, un an, trente ans,*
*Trop peu de temps !*
*Que t'ai-je apporté*
*Que tu pourras conserver ?*

*Peut-être un rai de lumière,*
*Une chaude présence*
*Qui t'a donné envie*

---

♪ Pour entendre ce morceau, visitez le www.quebec-amerique.com/coupsurcoup et sélectionnez l'extrait musical n° 18 : *Ah ! vous dirai-je maman*, transcription pour le piano K. 265, de Wolfgang Amadeus Mozart.

*De regarder dehors*
*Le lierre qui grimpe*
*Et la vie qui palpite.*

*Qui, peut-être,*
*T'a montré comment*
*Écouter l'oiseau,*
*Humer les fleurs*
*Et lever les yeux*
*Vers le ciel bleu.*

*Pour t'apercevoir*
*Que l'envie folle de vivre*
*Dépasse tout.*
*Si je ne t'ai offert que ça,*
*Je ne serai pas passée pour rien*
*Sur le dur chemin qu'est le tien.*

Ivan joua alors la *Berceuse*♪ de Brahms. Puis, aux côtés de Marjolaine, il quitta la scène sous les longs et bruyants applaudissements de la foule, en portant sa fille feignant d'être endormie sur son épaule.

Ainsi se termina le concert-bénéfice DES SONS ET DES MOTS/ DES DONS POUR DES MAUX, en cette chaude soirée de juin où la pleine lune accueillit les spectateurs sur le perron de la grande salle juchée sur les flancs du Mont-Royal. Marjolaine se sentait tellement émue qu'elle n'arrivait plus à parler. Elle choisit donc de s'attarder un peu dans sa loge, le temps de se ressaisir. Elle sursauta quand un Rémi tout rayonnant l'approcha, quelques minutes plus

—

♪ Pour entendre ce morceau, visitez le www.quebec-amerique.com/coupsurcoup et sélectionnez l'extrait musical nº 19 : *Berceuse, Op. 49 nº 4*, de Johannes Brahms.

tard, pour la toucher du bout des doigts à la sortie de la salle, devant les lumières de la ville scintillant à leurs pieds.

— Maman ? Ça vient de papa.

— De ton père ? Alain était ici ?

— Oui, et il est venu me retrouver à la fin, au moment où on a éclairé la salle. Il m'a demandé de te remettre cette enveloppe.

— Ah, bon ?

L'enveloppe contenait un chèque de deux mille dollars de la part de l'entreprise d'Alain, émis au nom du centre Les Papillons de la Liberté. Un petit billet rédigé à la main sur un bout de papier l'accompagnait, adressé personnellement à Marjolaine.

*Ma chère Marjo,*

*Quel spectacle émouvant ! Il a réussi à me chavirer le cœur, moi, le cartésien, le tempéré, le rationnel. Quelle âme tu possèdes ! Me pardonneras-tu jamais mes indifférences et mes écarts d'autrefois ? Sache que je garderai toujours un excellent souvenir de toi, de la femme formidable que tu es, même si la vie nous a platement séparés. Je te souhaite d'être heureuse enfin, tu le mérites bien !*

*Au plaisir de te revoir, un de ces jours, comme deux ex demeurés de bons amis.*

*Alain.*

Cette fois, Marjolaine sentit son cœur se remplir de papillons blancs et elle en eut jusque dans les yeux, surtout quand elle aperçut la directrice du centre Les Papillons de la Liberté, Monique Dusablier, se pencher au-dessus de Jean-Claude pour l'embrasser longuement sur la bouche, se croyant seule avec lui dans un recoin du corridor.

Ainsi, son cachottier de grand ami n'était plus seul. Le miracle de son roman semblait en train de se réaliser concrètement.

Elle retint un cri de joie et, silencieusement, elle alla se blottir contre Ivan qui portait Samiha dans ses bras, cette fois dormant comme un ange.

FIN

À suivre dans *Coup de maître*